教育部哲学社会科学研究重大课题攻关项目"我国学校教育创新研究"成果

"守望者的凝思：读懂学校、读懂校长"系列论丛

主编 裴娣娜

求知求真，卓越发展

QIUZHI QIUZHEN ZHUOYUE FAZHAN

——重庆一中教育创新研究

鲁善坤 等 著

教育科学出版社

·北京·

求知求真，卓越发展

——重庆一中教育创新研究

基于学校教育变革性实践的反思与建构
——中国基础教育改革创新之路

裴娣娜

学校教育创新是目前世界各国基础教育改革中一个具有战略意义的重要问题。如何变革学校教育观念，培养具有创新精神和实践能力的高素质人才，是世界各国共同关注的问题。事实证明，以创新挑战危机，谁最先把握了时代发展变化的需求，谁就掌握了发展的主动权。

“守望者的凝思：读懂学校、读懂校长”系列论丛，是“十一五”期间教育部哲学社会科学研究重大课题攻关项目“我国学校教育创新研究”的研究成果，是对改革开放三十多年来中国基础教育阶段学校教育创新发展的思路、策略及方法基本脉络的全面系统的反思梳理。这套论丛有着独特的时空定位，限定在我国改革开放以来学校办学层面的改革与创新，采取自下而上的分析思路，是对学校已有的基于变革性实践的学校现代发展经验的总结提升。系列论丛中一本本研究性的专著翔实地记录了这些学校的校长基于不同的办学实际带领各自团队所走过的学校发展之路，这些学校的办学理念及经验经过了时间积淀和实践的检验，是富有鲜明特色、带有中国本土气息的原创性实践。

反思总结来自实践的学校创新经验，从中解读并汇集学校教育创新力指标，从而为进一步探讨学校教育创新发展理论模型与实践模式的建构、形成有较强的实践操作策略奠定坚实的基础。因此，我们的研究，以反思与建构为主线，聚焦“两个读懂”：读懂学校、读懂校长。这套系列论丛所呈现的不仅是每个学校独特的“我”，更重要的是通过一个个独特的“我”集合形成的具有一定典范意义的学校变革性实践的基本认识。

一、学校教育创新理论反思与现实建构的战略性意义

进入21世纪，面对世界各国对于经济社会可持续发展目标的诉求以及日益激烈的国际竞争对高素质人才提出的更高要求，面对工业社会和信息社会发展的要求，面对极不平衡的区域性社会经济发展以及多元文化价值取向、伦理道德问题、文化生态危机等一系列严峻挑战，中国基础教育的改革与发展进入一个十分关键的时期，正是社会转型凸显了中国学校教育创新发展的主题。

教育创新是学校教育发展的根本动力。学校需要变革，学校必须变革，变革的目的在于坚持“以人为本”的科学发展观，办好让人民满意的学校。学校教育创新研究的重要意义在于以下三个方面。

（一）为构建优质高效的学校办学模式提供一种理论分析框架

学校教育创新研究旨在对中国学校教育创新发展进程中的若干重要问题作出理性的思考和科学的回答，探索适应社会发展和人的自身发展需要的、优质高效的学校教育发展模式与育人模式。通过教育学、心理学工作者的跨学科研究，跨校际的教育工作者协同研究，以及理论与实践工作者的合作研究，为有中国特色的基础教育改革和发展提供思路，为构建优质高效的学校教育提供一种理论准备和分析框架，为促进青少年儿童全面发展提供一种新的教育方式，为教育行政部门和教育机构的相关决策与措施的制定提供科学依据。因此，这一研究成果是中华民族的，也是世界的；既有本土性，又有国际的普遍意义。

（二）通过典型个案研究，呈现我国当前具有特色的和有代表性的学校教育创新发展实践模式、评价指标、推进机制及成功经验

系列论丛的内容强调以下三点。

一是以学校教育改革与发展为中心线索，阐明项目学校从学校教育价值观念的重新定位到学校教育体系的全面更新，从改造教育过程到改

变教育教学各个环节中的方法与手段，从全方位地营造育人环境到创造性地开拓各种教育教学模式，从而提升学校整体的综合实力，形成学校教育创新的思路和特色的历程。

二是尝试揭示学校教育创新主体的培育与生成过程。论丛力图在深层次上揭示创新主体如何建构一种创新的观念、思想与目标，从而进一步生成为具体的办学行为的复杂过程。

三是表明学校创新发展是基于学校自身条件的特殊性，展现我国中小学校现代发展的多样化发展形态，同时也展现我国中小学校长追求持续发展和创建一流教育的特色与智慧。

（三）通过解读，将学校办学理念与行为提升到自觉和自为层面，进一步促进学校教育创新的实践探索

通过对不同学校教育创新力形成与发展过程的审视，有效促进科学的质量意识、特色意识的确立，提升对学校办学特色和学校潜在的创新能力的认识。

当然还应看到，项目研究成为高师院校集教育科研、人才培养、为基础教育改革提供咨询服务三种职能于一体的重要平台，从而对参与研究的高等院校在凝练学术方向、汇聚学术队伍、开展高水平学术交流等方面同样发挥重要作用。

通过研究，我们认识到，尽管学校发展存在差异，但有一点是共同的。那就是随着国家教育体制改革的推进，学校作为办学主体，面临前所未有的生存和发展的压力。实质是，变革的时代要求学校通过变革进行根本性的转型。我国的中小学校，正是顺应时代发展的潮流，不失时机地抓住发展机遇，凭借校长的胆识和战略思想，挖掘学校的优势和潜力，形成应对变革的自我更新机制，提升学校整体的综合实力，从而走出竞争中的劣势处境，构筑起了学校新的竞争优势。创新已成为学校发展的内在生命力。

论丛的撰写是一个大工程，不仅推动了学校对自我办学理念、举措的反思，而且为项目研究在理论的概括提升上提供了丰富厚实的思想资源。研究具有开拓意义，而且是原创性的，是项目研究重要的标志性

成果。

二、项目研究的共识与思考

作为一项国家级的高端科研项目，论丛从实践研究层面反映了研究成果的创新性及实践效益，我们概括为以下几个主要方面。

（一）回应了我国社会转型时期政治、经济、文化变革关于教育的现实诉求

一个具有强大生命力的思想和理论的孕育形成与发展，关键在于它对所处时代改革中重大的理论和实践问题的回答。始于20世纪末的中国社会转型，将现代化、市场化、社会主义改革三重重大的社会变革浓缩在同一时空，构成了一场极特殊复杂又波澜壮阔的社会变迁。正如有的学者所指出的，社会变迁的核心在于人的生存方式的变化。

正是当前中国社会的现代转型，从根本上决定了中国基础教育学校创新发展的主题，而回应中国社会的现代化发展与基础教育改革提出的新矛盾、新问题，在很大程度上又进一步决定了中国学校教育创新发展过程中关注和研究的问题。

现代教育的本质在于解决人自身的发展与价值问题，是人的发展的潜在可能的现实实现，而不是把人作为社会的被动客体来塑造。人的个体与群体的发展是现代教育的出发点和归宿，是使学校实现跨越式超常发展的生命力，是激发教育工作者潜在创造力的原动力。将这一主题置于中国社会的特殊语境中，置于中国基础教育现代化发展的历史进程中，置于多元文化的多种价值选择并存的环境中，从而形成了目前研究的论域（范畴）和主线。这就是在学校教育中，关注学生的文化生存环境和活动方式，关注学生的生存状况和生命价值，尊重学生的主体地位和主体人格，培养学生自主性、主动性和创造性，使他们在掌握人类优秀文化基础上学会学习、学会创造。这一价值目标定位，从根本上反映了学校教育创新发展研究主题从工具理性到价值理性的转化。

学校教育的创新发展，不仅是对工具化的教育追求、人的发展目标偏离、主体缺位的反动，而且是对迷茫的教育理论、观念的价值澄清。正是敏锐地抓住了时代的挑战，回应了时代发展的需求，才形成了学校

现代发展的视阈，导致学校教育进行结构性调整而实现了功能、形态上的根本性转变。

（二）形成我国学校教育创新的基本理论分析框架

1. 学校教育创新是学校教育主体，通过新的创意、新的构想、新的思维和行为方式、新的教育技术和手段，对原有不合理的理论观点、思想方法、技术手段进行突破和超越，在学校变革与发展中更有效地实现教育目的的一种创造性活动。这一定义强调通过创新性活动，构建有变革创新能力的学校教育，从而突破种种阻碍学校改革与发展的限制，使学校实现根本性的变革。

2. 学校教育创新的基本内涵是以科学发展观为核心的现代教育理念，是一种勇于变革的实践活动，是一种先进的学校文化，是一种在不断回答每一时代提出的重大问题的过程中获得发展的内在生命力。创新是一个过程，创新的实质在于变革、超越和发展。

3. 学校教育创新的目标是促进高素质人才的培育成长和学校的现代发展。(1) 培养学生的自主性、主动性和创造性，使他们具有正确人生观、价值观，基础扎实，有创新精神、独立思考和实践能力，从而最大限度地实现每个人的个性与才能的发展。(2) 形成锐意改革、张扬个性、鼓励探索、宽容失误的有特色的学校教育创新文化。(3) 创建具有生成性的学校生态制度与管理系统。(4) 营造内外部良好育人环境。(5) 塑造具有“生成”意识、“理论”气质、“变革”能力的校长。

（三）初步构建学校教育创新力评价指标

学校教育创新力评价指标，旨在用统计体系构建学校教育创新的内涵与本质。通过研究，我们初步构建了由四个要素组成的学校教育创新力评价指标体系：办学理念、办学目标组成的价值目标系统；课程开发、课堂教学、班级建设组成的育人模式系统；人事制度、组织管理制度组成的制度与管理系统；战略性谋划能力、领导者品格组成的校长领导力。通过四个子系统以及系统的优化组合，学校不断调整内部结构，扩大自组织的功能，成为一个自我更新、自我发展的有机体，成为一个具有强适应能力的教育生态系统，以期达到提高质量、增长效益、有序运行的效果。

（四）形成学校育人模式创新的基本思路和举措

立足于读懂变革性实践，我们将“优质高效的学校教育发展模式及育人模式”作为探讨的重要内容。汇集众多学校的实践探索，形成的基本思路是：依据学校的培养目标及办学方略，重点在育人模式的创新。

1. 学校课程系统的创新

取得的主要突破如下。

第一，以人为本的课程目标的创新以及课程功能的创新。

基础教育的课程功能，由普及功能与选拔（筛选）功能、个体功能与社会功能、适应功能与超越功能之间的矛盾关系所构成。然而应试教育在将“课程考试化”的同时，也造成基础教育课程功能关系的错位、扭曲和失谐。学校课程开发首先要正确处理不同功能之间的矛盾，课程的设置应关注学生学习能力、实践能力和创新能力的培养，并坚持能力培养的层次性。

第二，课程领导力的提升以及基础教育课程结构与形式的变革。

课程领导力指学校按照一定的办学定位、培养目标进行课程开发建设，全面提升学校教育质量的能力。课程领导力的内涵，指校长领导教师团队创造性地实施国家课程计划的能力，合理开发和整合教育资源建设校本课程的能力，组织学校课程实践的决策、引领和调控能力。

针对以学科课程为主课程形态的弊端，我们探索新的课程结构体系的构建，使分科课程与综合课程、必修课程与选修课程、普通教育课程与职业技术教育课程相结合，并设置旨在指导学生进行专题研究性学习的综合实践课程、地方自主选择的课程，体现灵活性、多样性和选择性，从而为不同地区、不同学校以及学生发展提供更大的选择余地。

学校课程结构与形式的变革，大致呈现为以学生素养发展目标为依据，按照课程功能和学习领域知识的重新整合来构建学校课程结构，以及基于学校办学特色的体现对国家规定的课程进行重组和改造几种不同的思路，展现了中国课程存在形态的丰富多样性。

课程建设的创新，还表现在面向社会、生活实践的课程内容的创新以及校本课程开发中的创新。

2. 学校教学系统的创新

学校教学创新发展研究聚焦于从多视角讨论学科教学本质，学生的学习与创造性思维的培养，发展性教学策略，教学内容改革，课堂教学质量观与有效教学的水平评估，教师专业化发展等问题，并形成了若干有创意的认识。

第一，确立现代教学观，关注学生的文化生存环境和活动方式，实现学生的发展。

第二，学生的学习具有选择性、研究性、体验性和反思性，教学设计应体现学生学习的内在机制及学习特点。

第三，教学内容的选择与设计，重在理解和掌握知识，加强学科知识的整合，面向生活实际，体现教学的实践性以及文化性。

第四，通过教与学的行为分析，实施以主体参与、合作学习、差异发展、体验成功为内涵的发展性教学策略。

第五，确立体现学生发展的课堂教学质量观，进行有效教学的水平评估，促进教与学方式变革，使学生会学习、会创造。

第六，揭示现代课堂教学的基本特色，形成教学的不同流派与风格。教师应有发展意识、反思意识、效率意识、特色意识。教学系统要创新就要读懂教师，要培养一批学科带头人并形成教学风格与特色。

3. 学校德育系统的创新

主要包括以下几点。

第一，对德育功能的重新理解。

以“人在社会中生活”为主线，揭示德育的正义功能、意义功能与幸福功能。旨在培养具有独立人格、民主意识、人权理念和公共责任的公民基本特质。对意义的追寻，构成了人之独特的存在方式。通过人性化、个性化和创造性，使人的自由本性得以充分展呈。

第二，构建了“经验—体悟”定向的德育创新体系。

强调通过经验和体悟过程来培养受教育者的价值取向体系，并通过行为实践经验及内在的自我调整和重构的体悟过程，形成稳定的行为驱动体系，并在此基础上逐步养成稳定的行为习惯，形成固化为内在的自觉价值取向体系和外在的习惯化行为方式的稳定品德特点。

第三，在分析当今中国德育实践及其根本性挑战基础上，形成学校德育创新的几个基本命题：

（1）批判德育中的工具论立场，确立“人是目的”的核心理念；

（2）道德教育的逻辑起点、核心是价值取向与行为习惯；

（3）通过对道德教育内容与形式加以审美化改造，实现“价值引导”与“道德主体的自主建构”的统一；

（4）德育实践需要创造性地拓展有促进意义的资源，引导学生积累经验与重构性体悟（体验）。

项目研究实现了15所高校的跨校际、10个专业方向的跨学科整合，以及高校理论工作者、地方教育行政领导干部、中小学实践工作者多方研究力量的整合，组成优势互补的科研群体协作攻关①，从而使研究体现原创性、过程性和整合性。

三、论丛撰写的特色

论丛从历史、现实和未来三个视角把握总体，每一部专著内容框架由三部分组成。第一部分是学校发展历史及传承文化传统的审视，第二部分是全书主体，以学校教育创新力指标为依据，对学校办学的目标与价值系统、育人模式系统、制度与管理系统以及校长领导力几个方面的改革创新进行全面系统总结，第三部分是学校未来发展的设想。

每部专著的撰写前后历时2—3年，是一个再研究再思考的过程。我们深感每所学校、每位校长本身就是一个故事，而每部专著的问世也

① 15所高等师范院校分别为北京师范大学、西北师范大学、哈尔滨师范大学、南京师范大学、华中师范大学、河南大学、东北师范大学、天津师范大学、广西师范大学、首都师范大学、山东师范大学、四川师范大学、上海师范大学、浙江师范大学、江西师范大学鹰潭分院；3所科研机构分别为中央教育科学研究所、天津教育科学研究院、四川省教育科学研究所；7个区域性教育行政部门分别为北京市海淀区、湖北武汉市武昌区、四川成都市、河北石家庄市桥东区、深圳市南山区、甘肃省兰州市、四川阿坝藏族羌族自治州理县的教育行政部门；参加项目研究的中小学共有95所。

是一个故事。要保证著述的质量，关键在于如何对每所学校多年积淀的丰富鲜活的实践研究成果进行筛选、整理与提升，而不仅是对事实材料的罗列。

反思论丛撰写的全过程，在以下几方面呈现出其独特性。

1. 起点高位。立论于“中国具有进行原创性研究的优势，这种优势潜力的挖掘，主要在于充分调动深厚的本土资源、经验和智慧”这一论断，立论于学校的现代发展实质是变革性实践的判断，所以采用从变革实践的经验中提升的研究范式，定位于读懂学校、读懂校长、读懂变革性实践。

2. 立足研究。每本书的问世，是一系列的选择、提炼、重组、建构的过程。经过多次研讨碰撞，几上几下的反复修改，凝结的是每所学校对变革性实践的基本认识，同时也渗透了热情参与和关注基础教育改革发展的有识之士的心血，它是用“心”写出来的。

3. 理性思考。遵循“问题—思路—举措”这一叙事逻辑，尽可能处理好反思与建构、理论的概括提炼与实际问题的阐述解释、继承与超越、共性与个性的关系，认真搜索和挖掘创新点，在这个过程中不断提升研究意识和研究能力。

4. 个性特色。教育研究需要宽容、尊重和理解。二十余所学校有不同的身份和角色，每位校长也有不同的成长背景和工作风格，正是每个独特的“我”带来了丰富和生动，而在每个个别中展现的是学校锐意改革、开拓创新的可贵精神，因为高尚的心灵都是相通的。

本论丛是教育部哲学社会科学重大攻关项目的研究成果，我们在此谨对教育部社科司批准立项，对社科司杨光司长、张东刚副司长，基础教育司王定华副司长，以及社科司的同志们给予本项目研究的关怀和指导表示衷心感谢。以德高望重的顾明远教授为首的项目指导专家组——谈松华、郭振有、卓晴君、张民生、文喆、谢维和、朱小蔓、周满生、吕达、曹志祥、杨银付等专家，他们四年来对项目研究发表了富有启发性的重要见解并对项目研究寄予了殷切的期盼，他们的很多重要思想和观点对项目研究产生深远影响，我们将铭记在心。

论丛出版之际，我们还要特别感谢教育科学出版社，感谢李东总编辑以及教育科学出版社的所有编辑出版人员。教育科学出版社热心奖掖学术与创新，他们不仅为论丛的出版付出了辛劳，更难能可贵的是对论丛出版予以无偿支持，从而使我们的成果远离了“文化包装”之嫌而保持了学术研究的纯洁，他们的支持和鼓励是我们做好这一论丛的重要动力。

对中国基础教育学校创新发展这一具有战略性、全局性问题的探讨和研究还刚刚起步。《国家中长期教育改革和发展规划纲要（2010—2020年）》（以下简称《教育规划纲要》）描绘了未来10年我国教育改革发展的宏伟蓝图，特别强调“改革创新是教育事业发展的强大动力”。我们将遵循《教育规划纲要》的指示精神，继续不懈地探索，以求在学校教育创新问题上不断取得新的认识。我们深知，在中国基础教育改革的大潮中我们是“之一”而不是唯一，若干重要的理论与实践问题还需要进一步的展开、充实、挖掘和进行深层次的理性思考。我们坚信，在这条教育改革创新之路上，我们会越走越踏实。

目　录

CONTENTS

发展性教育思想与重庆一中的科学发展

重庆市第一中学校校长　鲁善坤

重庆市第一中学校是一所拥有八千多名学生、五百多名教师的名校。在八十年的办学历程中，重庆一中积淀了丰厚的人文底蕴，全国著名文化区——重庆市沙坪坝的教育气息滋养了学校浓郁的校园书香，一代又一代的师生秉承着昂扬向上的校风学风承前启后，在发展性教育思想指引下，努力实践和实现着师生的共同发展。

我与学校教师和学生们执著地追求着共同的教育理想——学校的一切为学生的发展而存在，让每一个学生发展得更好。

1992—1993 年我曾赴美讲学，当时住在一户夫妇都是中学教师的美国人家中，有机会经常与他们探讨教育问题。同时我还在该校所在学区的 13 所中学和小学讲课，从而比较深入地了解美国基础教育的情况。一种开放的，以学生为主体，旨在促进学生创新精神和实践能力发展的教育深深地打动了我。

所谓“不识庐山真面目，只缘身在此山中”，长期囿于国内基础教育氛围中的我，常感到迷惑苦闷，看不清来路与去路。多年来，我一直在思索，我们应该办什么样的学校？我们的学校应该为国家培养什么样的人才？

1995 年，我担任重庆八中校长，开始以“发展性教育”的办学理论进行教育实践，先后在各种刊物上发表了《让学生更好地发展》《发展性教育模式初探》《试论素质教育的发展性》《学校的一切为学生发展而存在》《学校教育要为人的全面发展打基础》等论文，提出了发展性教育观：学生的发展是我们办学的出发点、命题和归宿。在实践中，我不断求证、更新发展性教育理论，使之具有较为坚实的理论基础和较强的可操作性。

中国的基础教育在20世纪的一百年里经历了从传统走向现代的艰难历程。进入21世纪，中国基础教育的改革与发展也进入了关键时期。实施教育创新，既是基础教育阶段的紧迫任务，也是知识经济时代的呼唤。2001年，我走上了重庆一中校长兼党委书记的岗位，决心对学校进行全面改革。

围绕教育创新发展的问题，我审视着当时的中学教育，并根据自己的办学实际，找到了教育发展的着力点和突破口，就是将人的发展放在教育的核心地位，具体探索学校教育如何变革，以期最大限度地达到"人的发展"的目标。经过多年的探索和实践，学校取得了一系列的理论成果和办学成绩。我认为，发展性教育观的提出和实践、对人的发展的深层关怀，必将在当前迅猛发展、变幻莫测的教育大变革中体现其科学性、前瞻性、基础性的价值。

我想，这绝不是一时兴起的举动，而是十多年来我带领重庆一中人孜孜不倦地探寻教育真谛、不断变革学校教育的追寻之路！

然而，当前基础教育又面临新的、更大的挑战，如何又好又快地发展？这是我们亟待研究和解决的重大问题。社会经济的迅猛发展对人才培养的数量和质量都提出了全新的要求，要求教育从规模、结构、质量和效益的协调中重新审视自身的发展；科技的日新月异、知识量的激增及其存在形式的变化，知识共享的可能性等，使教育从内容到方法都面临严峻的考验；数字化社会的到来，新技术、新传媒的涌现，使人类的思维方式和学习方式发生了重大变化，这必然对教育观念和教育实践产生深刻的影响。21世纪是一个充满竞争的时代，对人的精神素质将会提出更高的要求，它要求人们正确地认识自己的精神世界，科学地预测和控制心理现象的发生与发展，从而更好地把握自己，以积极、昂扬的精神状态面对世界。这有赖于教育作出贡献。人类共同面临的全球性的生态、能源、人口以及民族文化传统等一系列危机，也在向教育提出新的时代性课题，要求教育作出回答。

在新的历史条件下，我国基础教育在教育观念、教育体制、教育结构、人才培养模式、教育内容和教学方法等方面都出现了种种不适应的情况，影响了学生的全面发展，不能适应尽快提高国民素质和国家竞争力的需要。我们必须正视摆在面前的种种问题，尝试改革教育体制和探索解决问题的方法与途径。我反复思考：教育能否使学生得到全面、和谐的发展？他们能否适应这个瞬息万变的时代，并在其中找到属于自己的位置？他们能否在生命历程中获得愉悦、成功的满足？他们能否担当起传承历史和人类文明的责任？这些也都是关心教育的人们普遍感到担忧和非常关注的问题。

由北京师范大学裴娣娜教授主持的教育部哲学社会科学研究重大课题攻关项目“我国学校教育创新研究”的重要研究成果之一——“学校教育创新力评价指标体系”，包括四个要素：办学理念、办学目标组成的价值目标系统；课程开发、课堂教学、班级建设组成的育人模式系统；人事制度、组织管理制度组成的制度与管理系统；战略性谋划能力、领导者品格组成的校长领导力。通过对应于四个要素的四个子系统以及系统的优化组合，学校不断调整内部结构，扩大自组织的功能，成为一个自我更新、自我发展的有机体，成为一个具有强适应能力的教育生态系统，以期达到提高质量、增长效益、有序运行的效果。

本书的基本框架正是围绕这一体系来构建的。

在重庆这座拥有三千年悠久历史、富有传奇的城市里，重庆一中顺应时代潮流，在血与火洗礼下的20世纪30年代揭开了培养天下英才的华丽篇章。从此，栉风沐雨，不断攀登，历史的脚步凝重而清晰，文化的传承绵延不息。

在新的时期，重庆一中又孕育着创新的梦想。在探索如何培养符合社会国家所需要的高素质人才的道路上，重庆一中进行了新的开拓，紧紧围绕“人的发展”这一主题，立足于学校的传统与现实，针对完成性教育抑制学生发展潜能的问题，致力于构建适应每一个学生发展的课程体系、激活学生发展潜能的课堂教学和塑造主体性人格成长的德育系统，形成了丰富而生动的变革行为，自觉地促进了学生的全面发展。

发展性教育指向的不仅是学生的发展，还有教师的发展与学校的发展，而创建具有生成性的学校生态制度与管理系统是学校创新力的重要指标。重庆一中以“和谐管理”为着力点，开展富有人文精神的和谐管理探索，打造具有创新性品格的学习型教师团队，进而形成了“教师之家”的学校管理文化。

一个学校的气质与个性，很大程度上来自于引领它的校长。我的成长经历奠基了我的教育梦想；由此而求知——形成发展性教育理念，求真——投身学校教育改革与社会发展实践；最后，提炼出校长的角色特征和领导力。这是一段艰辛的探索历程。

学校的变革与创新是一个动态和永无止境的过程，对发展性教育的理论与实践的探索绝不会就此止步。在新的历史交汇点，在新的征程中，我将不断追寻，不断探索，不断实践。

本书力图真实再现重庆一中在学校变革性实践中实现发展性教育观的思路、过程和成果：集中展现学校在创新发展中遇到的真实的实践问题，突出策略的针对性；注重本校办学实践，记录学校发展性教育实践的轨迹，突出内容的实践性。

学校需要变革，教育更需要发展。在科学发展观和发展性教育思想的引领下，实现师生真实、真正的发展，办好人民满意的学校，打造中华名校，构建和谐教育是我的不懈追求，也是历史赋予一个中学校长的神圣使命。我们将用热血与忠诚在学校教育中写下浓墨重彩的一笔，无愧于伟大的时代。

本书的编写工作由重庆一中校长鲁善坤全面负责。北京师范大学裴娣娜教授带领部分学生，到重庆一中来亲自参与书稿的讨论和撰写工作。他们前往重庆市档案馆查阅资料，研究学校的各种文献资料，深入课堂，与教师、学生进行访谈，最大限度地接触学校、研究学校，对书稿的形成起到了重要的作用。

重庆一中教师王晓明、谭顺福、周鹊虹、张群力、王海洋、欧权、周鹏、付申珍、李长鸿、杨晓康等参与了本书各个章节的撰写、校对和统稿工作。谭顺福、周鹊虹具体负责书稿的组织、协调、统筹工作。在本书的成书过程中，重庆一中所有中层干部参与了全书的目录讨论，提供了大量研究材料。书中使用了部分教学案例，出于书稿统一编排的考虑，不能在案例之后直接署名，特在此列出：付申珍、王海洋、王晓颖、彭廷学、陈昌玉、沈清敏、刘红。其他因疏漏未能列上的，一并表示感谢。

我们衷心感谢项目组首席专家裴娣娜教授。多年来，她对重庆一中的发展倾注了大量的心力，她的很多重要思路和建议对重庆一中的发展产生了积极的影响。对于本书的修订，她不仅无数次通过打电话、发电子邮件予以指导和修改，还亲自带领学生到学校进行实地研究，为学校提炼、总结发展经验提供了直接的指导。

我们还要感谢首都师范大学附属中学石彦伦校长，四川师范大学李松林教授，西南大学李森教授，北京师范大学胡定荣博士、杨清博士，他们对书稿的修改提出了很多很有价值的意见和建议，使得本书更加完善。

第一章 重庆一中办学的历史风云

重庆市第一中学校（以下简称“重庆一中”）始创于1931年，至今已有八十年的历史，这是一部浸透着重庆一中几代教育者和学子的鲜血与汗水的厚重历史。八十年岁月荏苒，时光不居。在这八十年里，中国从专制走向自由，从封闭走向开放；在这八十年里，重庆一中从稚嫩走向成熟，从草创走向繁荣。八十年来，重庆一中人用自己对祖国和对教育理想的热忱，演绎了一部精彩的历史篇章。

八十年的风云变幻中交织着一代代一中人的梦想。八十年前，这里激荡的是抗日的号角；六十年前，这里飘扬的是走向新中国的旗帜；三十年前，这里闪亮着的是教育改革的梦想；而今天，这里高昂着的是发展性教育理想的最强音。每个时代，重庆一中人都紧握时代脉搏，在属于自己的时代里，坚定地开拓发展性教育的教育之路。尽管这条路布满了荆棘，充满了未知，但是，热血一旦洒出，必将成就一部教育的传奇。

一、艰难中起航：时代之子应运而生

1929年，第二次国内革命战火正酣，重庆从巴县分离，正式建市。当时，重庆教育出现了小学生数量增多、初中空乏不能适应的趋势。为满足小学毕业生的升学需求，有必要创建新的初级中学以更大限度地接纳小学毕业生。据重庆市档案馆存20世纪30年代初《重庆市市立中学校呈请立案事项各表》中的《近二年来市县每期高小毕业生概数及邻县每期来渝求学学生概数表》统计：每期来重庆市区求学的学生概数为2000人，其中重庆市区400人，巴县700人，江北县300人，其他邻近区县600人。然而当时重庆普通中等学校极少，大量小学毕业生常苦于无处入学，小学生的升学成为一个亟待解决的社会问题。在1930年的一份珍贵档案《重庆市市立中学校立案项目》中有这样的记载：“重庆小学数倍初中，毕业升学者常苦无地，每期招生仅有数校，春季始业者尤无容处。本校为此需要计划六班，期期招考，三年完成。”①

1931 年秋，当时的重庆市教育局呈报市政府批准，成立了重庆市市立中学校（重庆一中的前身），暂借学府街（石灰市）天府庙的市图书馆为校址。重庆市市立中学校于 1932 年 3 月正式开学行课，第一班招生 70 余人，均为男生。因校舍为暂时租借的庙产，仅有可供行课的殿堂数间，故学生多为走读，住校仅有六七人。学校开设的课程主要按照国民政府教育部于 1929—1932 年公布的《中学课程标准》制定，分别为：公民、体育及童子军、国文、英语、数学、历史、地理、劳作等。由于时局变化不定以及学校所招收学生多为家境贫寒学生，大多学生因经济因素或别的缘由而中途辍学，第一班学生最终毕业时仅有 20 余人。

第二班学生 50 余人继续在天府庙入学，两期学生共增至 100 余人，挤满了学校临时租借的校舍天府庙。学生宿舍极为紧张，为解决学生增多而带来的住宿问题，也为便于集中统一管理学生，学校又租赁邻近的米亭子大南郡为学生宿舍，全校学生一律改为住读，实行军事化的统一管理。

与此同时，学校鉴于市立中学借居他人之地，校地狭小，校舍老旧，不利于学校的进一步发展，开始谋划找寻新校地。在多方努力下，市政府决定在城外两路口大田湾划地 120 余亩，修建新校舍，随即动工兴建。1933 年两路口新校区建成，由校长潘昌猷题写“重庆市市立中学校”校名，总务主任刘天倪谱成校歌，同时购入大量仪器和图书。仪器为理化生等科目所需试验器材，图书主要有商务印书馆出版的《万有文库》《四部备要》以及中华书局出版的《四库丛刊》等一大批自然科学类和文史类书籍。1933 年春，学校师生全部迁入两路口新校区，共有学生三班，合计 159 人，学生均为住读。

学校草创伊始，教职员由市政府人员兼任，学校适时制订了创办计

① 此资料出自重庆市档案馆，全宗 0138，目录 1，卷号 18。

划（详细情况可参见表1①）。

表1　重庆市市立中学校创办计划表

<table>
<tr><th>年度</th><th colspan="2">二十年度</th><th colspan="2">二十一年度</th><th colspan="2">二十二年度</th><th colspan="2">二十三年度</th><th>附注</th></tr>
<tr><td>期别</td><td></td><td>二期</td><td>一期</td><td>二期</td><td>一期</td><td>二期</td><td>一期</td><td></td><td rowspan="5">以二十年八月至二十一年七月为一年度</td></tr>
<tr><td>开办班次</td><td></td><td>一班</td><td>二班</td><td>三班</td><td>四班</td><td>五班</td><td>六班</td><td></td></tr>
<tr><td>购置项目</td><td colspan="2">教具校具
急需图书
博物标本
化学药品
体育用具</td><td colspan="2">音乐工艺用具
学生读物参考用书
物理器械
四部汇书</td><td colspan="2">增加物理器械
增加化学药品
补充各项</td><td colspan="2"></td></tr>
<tr><td>建筑项目</td><td colspan="2">校舍
体育场</td><td colspan="2">完成全部校舍
学校园</td><td colspan="2"></td><td colspan="2"></td></tr>
<tr><td>备考</td><td colspan="2">购置建筑均分期办理</td><td colspan="2"></td><td colspan="2">筹备高中农科园系森林系</td><td colspan="2"></td></tr>
</table>

学校制定了详细的“学则”，初步形成了学校组织系统（详见下述“重庆市市立中学校学则”和图1②）。至此，重庆市市立中学校粗具规模。

重庆市市立中学校学则

第一章　名称及宗旨

第一节　本校定名为重庆市市立中学校

第二节　本校为发展青年个性、适应社会需要授以必要知识及生活技能，以养成社会上优良健全之份子为宗旨

第三节　本校由市政府划定新市区两路口大田湾

第二章　组织及学额

---

① 此资料出自重庆市档案馆，全宗0138，目录1，卷号18，引用时未作修改，表中纪年为当时的中华民国纪年。

② 此资料出自重庆市档案馆，全宗0138，目录1，卷号18。

第四节　本校组织系遵教育部所颁三三制组织，现时暂设初中部

第五节　本校学额暂定三百名，每学期招新生一班，现已招定三班

第三章　学科学分修业期限

第六节　本校采用学分制，每学程每周教学一小时，满一学期者为一学分，惟实验技能及无须课外学习或预备学程应折半计算

第七节　本校初中学生以习满一百八十学分为毕业，记每学级（即每学期）平均应习三十学分；除第一、二两学级不设学科外，其他各学级中均设选修科以辅学生选习；但连必修课计算每学期所习，至多不得超多三十四学分，至少亦以二十三个半至二十七个半学分为限

第八节　学生上期成绩有不及格之学程，其学分总数在五个以上或三学程在丙等以下者，其下期所列学程不得超过三十学分

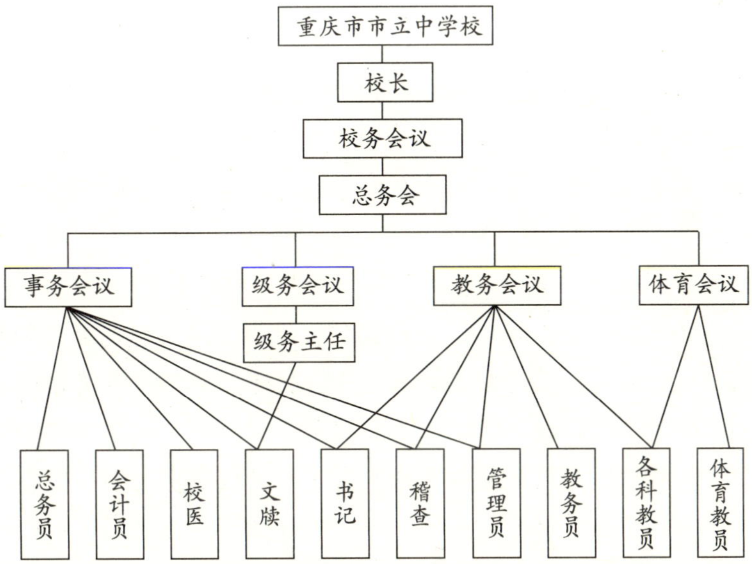

图1　重庆市市立中学校组织系统

重庆市市立中学校诞生于动荡年代。从建校目的来看，学校的成立是为了解决重庆市“小升初”困难的问题，在当时重庆教育私立中学林立的情况下，重庆市市立中学校成为重庆唯一一所由国民政府批准成立的公办初级中学。而私立中学收费高昂，普通人家根本无法承担学

费，供普通老百姓子弟就读的普通公立中学几乎没有。重庆市市立中学校的诞生，很好地满足了当时重庆普通民众子女继续接受中等教育的发展需求。

重庆市市立中学校的创立，深刻地反映了民国时期重庆学界的教育思想和教育实践。虽然草创时期办学条件艰苦，但是其办学宗旨和理念却扎根于当时最先进的教育思想之中。

20 世纪二三十年代，实用主义教育思潮传入中国并很快形成高潮，对中国教育实践与理论发展产生了十分深刻的影响。实用主义教育思想在中国的盛行，始于杜威 1919—1921 年的中国之行。杜威是实用主义教育思想最主要的代表人物，他于 1919 年 4 月 30 日来华，在 13 个省进行了数百场讲学。他的讲演被迅速汇编成讲演集出版，成为畅销书，他的主要教育论著也被迅速翻译出版。一时间，中国教育界掀起了杜威热。此外，孟禄、克伯屈等实用主义教育家也分别于 1921 年和 1927 年来华讲学和调研，他们的实用主义教育思想直接指导了中国当时的教育改革。

在杜威看来，教育是一项永久的事业，它是人与环境交互作用之“经验”的不断重组，其目的在于提高人的能力和素质，并使社会得到不断的改良和进化。与以“经验论”为基石的改良主义发展观相契合，杜威一反传统教育对儿童个性心理的忽视，特别注重儿童的活动本能和兴趣需要。他认为，儿童天然具有社交、制造、探究和表现等活动本能，这些活动本能即是学校教育的重心所在，教育的一切措施都要围绕儿童转动。杜威这一“儿童中心论”否定了传统教育的书本中心、课堂中心和教师中心，使儿童的人格和心理均得到极大的尊重，他们不再是小成人，而是有着活泼天性的独立个体，有自己的需要、兴趣和心理特点，这就解除了封建专制主义教育的精神枷锁，具有不言而喻的历史进步性。除“儿童中心论”外，杜威还提出了另外一些重要教育命题，如“教育即生活”“学校即社会”“做中学”。在杜威看来，“教育即生活”，无非是“把现实的社会生活简化起来，缩小到一种雏形的状态”，学校本身就是一个小型的社会。把教育等同于生长、生活，把学校等同于社会，这显然抹杀了学校教育的特殊性，在理论上是错误的。但另一方面，杜威借用生物学上的“生长”概念来解释教育问题，强调“做中学”，确实发现了传统教育的一些致命弱点，如，不顾受教育者的个性心理特点和社会生活不断变化的需要，为学生简单地安上一个外在或静止的教育目的，学校生活死气沉沉，体脑分离，背离生活实际。凡此种种，都体现了实用主义教育思想的独特价值。①

当时，许多中国教育家在杜威思想的启发下对旧式教育发起了猛烈的抨击。1920 年 2 月 1 日，陈独秀在《新青年》第 7 卷第 3 号中激愤地写道：“中国的学校，简直是害人坑，是黑暗牢狱”②。陶行知认为：“大人赐给小孩子的，是一个恐怖的世界。日里听了恐怖的话，夜里还要做恐怖的梦咧。为小孩子造成这样的恐怖世界已是不可宽恕，他还叫小孩子屈伏在恐怖之神之前，以造成不抵抗之劣根性，那更是罪大恶极了。”在这样的教育下，学生的个性受到沉重的压抑是可想而知的。

从办学宗旨上看，重庆市市立中学校在建校之初就在其“学则”中作出了“本校为发展青年个性、适应社会需要授以必要知识及生活技能，以养成社会上优良健全之份子为宗旨”的规定。尤其是“发展青年个性”，呼应了杜威的“儿童中心论”，甚至契合了当今教育发展的主题。从办学理念上看，重庆市市立中学校也深受杜威教育思想的影响，在学校的《训育旨趣》中写道，“我们深信：教育即生活，生活是教育的中心”③。

然而，杜威思想在中国也受到了陶行知等教育大家的批判，在陶行知看来，杜威的“教育即生活”，归根结底乃是一种“假生活”，它把丰富多彩的生活世界浓缩成一个狭隘的装饰品般的生活空间，并以之去刺激受教育者的生长，这样的教育实际上并没有从根本上与活生生的现实生活融为一体，只是虚假的、表面的结合而已。与杜威相反，陶行知

---

① 参见：黄书光．实用主义教育思想在中国的传播与再创造［J］．高等师范教育研究，2005（5）．

② 参见：戚谢美，邵祖德．陈独秀教育论著选［G］．北京：人民教育出版社，1995：228.

③ 此资料出自重庆市档案馆，全宗 0138，目录 1，卷号 18。

提出“生活即教育”的理念，认为这一理念是充满生机的，是“叫教育从书本的到人生的，从狭隘的到广阔的，从字面的到手脑相长的，从耳目的到身心全顾的”①。这样一来，教育的视野显然大大开阔了：“譬如与农民做朋友，是极好的教育，平常都被摈弃在课程以外”②。重庆市市立中学校的教育是借鉴和反思的教育，在《训育旨趣》中可以看到这样的表述：“我们要学生：在生活中求学问，在学问上用功夫，在秩序中讨生活，并使生活合理化”。③ 好一个“在生活中求学问”！它将教育和生活之间的关系揭示得淋漓尽致，在教育中学会生活，在生活中求得教育，这既吸收了当时较为先进的国际教育理念，也对这一教育理念进行了实践性的摸索和探寻。

1933年秋，学校推行教育改革，设想以“教育即生活，生活是教育的中心”，达到培育“好人”的总目标，主张采用“避免消极的责罚，注意积极的指导，教师循循善诱，以身作则，师生打成一片”的教学方法。学校课程分为必修与选修两大类。必修课包括：语言科的国文、国语、英文；数学科的算术、代数、几何、三角；社会科的中国历史、地理，外国历史、地理；自然科的植物、动物、化学、矿物、物理；艺术科的图画、音乐、手工；体育科的体操、生理卫生等。同时也开设簿记、珠算、工业常识、农业常识、商业常识等实用性选修课程。课程设置丰富，既有必修课，又有选修课；既注重知识理论，也注重生活实践能力的培养：这在很大程度上体现了重庆市市立中学校的办学宗旨。

二、20世纪教育改革的探索与实践

从建校之初至今，重庆一中风雨兼程，走过了整整八十个年头。八十年中，从20世纪40年代革命传统的形成到50年代科技教育开先河，

---

① ②参见：陶行知．生活即教育：再答操震球之问//陶行知全集：2卷［M］．成都：四川教育出版社，1991.

③ 此资料出自重庆市档案馆，全宗0138，目录1，卷号18。

从80年代“导读法”创先锋到90年代众名师引领教学改革，直至新世纪以来全力倡行“发展性教育”，重庆一中始终通过教育改革的探索与实践，对“一切为了学生的发展”的办学理念进行着精彩的演绎。八十年来，重庆一中栉风沐雨，筚路蓝缕，走过风雨如晦的黑暗年代，也走过生机勃勃的新时代，结出了累累硕果，成为了一所赫赫有名的中华名校。而这一切，都源于重庆一中对时代脉搏的把握，对教育改革的努力探索和实践。

（一）革命传统的形成（1932—1949）

从建校初的第二次国内革命战争时期，到学校初步发展的抗日战争时期，再到具有一定办学规模的解放战争时期，重庆一中在建校之初二十年的风雨发展历程中始终经受着硝烟与炮火的洗礼和磨炼。1935年，日本帝国主义制造“华北事变”，北平爱国学生掀起了“一二·九运动”，得到重庆市市立中学校师生们的热烈响应与积极支持。1937年，日本侵略者制造了震惊中外的“卢沟桥事变”，国民政府迁都重庆并联共抗日。次年，国民政府军事委员会政治部迁入重庆市市立中学校内办公。政治部领导周恩来及胡愈之、田汉、洪深等著名人士与重庆市市立中学校的师生们朝夕相处，周恩来常给学生作抗战演讲，使学生们能够耳濡目染伟人们的革命风范。特殊的社会与时代背景铸就了重庆一中人豪迈雄壮的革命品质和英雄气概，优秀的革命传统由此形成并传承至今。

1. 战乱时期教育发展的短暂春天

尽管战火纷飞，生计艰难，但是重庆一中人始终不忘国家之大计、教育之根本。重庆作为战时陪都，有大批高等院校和科研机构陆续迁入，全国著名的专家学者，诸如晏阳初、梁漱溟、黄炎培、陈望道、马寅初、潘菽等云集山城，他们讲学、兼课、办学，在重庆开展了多种形式的教育实验，如省立教育学院在沙坪坝、磁器口设立龙隐地方教育实验区，推行“小先生制”。重庆成为了全国后方的政治、经济、文化中心，教育事业空前繁荣起来，这极大地促进了重庆一中的发展。

1940 年春，重庆市教育局在沙坪坝柏树林创办了市立中学高中部。1941 年春，重庆市市立中学高中部的第一班在沙坪坝柏树林正式开学，并宣布与重庆市市立初级中学校①合并为“重庆市市立中学”，成为初高中具备的完全中学。学校聘任当时国立中央大学教员为学校的兼职教员，以弥补学校师资不足和中央大学教职工薪酬不足的问题。学校还根据已拥有初高中的实际情况，重新制定了《重庆市市立中学学则》，并在“总纲”中提出：“本校继续小学之基础训练以严格训练青年心身培养健全国民为研究高深学问或从事各种职业之准备为宗旨。”

重庆市市立中学的教师有很多是国立中央大学的教职员，其中不乏当时知名的教授、学者，在他们渊博的才华学识的熏陶和高尚的人格风范的感染下，重庆市市立中学的学生们追求自由，呼吁民主，尊崇知识，在当时升入国立大学的中学毕业生中，重庆市市立中学学生所占的比例位居前列。国难弥深，风雨如晦。重庆市市立中学的一些学生投身于抗日救亡的伟大运动：有的响应国家“一寸河山一寸血，十万青年十万军”的号召，远赴印度参加中国远征军，驱日寇于缅甸，扬军威于异域；有的为追求真理与进步，不惧国统区白色恐怖统治下的高压与血腥，毅然加入中国共产党领导下的各类进步组织，为民族的独立和解放奔走呼号，殒身不恤。

虽处国难时期，重庆市市立中学仍然重视教育教学工作，在 1945 年 3 月 10 日教育部督学对重庆市 25 所中学进行的英文抽考中，学校成绩优良，受到教育部传令嘉奖。

抗战胜利后，随着大批学校、社会群体、著名专家学者、骨干教师的撤离，重庆战时教育的繁荣开始萎缩。重庆市市立中学的发展在一定程度上也受到了影响，但学校仍凭借雄厚的办学基础在解放战争的动荡中稳步前进，并在斗争环境中形成了传承至今的“四·二一”革命

---

① 1936 年 8 月 1 日，因当时市立中学高中部仍未建成，市府以为学校状况与校名有名不副实之嫌，遂改校名“重庆市市立中学校”为“重庆市市立初级中学校”。

传统。

2. 学生运动的掀起和“四·二一”精神的形成

1946 年，重庆市市立二中成立，由市教育局主办，主要收容抗战胜利后继续留渝的国立中学学生，学生入校均享受“公费”待遇。初建时有新开寺、山洞两个分校和化龙桥分部，共三十四个班，约两千名学生，为当时全市学生最多的中学。同年 9 月，重庆市市立中学更名为重庆市市立第一中学。1946 年解放战争打响以后，重庆一中掀起了轰轰烈烈的学生运动，同美蒋反动派展开英勇顽强的斗争，成为重庆学生运动的一支强大的、朝气蓬勃的骨干力量。

1947 年春，中共地下党员刘弄潮出任重庆一中校长。刘校长表示要效仿原北京大学校长蔡元培先生“新旧思想兼容并包”的精神来办好市立一中，招揽了一大批毕业于北大、清华、北平师大、西南联大等名牌大学的进步教师出任一中教员，并表示要把“五四”时期倡导的“德先生”和“赛先生”请到市立一中来，绝对保障学生在校内的思想、言论、集会结社和探讨学问的自由。

当时，重庆一中、重庆二中的广大师生在中国共产党的领导下，成立了中共重庆地下党外围革命组织“重庆市立中学地下核心小组”“六一社”“新民主主义青年社”等，开展了“反集训”斗争、反“荣誉考试”斗争、“抗议美军暴行”斗争、“反贪污、争生存”斗争、“尊师运动”和“护校斗争”……举行了反对国民党反动派的请愿、罢课、游行示威活动。学生社团如雨后春笋，异常活跃，一时间民主气氛十分浓厚。当时，各种社团约有二三十个，影响较大的，除“针与真”社外，还有“晓原剧社”和“白雪国乐社”。与此同时，还新创办了《积极报》《透视》《洪流》《嘉陵》《巴琼》《自由报》《笔散布》等壁报和期刊。

1947 年 5 月 18 日，重庆颁布了所谓的《维持社会秩序临时办法》，特务暴徒横行，白色恐怖弥漫。不畏强暴、敢于斗争的重庆一中师生积极投入全国性的反内战、反迫害学生运动。南京“五·二〇血案”发生后，重庆一中宣布从 5 月 26 日起罢课，成为重庆最早举行罢课的中学，对全市学生运动产生了很大影响。重庆反动当局于 6 月 1 日出动大批军警逮捕了各校学生运动骨干和各界进步人士，重庆一中学生阙雄飞、教师胡作霖被捕。此事如火上浇油，重庆一中师生们的斗争热情更加旺盛，营救被捕师生的斗争进一步展开。重庆一中参加了“重庆市大中学校‘六一事件’后援会”并参加主席团，与各校联合作战，发布抗议宣言，采取绝食、请愿等方式，动员校方、教师、家长、舆论界声援，反对法西斯专政，要求政府立即放人，令反动政府进退两难，焦头烂额，被迫释放了大批被捕人员。阙雄飞于 6 月 14 日凯旋，受到师生的热烈欢迎，斗争获得了很大胜利。

1949 年的“四·二一”运动，将重庆学生运动推向了高潮。当时，全国的大形势是中国共产党与国民党和谈破裂，蒋介石决心与人民为敌作垂死挣扎。在人民解放军百万雄师横渡长江之际，全国掀起了反饥饿、反迫害、争温饱、争生存的运动。1949 年 3 月，以重庆一中为首成立了“市立七校联合会”，统一领导市属中学的学运斗争。4 月 1 日，

1949 年由重庆一中领导的重庆学生争生存联合会的游行

市立一中成立了抗议反动政府屠杀南京请愿学生的“四一后援会”，这是全市大中学生争生存、争温饱联合会的执委会成员，后援会组织学生积极参加定于4月21日举行的大示威游行。就在斗争日益紧张的时刻，党得到情报，反动军警宪特和地方上的流氓势力要上街镇压，特别是沙坪坝至城中心的公路上，敌人已经有了准备。为了保存革命力量，保护广大群众的生命安全，使蓬勃兴起的革命运动不被敌人摧残，中共重庆市委领导决定停止全市大游行，各校可从具体情况出发，在本校范围内进行其他形式的革命活动。重庆一中听从了党的指挥，进行了细致的组织和安排。但是，重庆一中在抗战后期的抗暴运动、反内战运动和“四·二一”运动中都是一个重要据点，所以国民党就以一中作为镇压的重点。在镇压与反镇压过程中短兵相接，冲突激烈。师生们表现英勇，反动派别无伎俩，就制造一中学生在戒严中向外鸣枪的谣言，出动军警特务冲入一中进行镇压，逮捕了文艺陶校长、周梅修老师及进步学生近50人。同时，悍然宣布“市一中学生怙恶不悛，历期委派贤能校长，均无成效，为切实整顿学风，肃清乱源，着即解散”，实行军管。“解散令”实质上是对一中师生斗争精神的一种褒扬，反动派居然出此下策，无疑是自打嘴巴，承认自己彻底破产。

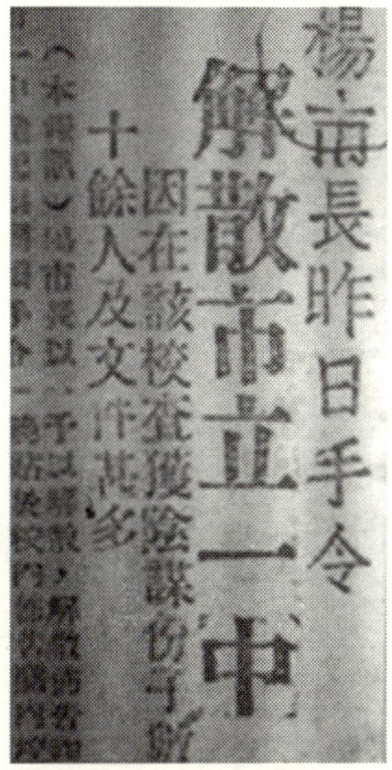
楊市長昨日手令
解散市立一中
因在該校查獲陰謀份子
十餘人及文件甚多

1949年关于时任重庆市市长杨森下令解散重庆一中的报道

为了新中国的诞生，重庆一中的师生视死如归，前仆后继，李承林、胡作霖、陈以文、易仲康、韦延鸿、聂晶、黄细亚7位师生牺牲在渣滓洞，血洒歌乐山，血流嘉陵江，用鲜血铸就了红岩精神，用鲜血染红了五星红旗。1995年，李韵安老人①作赋纪念黄细亚烈士：

屈指四十六年前，六腊之战歌乐山。

① 解放战争时期在重庆市立一中担任英语教师，也是一位诗人。

忆昔建社会诗日，果然三湘出芷兰。
巾帼英气出眉宇，咏絮才华有铁肩。
冲天自有海燕勇，革命不惜青春捐。
好意中华优秀女，不容刮民蒋家班。
沧海流枯志未泯，人间魔窟胆不寒。
英雄血染松林坡，化作长虹贯地天。

重庆一中广大师生高举革命火炬，形成了与红岩精神一脉相承的“四·二一”革命精神：热爱祖国和人民，为振兴中华的崇高理想而奋斗的献身精神；不畏强暴、敢于斗争、善于斗争、百折不挠的战斗精神；不怕艰险、不惧困难、敢于吃苦耐劳的艰苦奋斗精神；相互关心和支持、顾全大局的团结精神；勤奋学习、努力钻研科学文化知识和革命理论的勇攀高峰精神。为纪念“四·二一”学生运动，缅怀在运动中死难的先辈烈士，重庆一中将校庆纪念日定为每年的4月21日，并于2001年春建设完成“四·二一”纪念广场。

（二）在新中国的初步发展（1950—1976）

1949年11月30日，重庆解放，新中国的诞生为重庆一中的发展开辟了新的天地。重庆解放后，市立一中、二中迅速被新成立的人民政府接收，新成立的教育领导小组派黄功楷同志任联络员，在原市立一中、二中的地下社团的大力协助下，做好对于市立一中、二中的接管整顿工作。1950年2月，在全国第一次教育工作会议上提出的“维持原有基础，逐步改革旧的教育制度”和“整顿巩固和提高普通中学准备发展”的方针指导下，重庆市军事管制委员会下辖的文教接管会决定，整理市立一中，改市立二中校名，派文艺陶为整委会主委。原市立一中、二中合并为重庆市立中学，1951年7月，育才中学高一、高二年级也并入重庆市立中学，由众望所归的原市立一中校长、进步人士文艺陶先生出任校长，主持学校工作，高、初中各编为12个班级，共24班，学生1000余人，教职员工80余人。校址由市中区两路口旧址迁至现今的沙坪坝汉渝路，即今日的重庆市第一中学校本部校址。

学校经过解放初期一段时期的整顿与恢复，得以稳定发展，为进一步的大发展奠定了基础。1951 年，重庆市人民政府鉴于市立一中在新民主革命时期的卓越功勋，准备大力发展市立一中并提高市立一中在全市公办中学中的地位。4 月 12 日，重庆市教育局遵照重庆市人民政府批复的《关于市属各公立中学校统一更名之决定》，将重庆市立中学正式更名为重庆市第一中学校，同年 7 月 2 日向上级递交申报重庆一中为四川省首批重点中学的材料。市政府要求各方集中一定的人力、物力办好重庆一中。1952 年 5 月，经重庆市人民政府任命，重庆市教育局局长邓垦①兼任重庆一中校长，全面主持学校的发展、振兴工作。

处于社会历史大变革背景下的重庆一中，因为在民主主义革命时期的平民教育思想，成为重庆市平民中学的代表，自然也成为重庆市中学教育变革中的先行者和试验田。1949 年确定的教育工作的建设方针就是教育为国家建设服务，教育向工农开门。教育向工农开门，首先就是要加强工农干部和人民解放军战士的教育。1951 年 10 月 1 日，中央人民政府公布了《政务院关于改革学制的决定》。此次学制改革具有以下几个明显的特点：一是突出了“教育为国家建设服务，学校向工农开门”的方针，全国各级学校都应该“大大地为工农及其子女开门”，保证他们享受教育的权利；二是体现了民族平等、男女平等的原则。从 1952 年起，学制改革开始在重庆一中逐步推行。

校址改迁、规模扩大为重庆一中的发展提供了新的契机，同时也带来了新的挑战。当时，学校因新建校舍的规划和质量问题引起了师生极大的不满，学校原领导难辞其咎，受到师生猛烈的批评。当时任市教育局长的邓垦同志决心要办好这所重庆市排行第一的著名学校，亲自兼任

---

① 邓垦，四川广安人，伟大的无产阶级革命家、军事家，我国改革开放总设计师邓小平之弟。先后肄业于上海暨南大学、上海政法大学。1939 年入延安抗日大学学习。次年加入中国共产党。历任延安《解放日报》编辑、中共吉北地委宣传部部长、佳木斯市市委书记、佳木斯市市长。新中国成立后，历任泸州专署专员，重庆市、武汉市副市长，中共武汉市市委书记，湖北省副省长、省人民政府顾问。曾任重庆市教育局局长兼重庆一中校长（1952—1953 年在任）。

校长。初到这所学校时，到处都破破烂烂，学生仍旧住在透风漏雨的危房中，饭厅兼礼堂是用一些楠竹做柱，师生戏称其为“麻雀窝”。但学校却有一支教学水平较高的教师队伍，当时重庆市教育局从川东师范调入一批教师充实重庆一中，这批教师大都是毕业于清华、北大等著名大学的骨干教师。为了改变学校的窘况，市教育局在经费和设备上向重庆一中倾斜，并在现一教楼、二教楼、科技楼和图书馆旧址上建起了四幢大楼，学校仪器设备得到丰富，生源也是当地最好的。随着“教育向工农开门”方针的提出，广大学习成绩优异、家庭经济困难的工农子弟终于有机会进入重庆一中，接受正规而又高质量的中学教育了。对家庭经济困难的工农子弟，政府设有人民助学金和清贫补助费，供给伙食、书籍文具等，解决了学生生活上和学习上的困难，到 1954 年上半年，享受人民助学金和清贫补助费待遇的学生共有 737 名，占学校总人数 1887 人的 39%，工农子弟达到 688 人，占学校总人数的 36%。随着男女平等原则的提出，重庆一中也打破了只收男学生的旧例，许多渴望求学的女学生也终于能走进重庆一中接受教育了。

人民当家做主下的重庆一中，绿树成荫，书声琅琅，全校师生意气风发，团结向上。学校教育全面向工农大众开放，积极学习苏联教学经验并与自我教学实践相结合，培养学生学习文化知识与生产实践相结合的能力。1953 年重庆一中被重庆市人民政府命名为重庆市重点中学。此后，在党和政府的关怀下，在上级主管部门的领导下，全校教职员工团结奋斗。学校注重求知求真、树人铸魂，认真贯彻党的教育方针，教育教学工作取得了优异成绩，为社会主义建设培养和造就了一批又一批优秀人才。中国科学院院士宋振骐、李惕培，中国工程院院士张炳炎、张光义都是我校 20 世纪 50 年代在这一大背景下培养出来的优秀学生。

1953 年，重庆全市掀起学习苏联的热潮。重庆一中教师认真听取了由普希金教授系统介绍的苏联教育理论、教育行政管理组织、教学原则和教学方法。3 月份开学以后，学校主要是在学习的基础上，消化普希金教授的讲学内容，同时参照凯洛夫教育学进行学习，进一步认识新中国学校教育的目的与任务，从而建立新的教育观念，改进教学方法。

在学习与实践过程中，学校还召开改进教学工作方法座谈会，广泛交流学习心得与教学经验，全面推进学习苏联教育的经验。

在学习苏联社会主义教育经验的思想指导下，教学工作开始走上正轨，促进了重庆一中的教学改革：（1）开始遵照执行从苏联翻译过来的各科教学大纲，开始使用从苏联翻译过来的理科教材、依照苏联教材编订的文科教材；（2）建立了各科教研组（共计13个），每组教师从2人到13人不等，制订了学科教学计划和检查原则，开展集体备课、互相听课、组织公开课、观摩课教学，以及检查教师教案和评议教师课堂教学效果；（3）教学方法采用“五个教学原则”（即量力性原则、直观性原则、系统性原则、巩固性原则、循序渐进性原则），各个教研组大力开展教学科研改革，并推广“五个教学环节”（即组织教学、复习旧课、讲解新课、巩固新课、布置作业）。在成绩考核上以“五级记分法”代替百分制。

学习苏联的教学活动，成绩是值得肯定的。它改变了解放初期一些教师上课内容随意、形式散漫无序的状况，规范了教师们的教学行为。教师授课前必须有教案，上课时要忠实执行教案，课后要检查教学。它还让广大教师在教研备课中充分发扬批评与自我批评的精神，改变了从前一听到缺点就像见到仇人般生气的情况。

在学习苏联教学经验的同时，学校也开始注重培养学生学习文化知识与生产实践相结合的能力。20世纪50年代初期，我校学生中间存在大量轻视体力劳动的现象：为读书而读书，不关心社会变革，不关心学习科学文化知识和生产劳动的结合。针对这一现象，甘道铭校长在校务会议上检查了过去劳动教育的缺点，并指出劳动教育必须在爱国主义教育的基础上进行，不能和集体主义教育、纪律教育分离开来。在学校的学期工作计划中也规定了加强劳动教育的一些措施。工作进行当中，学校又传达了苏联专家崔可夫《普通学校中的劳动教育》的报告，教导处和教研组都学习了凯洛夫《教育学》中劳动教育一章。甘校长利用周会向全体师生报告了关于树立劳动观点的问题，以提高认识，统一行动。学校通过教学逐渐培养学生的劳动观点和劳动习惯，适当组织学生参加课外的体力劳动，从劳动中教育学生。

1955 年，上级提出，中学“必须遵照全面发展的方针，贯彻智育、德育、综合技术教育、体育和美育，使学生获得全面发展”。这是学习苏联先进经验后，新增了综合技术教育的要求。重庆一中师生大量参加了对于周边工厂、公社的支工、支农活动。到 1958 年，在“大跃进”的形势下，又产生了劳动时间过长，忽视教学质量的现象。1959 年，大办钢铁运动在学校内部大面积展开，学校正常教学受到影响。即便如此，重庆一中在当时逐渐严酷的政治运动中坚持高标准的办学，教学质量依旧在重庆地区名列前茅。1959 年，学校参加高考人数为 501 人，录取人数为 468 人，升学率为 83.4%，考入重点大学人数为 44 人。

1962 年，学校针对教育混乱的情况，实施“调整、巩固、充实、提高”的方针，恢复了正常的教学秩序。但在“以阶级斗争为纲”的思想指导下，逐渐强化“兴无灭资”的思想政治教育，教学工作开始受到削弱。同时，由于在调整中强调劳逸结合，体育也有所削弱。此后，随着教育改革的发展，突出政治成为了学校的中心工作。

1966 年，毛主席作了“五七指示”：“学生也是这样，以学为主，兼学别样，即不但学文，也要学工、学农、学军，也要批判资产阶级。学制要缩短，教育要革命，资产阶级知识分子统治我们学校的现象，再也不能继续下去了”，“文化大革命”随即展开。学校自新中国成立以来的教育工作被全盘否定，在校内外反复受到批判。正常的教学秩序根本无法维持，教师流失严重，图书流失，教学器具损害严重。一直到 1969 年，重庆一中才逐步恢复上课，招收超龄小学生进入初中，将近 20 个班。1969 年年底，招收了两年来积欠的学生，共 54 个班，按军队建制分为 6 个连队，每连 9 个班，逐步恢复到正常的教学秩序中来。

1974 年，邓小平第一次复出，恢复了教育部，周荣鑫出任部长。1975 年，重庆一中敏锐地触摸到了时代的脉搏，开始整顿教学秩序，夯实教学基础，着手准备迎接可能恢复的高考。

（三）“文革”后的恢复与发展（1977—1990）

1. 重点班冲高考

1976年，“四人帮”覆灭，1977年，由于“文化大革命”的冲击而中断了十年的高考制度得以恢复，中国由此重新迎来了尊重知识、尊重人才的春天。

1977年9月，教育部在北京召开全国高等学校招生工作会议，决定恢复已经停止了长达十年的全国高等院校招生考试，以统一考试、择优录取的方式选拔人才上大学。

1978年4月22日，全国教育工作会议召开，邓小平发表了重要讲话，提出“尊重知识、尊重人才”的观念。重庆一中当机立断，集中了全年级学习基础最好的学生，组建了1978级（8）班（理科重点班），以全校最优秀的师资和最优秀的学生全力冲刺高考。1978级文科班配备了三名语文老师，周先乾老师（重庆市语文学科带头人）教语文，郭垒老师专教古文，黎见明老师（语文导读法创始人，详见下文）专教作文。史无前例的师资配备最大限度地减轻了“文革”带来的损失。

为了摸索高考的经验，扩大学校的影响，学校决定从1978级（8）班中挑选几名学生首先冲刺1977届高考。根据当时的招生政策，应届生必须进入全国名校方能录取。在1977届高考（实际考试时间是1978年春季）中，重庆一中两名学生进入清华，一名学生进入中国科技大学，开创了“文革”后重庆一中高考的新局面。

1979年，重庆一中又组建了汇集全市（沙坪坝区除外）优秀学生的1980级（1）班、汇集沙坪坝区优秀学生的1980级（5）班，这两个班的学生在高考中成绩优异，90%以上的学生进入全国重点大学；1980级（1）班的苟思元同学为1980级四川省高考状元。1980年全省理科前10名中重庆一中占了7名。1980级（5）班全班平均分超出重点线27分，这在当时简直是创造了一个奇迹。

同时，重庆一中开始重新抓奥赛，夏树人老师带领学生参加四川省数学奥林匹克竞赛，其解题方法之简单、解题思维之迅捷，让搁置学科竞赛多年的四川大学教授叹为观止。

1981 年 11 月，国务院指出："我们教育的基本方针是明确的，这就是使受教育者在德育、智育、体育几方面都得到发展，成为有社会主义觉悟有文化的劳动者和又红又专的人才"。学校根据这一精神，以智育为中心，加强学校工作，教育质量逐年提高。

在"文革"后恢复高考的三十多年中，重庆一中造就了一大批名师，其中不少人成为重庆市学科带头人、中学研究员、特级教师，他们的影响远远超出了重庆市；重庆一中培养了一大批优秀学生，这些优秀学生进入北大、清华等全国重点大学的比例之大、人数之多，使重庆一中当之无愧地成为了全国最有影响的重点中学之一。尽管当前人们对重点班、对高考制度有所非议，但这并不能否定其在历史上的重要作用和意义。

2. 开放办教育

1980 年 5 月，小平同志第一次提出了"四有"的培养目标，即"有理想、有道德、有知识、有体力"。到 1985 年，正式改为"有理想、有道德、有知识、有纪律"。培养"四有人才"成为 20 世纪 80 年代重要的教育口号。1983 年，邓小平为景山学校题词："教育要面向现代化，面向世界，面向未来"，正式提出了教育现代化的任务。"四有"和"三个面向"构成了改革开放时期教育发展的两个重要方向。重庆一中的工作正是沿着这一方针发展的。自 20 世纪 80 年代起，学校工作颇有生气，校誉日隆。

刘锡崑校长①是"文革"后重庆一中的第一任校长，他在教学中倾

---

① 刘锡崑（1918—1997），安徽巢县人，毕业于金陵技术学校。1941 年在中共宜宾县委领导下从事革命活动，1950 年参加重庆市军管会文化接管委员会，接管渝女师。后历任重庆六中、重庆一中教导主任，1954 年出任重庆一中副校长，1978 年起任校长直至 1985 年退休。退休后被聘为重庆中华职业学校校长。1997 年因病在重庆逝世。

注了大量的心血，使重庆一中迅速恢复活力。熊孝池主任在2009年“刘锡崑校长教育思想研讨会”上说：“学校的师资队伍建设、教研组的引领作用、良好的校风学风的形成都与刘校长的领导分不开。在我的印象中，他有三个亲临：一是亲临课堂，狠抓课堂的教学质量；二是亲临高三工作现场，督导毕业班工作；三是亲临教学改革研究，倾听教师们的意见。”刘校长的教育思想是改革开放的，他主张“请进来，走出去”，学习外省市的先进教改经验，要求教师有选择地吸收。他把师资队伍建设视为办学之本，他的用人观是不拘一格求人才、不唯学历论，注重实际教学能力。他建立了老带新、强扶弱的导师制度。由于他对教师的尊重和对教育事业的勤勉，重庆一中在“文革”之后迅速地重新焕发了青春活力。

刘校长深知教育的本质是“入德成善”，培养学生的天赋、习惯、理性、技能，使其在身体、德行和智慧诸方面和谐发展，成为“四有”新人，是他最真诚的愿望。像彭名燕、刘廷禹、郜亦玲、余成礼、张守柱等一些学生，他都能熟记于心，真爱学生在刘校长那里得到了最完美的体现。把整个身心献给自己钟爱的教育事业，献给自己钟爱的学生，正是刘校长教育思想最生动的体现。同时，他深入到学生中，及时掌握学生思想动向和在学习中遇到的问题。由于他和全校教师辛勤的努力，重庆一中很快从“文革”阴影中走出来，迈出了改革开放之后执著而稳健的第一步。

3. “导读法”引领的教学改革

重庆一中在“文革”之后除了迅速地稳定教学秩序，以培养“四有”新人和“三个面向”为目标之外，也深入思考了当时的教学教法，摸索着以更有效的教学方式和方法面对新时代的教学。停滞了十多年的教学教法研究重新如火如荼地展开。这标志着重庆一中的教学重新走上了正轨。

在20世纪80年代末，我们的课堂教学普遍存在“满堂灌”“满堂练”“满堂问”等不良现象。这些教学方式严重抑制了学生的发展。而当代世界科学技术的突飞猛进，我国由农村到城市各个领域改革的蓬勃兴起，都要求我们改变陈旧的方式，以适应新时代培养人才的需要。1981年，重庆一中教师黎见明先生敏锐地发现了在教学中堵塞学生创造性的种种障碍，指出了诸如胆怯、懈怠、浅薄、片面、固执、犹豫、轻率、麻木八大弊病，认为要革除这些弊病，就必须培养创造精神。针对灌输式教学严重阻碍学生发展的弊端，黎见明先生提出“导读”的语文教学思想与方法。

“导”，即要引导学生学思结合。通过学思结合，做到举一反三、闻一知十，告诸往而知来者，触类旁通，温故而知新。导读，并不否定知识的传授，它强调不仅教给学生知识，而且重视知识的应用；不仅要引导学生知道这些知识是什么，而且要引导学生知道这些知识是怎样获得的，从而掌握认识世界的方法，使自己变得更聪明些；不仅突出知识教育和能力培养，而且突出情感教育，体现文道统一。①

“导读”突出了学生的主体性。它要求：一定要加强学生的阅读实践，教师不能越俎代庖；要时刻关注学生，并通过学生的语言、表情、眼神、动作来窥视他们的内心变化，从而及时调控教学，加以合理诱导；要尊重、鼓励学生发表与众不同的见解；要培养学生的学习兴趣，增强学生的学习信心。他认为：“学习的迁移，主要是通过找出新旧知识点之间的共同要素来实现。共同要素是接线点，要善于用尽可能多的线，把现在正在学习的知识与自己已经形成的知识结构上的某些点连接，网络越精细，正迁移越大。”②

“导读法”更加关注学生的内在需求与内心变化，更加关注人的成长、发展及人生道路的选择，在20世纪80年代对教育教学进行了非常有益的探索。

4. 众学科倡改革

1983年9月，邓小平为北京景山学校作了闻名海内外的、有重大

---

① 黎见明．语文导读［M］．重庆：重庆出版社，1987.

② 黎见明．语文导读与创造学法［M］．成都：四川教育出版社，1991：233.

战略意义的“三个面向”题词——“教育要面向现代化，面向世界，面向未来”。“三个面向”为教育改革指明了方向，黎见明先生的教育实践探索也在邓小平提出的“三个面向”的战略方针指导下不断深化，不断发展，最终形成了“导读法”的教学思想。这一思想在重庆市迅速产生影响，在全国也产生了一定的反响。在语文学科，在黎见明先生生前就已经形成了一个老中青相结合的导读教学群体，形成了“问导型”“读导型”“写导型”“讲导型”等基本课型，并派生出了“自学指导实验”“学法课”“单元目标教学”等教学模式实验，探索出了“牵线寻点导读法”“层层揭疑导读法”“误入正导法”“比较提问导读法”“逆向导思法”“提问导思法”“供材料导写法”等导读教学方法。语文教学立足学生发展，有理论，有实践，呈现出一派生机勃勃的局面。在黎见明先生去世9年之后，由导读流派重要代表人物文兰森主编的教改著作《中学语文教育的曙光——导读发展新论》由重庆出版社出版，全书展示了20多位著名教授、特级教师和数十位教坛新秀在教改实验中对导读思想理论的研究与探索。

语文导读法正好体现了发展性教学的思想，它引起的变革不仅体现在语文这一学科中，而且辐射到其他学科。重庆一中以“导读”为龙头，在各学科全面实施教学改革。在导读思想指导下，各学科把语文导读思想运用于本学科教学之中，并结合本学科实际，不断研究、实践、创新，形成了“导学”“导创”的教学新模式，共同培养学生的自学能力，发展学生的创新能力，完成学生的可持续发展。如，物理特级教师徐渝生在高中1989级、高中1992级进行的物理“综合导学法”实验就是一例。“导学”和“导创”是对“导读”的发展。“导学”就是在教师引导下的学生自主学习，“导创”就是在教师引导下的学生创新学习。在语文学科中，“导读”是主要的学习模式，而在中学其他学科教学中，就不仅是读和思的问题了，更要注重培养学生的科学创造力，在教学中强调教师的主导作用和学生的主体地位，强调培养学生的自学能力，形成终身学习的能力，同时强调培养学生的创造意识和创新才能，使其成为具有发展性品质的人才。

“教育要面向现代化”，就是要培养有创造力的人才；“面向世界”，就是要创造性地学习和运用世界上最新的科学成就，迎接新的技术革命的挑战；“面向未来”，就是要按照近期和远期的需要，不断提高青年一代的创造水平。因此，“三个面向”对培养学生的创造力都有较高的要求。“导读”“导学”“导创”根据学科特点，具体落实“三个面向”，着眼于培养学生的创造力；反对灌输式，提倡启发式；提倡既重视教师主导作用又重视学生主体地位，做到教与学的统一。“导读”“导学”“导创”既重视个性的培养，也重视共性的培养，以此改革教学，以适应社会改革的需要。

（四）素质教育的深入推进时期（1990—2000）

在素质教育的思潮下，进入20世纪90年代后，全国基础教育进入了前所未有的改革时期。重庆一中把握时代机遇，积极开展中学全面素质发展教育研究，坚持教育科研和教育改革，以科研树名校，以创新促发展，以改革增效益，全面提高教育质量。

20世纪90年代，在滕志成校长的带领下，重庆一中全面实施“年级组与教研组并存，管理上以年级组为主”的管理体制，成立了以滕志成校长为首的年级管理理论与实践研讨课题组，在高中年级进行了连续的试验研究，在学校全面培养学生素质的年段管理方面进行了深入的探索。

1990年，学校作为西南地区唯一的代表，加入了全国名校自发组织的教改研讨会。1991年10月，学校承办了全国基础教育研讨会。来自全国各地的名校——北京景山学校、北京八中、清华实验学校、天津南开中学、东北师大附中、华东师大二附中、上海控江中学、南京师大附中、华南师大附中、广州开发区实验学校、深圳中学、深圳实验学校、海南中学等聚集一堂，共同研讨基础教育改革的发展方向。滕志成校长作《中学生全面素质培养与年段目标管理的思考与实践》的发言，会上确认由滕志成校长担任“年段管理理论与实践”课题组组长。通过研讨会，学校加强了与全国各地名校的联系和交往，扩大了学校在全国的影响。

在充满朝气与变革的20世纪90年代，重庆一中教师不再满足于做一个认识的传递者，开始向一个知识的创造者转变，在紧张、繁重的教学之余，老师们认真总结、反思自我，积极开展学术研究，全面深化素质教育，从一个更高的角度来审视学校的教育教学活动，学校开始举行每年度的学术年会，编辑出版了《重庆一中教改经验论文集》。学校教改课题“中学生全面素质培养与德育年段目标管理”获重庆市第二届中学教改科研成果二等奖。教改实验“电化教学促进中学课堂结构优化”和“城市中学生全面素质培养”完成结题工作。1995年出版发行《重庆一中教改经验集》《重庆一中教师教改经验论文集》《重庆一中各学科特点介绍》三本专著，全面展现重庆一中在素质教育大旗之下取得的成绩和经验。由于学校在基础教育阶段和素质教育领域取得了显著成就，1998年11月，学校获得了重庆市教委授予的“教改科研奖”。1999年9月，重庆市首届中小学实践教学成果展评会在重庆一中逸夫楼举行，会上学校就自身素质教育实践向大会作了专题报告与展示。

同时，为适应时代科技发展，学校树立起教育手段现代化的观念。充分利用现代化技术改造落后的教育手段，建立人—机（计算机）结合的学习和教育系统，成为一项势在必行的任务。近年来计算机的发展和应用，为教育手段现代化带来了广阔的前景，计算机将以声像代替文字，成为新的阅读材料，成为教学内容的新的呈现形式，计算机的传播方式将会改变课堂教学的组织形式和时空限制，使教学获得更大自由，小课堂将会和大社会融为一体，封闭式的教育将转变为开放式的教育。我校从1991年起承担国家教委“八五”重点课题“电化教育促进中小学教学优化”的子课题“电化教育促进中学课堂结构优化”的教改实验。经过4年的努力，课题组圆满完成了实验任务，并于1995年10月经中央电教馆批准，接受由9人组成的专家组对课题进行的验收评审。专家们一致认为，课题组提出的电化教学课堂基本模式，即“发现探索型”“导引迁移型”“情景再现型”三种变式，符合现代教学论、信息论原理，能充分运用电化教学媒体、现代教学手段的优势，发挥其主动性、直观性的特点，优化了课堂教学结构，取得了最佳教学效果，因而实验是成功的。这项科研不仅取得了实验的成功，而且锻炼和培养了一批中青年教师，提高了他们的理论水平、科研意识以及运用现代教育技术和科学方法进行实验的能力。1995 年重庆一中由于电化教育工作成绩显著，被评为“重庆市电化教育工作先进集体”。2000 年全国现代教育技术实验学校评估审查会在重庆一中召开，会议对于重庆一中在这一领域作出的不懈探索和巨大成绩给予充分肯定，并把学校的经验向外推广。

在全面推进素质教育的同时，学校高度重视学生的全面素质，在整个 20 世纪 90 年代的各种升学考试和竞赛中，重庆一中成绩优异，在整个西南地区首屈一指。我校参加全国、省、市数理化奥赛及其他各种竞赛的获奖学生高达 1224 人，其中学生陶海、石波曾获四川省物理奥赛第一名并代表四川省参加全国竞赛，曹晖、严洪兴、许大刚、王然曾参加全国俄语、化学、数学奥赛集训班或冬令营。校男子篮球队不仅是四川省“三好杯”的“四连冠”，而且于 1992 年获全国冠军，1993 年代表中国参加在希腊举行的世界中学生篮球比赛并获第八名；校田径运动员王文忠代表中国参加亚洲青年田径锦标赛获标枪冠军；学生张芳代表重庆市参加全国城市普通话大赛获第二名；学生张然参加 1995 年四川省中学生独唱比赛获一等奖。

三、新世纪教育改革：发展性教育的萌芽与成长

新中国成立以来，重庆一中的发展得益于文艺陶、邓垦、甘道铭、刘锡崑、周远明、滕志成等历任校长的共同努力。2001 年，鲁善坤接任重庆一中校长兼党委书记。为了继承和发扬重庆一中光荣的传统和优良的校风，把学校办得更好，鲁校长提出了“发展性教育”的观点，引领学校从更加重视“人”的角度，研究教育，重视教改，促进学校的持续发展。

（一）迷茫与困惑：完成性教育的历史作用与现实局限

1. 完成性教育的历史作用

著名的国际学术团体——罗马俱乐部早在1979年发表的一项研究报告《回答未来的挑战》中，就把学习分为两种类型：维持性学习和创新性学习。现在我们也可把它们分别叫做接受性学习和研究性学习。以维持性学习、接受性学习为主要特征的教育就是完成性教育，它是相对于以创新性学习、研究性学习为主要特征，以人的发展为主要目的的发展性教育而言的。完成性教育强调培养学生对现实社会的适应能力，其价值基础是预先给定的。它重视模仿继承，其功能在于获得间接的经验与知识，接受人们公认的解决问题的准则，并以此为依据去解决当前的问题①。

作为一种传统的教育形式，完成性教育历经数千年，从理论建构到实践操作都已近成熟。在知识总量不足、教育机会欠缺、社会生产力相对较低的过去，完成性教育在知识的传承和共享上发挥了不可磨灭的作用，也为人类知识的更新和创新奠定了坚实的基础；不仅如此，完成性教育在知识的传授方面有着不少值得现代教育去吸收和发扬的优势。

2. 完成性教育的现实局限

随着社会的发展，完成性教育表现出了突出的现实局限。完成性教育希望有一个完整的体系，想一劳永逸地培养一定规格的中学生，它希望学生在自己的中学生时代就形成足够其一生享用的原始知识和技能。以能力为本位、以选拔为基本手段、以应试为主要内容的精英教育，不仅在教育教学的各个环节上损害了学生的个性和创新发展潜力，而且引发了学校与学校之间、学校内部各集体之间的不良竞争，造成了教育资源的极大浪费。这种严重的内耗使得学校管理者难以静下心来思考教育

---

① 陈玉琨，程振响．研究性学习概论［M］．北京：少年儿童出版社，2002.

问题，难以实施行之有效的教育改革，使许多教师备受躯体和精神的折磨，成为一群没有个性、没有创新精神和创新能力的“教学工人”。

总结起来，完成性教育有以下这些弊端。

（1）育人目标背离人的发展要求

完成性教育对分数和升学率的追逐，表现为用知识取代智慧，学生的大脑就像计算机的磁盘，将无数可能考到的知识生吞活剥地装进去，在考试时进行紧张的搜索，提取出来就是了。谁存储得多，谁就可能成为重点中学、重点大学的学生。“记忆—储存”成为学习的全部。学生获得了知识和分数，却失去了激情和梦想，变得现实、麻木、呆板，毕业后许多人只想找个好工作而不想创造个好工作。他们可能失去积极的态度，变得消极、沉默；他们可能失去学习的能力和习惯；他们可能失去活泼、开朗，封闭自己。分数高成绩好的学生被统称为优生、好生，成绩差的则一言以蔽之为差生。

还必须指出的是，完成性教育培养出的许多学生存在着思想品质和人格心理上的种种问题，如自私、意志品质薄弱、社会适应能力差、人际关系恶劣、表现出抑郁和焦虑甚至出现暴力倾向。由于我们的教育关注的是人的知识和能力，忽略甚至忽视这些出现在学生身上的心理问题，这样培养出来的学生学习成绩可能是优秀的，但思想可能有错误，人格可能有缺陷，心理可能有问题。

（2）压制创新精神

完成性教育强调学生对现成知识的掌握和运用。我国现行课堂教学模式给我们展示的是这样一幅图景：当教师一相情愿地把准备好的教学内容用同样准备好的语言、板书、多媒体等手段展示给学生时，他们面对的往往是一个个只会等待听讲、等待灌输的头脑。学生们耳濡目染、日积月累所习得的，只能是“等待型”认知方式与学习习惯，这就自然形成了“依附型—继承型人才”的适宜土壤，学生的创新精神就被抹杀在这日复一日、年复一年的知识灌输中，谈不上创新能力的培养。

（二）机遇与挑战：发展性教育的理论探索与贯彻实施

1. 从迷惘到澄明之境

（1）“人的发展”之启示

长期以来，我们一直在反思中国中学教育的诸多弊端，力图在当前困窘的基础教育中，找到一条切合学校实际的发展道路。如何会想到发展性的教育观呢？这要从我校校长鲁善坤二十多年前的一段教育经历说起。1989 年，当时在重庆市从事教育督导工作的鲁善坤赴华东师大参加培训，培训内容就是教育评价。在此期间授课教师曾讲到发展性的教育评价——教育评价重在过程，而不是结果。1992 年，他又参加了为期半年的重庆市党政干部学习班，当时一个重要的内容就是学习哲学，学习马克思主义关于“人的发展”的学说。这些经历给了他很大的启发。

1992 年，鲁善坤受四川省委外事处派遣，赴美国华盛顿州讲学一年。在美国的这段经历，让他看到了教育摆脱完成性思想束缚后的另一种可能——一种开放的、民主的、以学生为主体的、旨在促进学生个性和创新潜力发展的教育，并真实地体验到了杜威的名言——“教育即生活，生活是经验继续不断的重组和改造”以及“从做中学”的深刻内涵。凡是充分流动、具有多元化和变革管道的社会，便会充分发展个人开创和适应的能力。在这一时期，他系统地学习了东、西方教育思想，开始接触并深入思考关于“人的发展”的理论。在将中美教育进行横向对比的时候，他发现，中国基础教育的根本症结在于完成性教育。完成性教育束缚了学生的思维发展和人格成长，而只有把教育发展的目标同人的发展理论逐渐结合起来，才能改变当前中国基础教育的现状。这种观点逐渐成为日后其发展性教育思考与实践的思想基础和内在动因。

（2）理论探索之长路

1993 年，鲁善坤结束为期一年的访学回国，先后担任重庆八中校长和重庆一中校长兼党委书记。那时正是应试教育愈演愈烈的时代，在高考指挥棒的支配下，学校、教师、学生都东奔西突，疲惫不堪。完成性教育模式也已日渐僵化和封闭，再不进行调整和改革，学校教育将可能走入死胡同。经过一年多的初步实践和反复思索，1995 年，在重庆八中主持工作的鲁善坤，从学校发展的角度全方位审视学校教育的各个层面，初步提出了发展性教育的一些思考，开始了以“发展性教育”的办学理论进行教育实践的道路。

1997 年 4 月的《重庆教育学院学报》刊登了鲁善坤的第一篇关于发展性教育的文章《让学生更好地发展——关于发展性教育模式的若干思考》。同年，《重庆教育》杂志第 5 期和第 6 期连载了其较为系统地探究发展性教育模式的长达万言的文章《“发展性”教育模式初探》，该文从学校管理的角度，就发展性教育的管理、教学和人才培养等方面的实践操作，作了体系较为完备的论述。

2001 年，鲁善坤调任重庆一中校长兼党委书记。此后，在不断实践和不断总结的基础上，他提出了“学校的一切为学生的发展而存在”的办学理念和“让每一个学生都发展得更好”的办学思想，这也成为重庆一中的管理理念和教育哲学。在实践中，鲁校长带领全校师生不断地求证并完善发展性教育的理论，以使之能具有坚实的理论基础和较强的可操作性。让我们感到欣慰的是，学生在这样的教育环境中获得了以前不曾有过的发展，这就更加坚定了我们改革的信心。自此，发展性教育的实践在重庆一中全面展开。

（3）理论的深入与完善

2001 年 7 月，鲁校长先后 6 次赴上海参加教育部全国中学骨干校长高级研修班学习。在陆有铨、钟启泉两位教育家的引领下，在著名学者陈玉琨的悉心指导下，其关于发展性教育的思考迈向了更为深刻和完善的阶段。在这一年的学习过程中，他连续撰文，从理论依据、目标、人才培养模式、学校发展、教育评价、教师发展等角度，对发展性教育进行了系统的、深刻的分析和研究，先后在《重庆教育学院学报》《重庆教育论丛》《重庆教育改革》《中小学校长》《人民教育》《重庆日报》《中国教育报》《人民日报》等报刊上发表了《再谈发展性教育》《教育应该加快自身的变革》《试论素质教育的发展性》《学校的一切为学生的发展而存在》《学校教育要为人的全面发展打基础》《永恒的向度生命的风景——发展性教育理论和重庆一中办学探索》等系列论文。这一系列的思考和论文，使发展性教育由最初的改革设想一步步完善成为一套自成体系的理论框架。至此，发展性教育观经过了近十年的酝酿、实践、思考和总结，终于获得了较为成熟的理论建构和实践检验，具备了一个科学理论的特征。

鲁善坤校长在诠释和实践发展性教育观的时候，贯彻着一个核心思想，就是人本思想，即对个体发展的关注和浓厚的人文关怀。每个学生都是以个体的方式独立存在的，是一个个鲜活的生命体。发展性教育观意味着了解、尊重、关怀、给予和责任，最终是为了实现社会的全面进步和人的全面发展。发展性教育观是一种以人为本，把人的发展放在第一位、将其当做终极目标并关注人的终身命运的教育观，它体现的是一种人性化、人本化的教育形态，体现了社会的发展方向。

对学生而言，人本化学生观的确立，能使教育教学更加尊重学生的主体地位，发挥学生的主体作用，激发学生的学习热情，使其主体意识、主体精神、主体能力和主体人格得到良好的发展。

对教师而言，人本化教师观更注重尊重教师人格，满足教师的精神需求；重视激发教师工作的内在驱动力，采用民主的、富有人情味的管理，重视人的主动性、社会性与创造性；重视学校与教师个人的互动，把教师内在的发展需求与外在的压力有机结合起来。

对学校而言，发展性教育观指导下的“学校的一切为学生的发展而存在”的办学理念和“让每一个学生发展得更好”的办学思想重新定义了学校的价值，其核心是将学生的发展放到教育系统的最中心地位，学校只是学生发展的环境和条件，我们提出学校的发展，其本质是为人的发展创造条件，归根结底，还是人的发展。

“学校的一切为学生的发展而存在”的办学理念主张将人视为学校教育的主体和对象。这一办学理念所蕴涵的教育理念和教育思想，包括对现代教育价值的看法，以及教师观、学生观和人才观，是统一全校师生的核心理念，其本质就是“以人为本”。

2. 发展性教育观在实践中展现生命力

苏霍姆林斯基说得好，校长“不仅应当宣传科学知识并把它推广到实际工作中去，而且要用自己的创造性的意图和思想把全体教师组织和联合起来”。除此之外，校长还应当“力求做到使学校全体工作人员——从校长到看门工人——都来实现教育思想，使全体工作人员都全神贯注于这些思想”。发展性教育观的实现在于实践，同时，缺乏实践的理论必然也是空洞的，因而，发展性教育观只有在学校教育教学的各个环节中加以实践，才能不断获得自身发展的生命力。

发展性教育观如何在实践中得以体现？首先，发展性教育观要成为学校的办学理念。重庆一中的办学理念是“学校的一切为学生的发展而存在”，这一理念就是发展性教育观的体现。在重庆一中，这种理念已经成为学校各项工作的指导思想和灵魂，大到学校的校务管理、大型活动的开展、学校教育的评价等，小到班级班规、寝室管理制度、学生评价标准的制定、心理咨询活动、课堂教学操作等，都在实践着发展性教育观的思想和理念。

其次，发展性教育观与新课程改革的要求相契合并已渗透到重庆一中的德育实践、学科教学实践、探究性学习活动实践和艺体教育实践当中。尤其是在学科教学实践中，发展性教育几乎涵盖了所有学科，与语文、数学、外语、物理、化学、生物、历史、地理、政治等学科实现了紧密结合。发展性教育观与探究性学习活动实践的结合则表现为重庆一中广泛开展的丰富的课外活动、研究性学习活动、科技创新活动和综合实践活动无一不在为学生终生发展打基础，换句话来说，就是评价学生的标准不仅仅只是考试成绩，而是学生们在这样的教育和活动中所展现出来的，在他们未来的人生道路上能用到的能力、素质和品质。2007年，我主编的《注重发展 追求卓越——重庆一中发展性教育的实践探索》问世，成为重庆一中践行发展性教育观的真实写照。

正因为如此，重庆一中作为一所中华名校，在新的教育革新中找到了自己的立足点，在新的时期展现了新的风采，而且并未因这些活动的开展而影响学校的升学和考试。近年来，在高考取得优异成绩的同时，共有数十名学生进入高中数理化全国冬令营和信息学全国夏令营，现在学校办有留学英、加、澳等国的预科班和国际部，已毕业的9届近1000名学生都分别考入了英国、新加坡、加拿大和澳大利亚的世界名牌大学。还有10余名学生分别获得了香港中文大学、新加坡国立大学、南洋理工大学等著名学府的高额奖学金。校男子篮球队曾获全国中学生比赛冠军，并代表中国中学生赴希腊参加世界中学生男篮赛获第八名。校田径队多次在全国、省、市比赛中捧金夺银。校艺术团参加由文化部举办的全国艺术节，两次获全国“群星奖”大赛金奖第一名，在全国享有盛誉。学校在全国中学生科技创新大赛和机器人大赛、全国中学生无线电测向、中央电视台“异想天开”栏目、“三星智力快车”、全国计算机网页制作、动画制作等比赛中多次夺冠，居全国中学领先地位。

（三）责任与使命：站在历史与未来的交汇点上

源头活水，百川入海。辰星闪烁，辉映其间。存史，求真，鉴往，知来……

经过八十年的办学历程，在当前“发展性教育”核心理念的引领下，重庆一中形成了“注重发展、追求卓越”的办学特色，即以红岩精神、“四·二一”精神为主线的革命传统教育，以数理化生信息学等国家奥林匹克竞赛为主要内容的高层次人才培养，以科技“四小活动”为主要形式的研究性学习，以培养国家艺术体育高水平人才为目标的艺体活动，以国际部为主要载体的国际性人才培养。

今天的重庆一中站在历史与未来的交汇点上，也站在基础教育改革的风口浪尖，肩负着历史的责任和未来的使命。怎样应对新的形势，实现学校新的跨越？这是我们长期以来执著思考的问题。一个学校或一个组织，在确定共同目标的时候必须符合社会正义、满足社会需求。作为学校，怎样才能为社会和谐、为社会的正常运转作出我们的贡献呢？学校的管理不单纯是学校自身的事业，也要承担社会发展的使命和社会的责任，否则就没有存在的必要。

八十载光阴荏苒，时光飞逝，弹指一挥间，时代风云变动不居，重庆一中经历了种种磨难，但是一中人却始终把教育发展、锐意改革作为自己的时代使命，把“求知求真”作为自己的教育理念，把“四·二一”精神作为学校的办学精神，始终站在时代的前沿。创业、磨难、辉煌、憧憬，重庆一中正向着更高远的目标翩舞翱翔。

第二章 让每一个学生都发展得更好

一所学校的发展离不开切实可行的目标价值导航，学校办学的目标价值系统重在回答学校办学所坚持的思想和理念是什么，要办成什么样的学校，学校要培养什么样的学生，应该采取什么样的办学方略。办学理念、办学定位、培养目标以及办学方略共同构成了学校办学的目标价值系统。

建校之初，在杜威“儿童中心论”的影响下，我校提出了“为发展青年个性、适应社会需要授以必要知识及生活技能，以养成社会上优良健全之份子为宗旨”的办学目标。1935 年后，我校又适应救亡图存的时代背景，在德、智、体、美四育办学主张基础上又增加了“教育救国，启迪民智”的目标。20 世纪 50 年代，在建设新中国的热潮中，我校确立了新的培养目标：“培养学生学习文化知识与生产实践相结合的能力”。80 年代，在素质教育呼声越来越高的背景下，我校提出了“两素质教育”的办学目标，即教职工全员素质教育与中学生全面素质教育，进而确定了中学生年段目标管理与学生自主目标管理相结合的办学方略，使学生素质教育实现了系统化、科学化、常规化。

回顾建校以来的历史，我校始终紧贴时代脉搏，依据当时教育发展的最新思潮与研究成果，实时调整自己的办学目标。尤其值得一提的是，我校自建校以来，始终关注两个中心：其一是关注学生（青年）的个性成长与个体发展；其二是始终关注生活（劳动）与教育的关系。

面对当前激烈的国际竞争，国家大力实施科教兴国战略，迫切需要学校教育培养高素质的人才。在探索如何培养符合社会国家所需要的高素质人才的道路上，我们在 20 世纪 90 年代就开始尝试用发展性教育思想指导办学。在发展性教育思想的引领下，学校形成了“让每一个学生都发展得更好”的核心价值思想，旨在关怀每一个学生的成长和发展。具体包括：在办学理念上，提出“学校的一切为学生的发展而存在”；在办学定位上，打造人文特色鲜明的现代化中华名校；在培养目标上，培养有社会责任感、有合作精神和自主发展能力的高素质人才；在办学方略上，坚持以发展性教育观治校。

一、办学理念：学校的一切为学生的发展而存在

（一）办学理念的形成

一个办学理念的形成，不是简单想象出来的，也不是随意借鉴而来的。办学理念，必然是一个学校根植于自己的办学传统，服务于学校人才培养的宗旨，依据教育科学规律提出的观念和思想。20世纪90年代以来，我们对发展性教育进行了深入的思考，逐步形成了具有时代特色和中国教育特点的发展性教育思想，在发展性教育思想指引下，“学校的一切为学生的发展而存在”的办学理念逐渐形成。

1. 办学理念的时代动因：知识经济时代呼唤发展性人才的培养

教育的改革和发展离不开它所处的时代背景。当今社会是一个知识经济社会，知识经济社会不同于传统工业经济社会，它具有以下显著特征。(1) 知识经济的价值取向在于对智力和知识的占有。(2) 在知识经济中，工业经济时代的传统产业主要已不是量的发展，而是依靠知识创新，实现质量和效益的提高。(3) 国家和地区的知识创新体系与创新能力（包括知识创新、知识传播、技术创新和知识应用体系），已成为国家和地区经济、社会发展潜力的重要基础设施与竞争力的关键因素。(4) 知识经济时代的产业结构和生产方式的变化，决定了社会的劳动结构将发生根本性改变。(5) 知识经济将改变工业经济时代的许多传统经济规律。(6) 知识经济时代的消费将更加多样化、个性化、艺术化，因而制造业将呈现系统化、网络化、智能化的特点。(7) 知识经济时代是对工业化社会的继承和扬弃，人们追求生产方式、分配方式、发展模式的合理性、协调性和可持续性。(8) 知识成为经济和社会发展最重要的资源，创新人才成为竞争合作的决定性因素。(9) 全球化竞争与合作，知识在全球范围的即时传播和利用，人才在全球范围的流动和竞争，知识化产品全球性的生产和行销，全球性知识产权保护

公律和法规，全球化的宽带数字多媒体网络，全球化科技文化的交流与合作……世界经济文化呈现一体化特征。

由上可知，知识经济社会并不单纯地注重知识占有，而是尤其注重知识的创新，注重获得和生产知识的能力；知识经济社会注重的是个性化、多样化和差异化，而不是大一统的模式化和同一化；知识经济社会注重可持续发展能力；知识经济社会注重开放交流和多向互动，而不是单向封闭式存在；知识经济社会注重和谐共生，而不是相互排斥；知识经济社会注重人的自主创新能力，而摒弃被动的简单模仿。我们清晰地看到，透过知识经济时代洞开的门扉，一种以促进人的发展为宗旨，适应新的经济形势的教育正向我们走来。中学教育作为知识创新、传播和应用的主要基地，是培养创新精神和发展性人才的重要摇篮。在教育改革的猎猎风旗中，我们任重而道远。这正是我们提出“学校的一切为学生的发展而存在”办学理念的时代动因。

2. 办学理念的现实基础：对完成性教育的反思和审视

在我国，面对世界飞速发展的挑战，20 世纪 90 年代后期开始实施全面素质教育。但是，长期以来，在完成性教育人才观的指导下形成了重知识灌输、轻技能训练，重考试、轻发展，重高分、轻素质，重死记硬背、轻实践能力，重照本宣科、轻发明创造的反常现象，严重影响了学生的动手能力、学习能力和创造能力的养成，抑制了学生的创新精神。个性的棱角被磨平了，想象的翅膀被折断了，孩子们以广泛的兴趣、强烈的好奇心和富于个性的创新为代价换回分数，跨进大学的校门。素质教育从理论的更新到实践的全面实施，必然要面对和正视这些长期积累的问题，解开长期束缚学生创造力的各种桎梏。

在重庆，情况也是如此，各个学校几乎都把升学率作为唯一的评价标准，高考升学率、重点率成为竞相追逐的目标，这种教育形态只把学生看做一个认知体而不是完整的生命体，把学校生活看做学习过程的重要构成而非学生生命历程的重要构成。学校成了社会对个人进行鉴别和选拔的筛选器，每个人都被迫通过这样一个机制来证明自己的能力，实现自己的人生追求和梦想，学校成为一种体现现代社会公平的必然选择。筛选功能被过分强化，使得学校在促进个人发展方面的功能难以充分、适当地发挥，在残酷的竞争环境下，学生人格遭到扭曲，这极大损害了青少年的身心健康。同时，严格的等级制度、机械的记诵之学、压抑个性的教学方法导致了种种荒谬的结果：一次考试就能决定一个人的终生；一个偶然的失误或者因为感冒引起的临考不适，就可能断送一个人的前途。

当前的教育仍然在工具化、完成性的桎梏中艰难发展，学生的创新能力、实践精神在很大程度上受到束缚与制约。21 世纪是一个前所未有的全球化社会，也是一个前所未有的知识信息社会。知识经济和市场经济对教育提出了严峻的挑战，教育必须要影响人、促进人的全面发展。而我们的中学教育仍像它创建时一样，继续“我行我素”，仿佛它是永恒的。在急剧变化的社会经济背景下，学校却仿佛“世外桃源”，沉醉在“晨钟暮鼓”之中，中学教育始终没有走出完成性教育的阴影。在大多数情况下，学生从我们的教育中所看到的是一个被肢解成众多学科的知识王国。学生，作为完整的生命个体，并不能从中获得充分的、自由的、全面的、和谐的发展，也不能从中获得 21 世纪生存所必不可少的知识、能力和才智。

3. 中学教育功能的本体之思

重庆一中在考虑自身办学理念的时候，在上述对当前教育现实理解的基础上，对中学教育进行了理性的思考。我们认为，知识经济和市场经济对我们的教育提出了严峻的挑战，必然会对中学教育的教育观念、人才标准、教育体制、教育内容与教育方式等方面带来一系列的影响。我们不得不重新审视其目标观、质量观、师生观、教学观、人才观、效益观、评价观等。

中学教育是实现社会主义现代化的基础工程，它不仅是经济发展的基础，而且是社会全面进步的基础。就个人而言，中学教育还是教育终身化的基础。中学教育不仅是为学生接受更高的教育作准备，而且是为他们今后的生存和发展打基础，使他们在一生中的每个阶段都具有可持续发展的能力。

中学教育是基础教育而不是精英教育，学校要为每一个学生提供适合其发展的资源，要使每一个学生都得到发展，而不是仅仅服务于部分或个别学生的发展。

中学生是一种未完成性存在，其身心处于生成发展之中，其诸方面素质还未定型，因此好的教育会引导其向好的方向发展，而坏的教育可能引导其向坏的方向堕落。可见，中学教育有着方向性的指导价值，中学教育的功能就是引导学生朝真理、善良、美好、健康的方向发展。

中学教育是基础教育，其功能在于为学生的未来发展打好基础，为学生提供能够促进其发展的教育资源，促进学生在德智体诸方面全面和谐发展。中学教育的功能并不是为了升学考试而作准备，升学考试只是中学教育中的一种评价；为学生的终生发展奠定基础才是中学教育的使命。中学教育要使每个学生都能获得全面发展。

知识经济化，经济全球化，世界的发展决定着学校的发展必须改革，重庆一中在这样的时代背景和教育现状下，必须创新，必须在科学的理论指引下，实现学校办学的创新。

4. 发展性教育思想：先进理论的指引

重庆一中早在20世纪90年代就开始了对发展性教育的一系列理性思考和局部实践，经过多年的酝酿和实践，逐步吸收各种先进的教育思想成果，进而形成以学生发展为本，促使学生形成自主性，采用现代教育技术和方法，教与学互动，师与生整体发展，培养现代社会需要的新人的教育观念体系。发展性教育就是指以培养具有发展性品质的人才为目标，旨在促进人的全面、自由、和谐发展的教育。

由于发展的目的是使人作为人而不是作为生产手段得到充分发展，因此，发展性教育的基础教育阶段应该包括接受其他各级教育所需的全部知识。发展性教育还应该从终身教育的角度，为每个人提供自由塑造自己的生活和参与社会发展的手段，它包括从人的发展角度看必不可少的一整套知识和技能。

发展性教育的理念认为，教育不仅仅是为了给经济界提供人才，它不是把人作为经济工具，而是作为发展的目的加以对待的。

发展性品质是指人在发展过程中逐渐形成的、对人的发展起着推动作用的内在特质。它随着人往高级阶段发展而不断完善。发展性品质的优劣是判断一个人能否很好地发展的重要标准。我们认为，发展性教育的品质包括自主品质、创造品质和合作品质。自主品质、创造品质和合作品质是发展性品质的主要内涵，构成了人的发展的最基本的要素。

（1）自主品质

自主性品质也称为自我完善性品质，它是人成为主体的前提和基础，是主体独立自主行使支配自己的权利并具有这种能力。自主性在思想观念上集中表现为自尊、自立、自决、自强等自我意识，包括符合实际的自我评价、积极的自我体验和主动的自我调控能力。自主性表现为人对自身的肯定、对个性的张扬和对自我的维护，是主体意识的充分发挥。缺失自主性的人看不见过去和将来，也不能正确地感知自己的现时生存状态，更不能发展到更高水平。

学生的发展不是机械的、简单的、被动的，而是通过学生的积极活动实现的。这种积极的活动来源于学生学习的自主性。传统的教学在很大程度上是一种“他主”的学习，学习者的学习目标和活动完全受制于预定的教学计划和教师的指挥，自觉的认识和思考完全湮没在被动接受之中。对此，布鲁纳认为教学的目标应该在于：“我们应当尽可能使学生牢固地掌握科学内容，我们还应当尽可能使学生成为自主且自动的思想家。这样的学生，当他在正规学校教育结束之后，将会独立地向前迈进”。每一个学习者都能够成为认识的主体，都具备自主学习的能力。在学习过程中，学习者不仅要将科学知识作为认识的客体，而且要将自己作为认识的客体，不断对自己进行反省评价，不断进行自我认识、自我调节。①

---

① 朱京曦．试论教育技术视野中的学习方式变革［J］．中国电化教育，2003（8）：10－13.

重庆一中在办学中力求尊重学生学习的主动性，增强他们发展的自我动能，让学生在中学教育阶段后能够具有更强的主动学习、思考和创新的能力，形成以自尊、自立、自决、自强为核心的自主发展品质。

（2）创造品质

人的价值就在于他能创造价值。人在以自己的活动创造价值的同时也实现着自己的价值。人生的有限激励着个人在有生之年通过积极的活动，创造价值，丰富、充实、扩展人的世界。而创造性品质是学生终身积极活动、创造属于自己的世界的必备品质。

所谓创造性品质，一般可以理解为创造性思维品质和与创造性活动有关的其他心理品质的综合。具体地说，创造性思维品质可以分解为思维的流畅性、灵活性、独创性、精密性四种品质，其他心理品质有冒险性、挑战性、好奇心、想象力、自信、勇敢、独立性、意志力等品质。在这些品质中，创造性思维品质保证了个体创造活动的深入开展，其他品质为创造性活动提供了动力源，它们有机结合，共同构成了创造性个性品质的主要内涵。①

学生具备较好的创造性品质，既可以保证创造性学习活动的顺利进行，也为将来从事高层次的创造活动从心理方面打下基础。学校教育应该从培养学生创造性品质入手，以各种方式鼓励、指导学生进行创造性学习，并在各种教育活动中积极培养学生的创造性品质。

重庆一中在办学中历来注重学生的创造能力的培养，从科技活动教育到各种高层次人才的培养，再到针对每个学生的个性发展的教学方式、学习方式的改革，都将创新能力培养放在首位。我们期待通过全方位的培养手段，最大限度地促进学生包括思维品质、心理品质、道德情操等方面的创造品质的提升。

（3）合作品质

与他人的合作成为人在发展过程中的一种重要的方式，个体的发展

① 叶琳，等．培养学生创造性个性品质的教学策略［J］．内蒙古师范大学学报：教育科学版，2007（1）：55－57.

总是与群体的发展相一致并以之为前提。人必须适应他所存在的社会并获得社会的承认。他必须对周围的人尽到自己的一份责任，对自己的行为负责和对社会负责。在合作的过程中，产生了民主，使每一个个体在群体中的位置得到确认和尊重，每一个个体在群体中都可以获得平等的发展权，从而使每一个个体的充分发展成为可能。

由于合作学习在改善课堂内的社会心理气氛、大面积提高学生的学业成绩、促进学生形成良好非认知品质等方面实效显著，很快引起了世界各国的关注，并成为当代主流教学理论与策略之一，被人们誉为近十几年来最重要和最成功的教学改革。[①]《国务院关于基础教育改革与发展的决定》中专门提及合作学习，指出要“鼓励合作学习，促进学生之间的相互交流、共同发展，促进师生教学相长”，可见国家对合作学习的重视程度。

体现合作性品质的教育，不仅有利于使学生获得集体意识和行为规范，提高自我教育的水平，实现个性与社会的沟通，同时也有利于激发教师和学生的主动积极性与创造性，使师生都获得自我的充分发展。

重庆一中在办学中，努力为学生的主体性发展提供良好的气氛和条件，承认教育认识的社会性，将主体间的社会交往纳入认识活动过程，让“合作”成为学生认识中的一个重要内容。发展性教育体现了师生间与学生间合作、民主、平等和谐的人际关系。

在完成性教育过度制约学生全面素质发展的环境下，重庆一中力图通过发展性教育理念的实施，促进人的自主性、创新精神和合作意识等发展性品质的充分发展与完善，发展体力、智力、健全的心理和人格、健康的情绪、坚强的意志品质、独特的创新能力等。期望发展性教育的各个组成部分均能有助于人的发展，能尽早地为每个人提供“生活通行证”，使其更好地了解自己、理解他人，调动人的各种潜能，从而参与集体事业和社会生活。

---

① 王坦．论合作学习的基本理念［J］．教育研究，2002（2）。

（二）办学理念的意蕴

面对完成性教育体制所存在的制约学生发展的弊端，在重新思考中学教育功能的基础上，为应对知识经济社会对发展性人才的需求，我们以发展性教育思想为指导，提出了“学校的一切为学生的发展而存在”的办学理念。这一理念的提出既有教育本身的内在追求，也有教育外部社会发展的需求，还有先进教育理论的指导，“学校的一切为学生的发展而存在”的办学理念是符合我校校情的理念，具体包括以下意蕴。

1. 人是学校教育的主体和对象

“学校的一切为学生的发展而存在”的办学理念主张将人视为学校教育的主体和对象。这一办学理念所蕴涵的教育理念和教育思想，包括对现代教育价值的看法以及教师观、学生观和人才观，是统一全校师生的核心理念，其本质就是以人为本。在这种观念的引领下，全校教职员工树立和坚持以学生为本的教育理念，一切从学生出发，从学生自身发展需要出发，重视学生的主体地位，尊重学生的价值，认真研究和遵循学生的成长规律，尤其是学习的特点与规律，不但注重学生学习素质的培养，还注重学生丰富个性和完整人格的培养，帮助学生更深刻地理解人生的意义，促进学生全面发展。同时，以人为本，也是以教师为本，就是要尊重教师的劳动和创造，重视教师的发展和需要，充分发挥教师的主体精神，调动他们的主动性、积极性和创造性。

2. 发展是学校教育的基点和核心

“学校的一切为学生的发展而存在”的办学理念，其核心和理论基点是“发展”。《说文解字》中说，“发，矢发也”，“展，转也”。“发展”一词指的是时间的延续和空间位置的变化。在英语中，“发展”（Develop/Development）包含了两层基本的意思：（1）成长、发育、开发、出现、发生（developing or being developed）；（2）发展的新阶段，新的发展。可见，“发展”一词是指事物从简单到复杂的成长变化的进程。学校教育就是要使人不断地成长，由无知到有知，由知之不多到知之较多，由低级到高级，由依赖被动走向自觉主动。

学校教育应从以下几方面来关注学生的发展。(1) 把握发展的方向性。即在教育过程中，始终要把坚定正确的政治方向放在首位。(2) 坚持发展的全面性。就是说人的发展不是片面的、单一的，而是德、智、体等诸方面的全面发展。学校教育要使学生获得全面的发展：不仅要关注学生的知识获得，也要提升学生的能力；不仅要关心学生的身体发展，也要关注学生的心理发展。(3) 发展的系统性和层次性。根据具有 21 世纪时代特征的人才素质要求，制定整体的教育目标，再根据整体素质的层次性和层次中的系统，按年级制定各年段的目标。(4) 发展的渐进性和飞跃性。我们在教育工作中既要尊重规律，循序渐进，又要打破常规，改进方法，为国家培养更多的高素质人才。(5) 发展的前进性和曲折性。在实施教育的过程中，要引导学生正确对待“顺境”和“逆境”，正确对待“成绩”和“挫折”。(6) 发展的矛盾性。矛盾的普遍性和特殊性告诉我们，教育工作者既要重视研究人的发展的一般规律，又要重视研究个体发展的特殊规律。就人的发展而言，外因是条件，内因则起主要作用。辩证法的发展观和形而上学发展观的根本区别，就在于辩证法的发展观承认事物的内在矛盾所引起的“自己运动”。哲学上的这一观点对于我们如何在教育中千方百计地提高学生的主体意识，树立现代教育的观念有不可低估的作用。

3. 为学生开发和提供最优质的教育资源是学校的主要功能

“学校的一切为学生的发展而存在”的办学理念的新颖性和创造性，在于重新估量了学校的价值和功能。根据发展教育观的理论，学校的功能主要是为学生开发和提供最优秀的教育资源，以发展和完善学生的个性特长。学生既是学校培养的对象，又是学校服务的对象。现代学校教育已不再是仅仅局限在学校空间内部的教育，现代学校教育要保持开放的姿态，利用校外的人力、物质、文化等为学生的发展开发和提供优秀的教育资源。

为突破课程设置的单一化，进一步为学生提供广阔优质的课程资源，学校在开足国家规定课程的同时，用各具特色的地方课程和校本课程，为学生提供优质教育；通过探究性活动课程，让学生大胆质疑、探究未知领域，培养创新精神和创造才能。重庆一中地处重庆市的文化名区沙坪坝，此地有历史久远的沙磁文化、东川书院，集中了重庆大学、四川外国语学院、西南政法大学、重庆师范大学等重庆主要大学，还有南开中学、重庆八中等多所重庆一流重点中学，周边文化资源极为丰富，是学校校本课程开发和实施的丰富资源。学校还与一些单位、街道、社区建立了协作关系，建立了有效的社会实践基地，让学生集中吃住，在身体力行中体验生活。学校还选择了一些烈士陵园、纪念馆、展览馆、博物馆、公司集团等单位，供学生进行调查研究、参观访问，让学生多层次、全方位、多角度地观察社会，了解社会。

重庆一中“学校的一切为学生的发展而存在”的办学理念，把教育与人的幸福、人的尊严、人的需要、人的发展有机地联系起来，以现代人的精神塑造人，以全面的广阔视野培养人。学校作为教育的重要场所，无论是对民族的振兴，还是对学生的发展、教育的推进都起着举足轻重的作用，都必须坚持以人为本、“学校的一切为学生的发展而存在”的办学理念，促进教育又好又快发展。在办学实践中，我们把这一办学理念融入学校的各项工作中，找到了多种实施发展性教育的有效途径，取得了显著的成果。

二、办学定位：人文特色鲜明的现代化中华名校

办学八十年来，学校从成立之初一所旨在满足小学毕业生升学需求的市立中学，发展为今天拥有美丽校园环境、一流硬件设施、一流教师队伍、一流教学质量、在国内外享有盛誉的现代化示范学校。八十年来，学校在继承优秀传统的基础上，紧跟时代发展的精神，不断超越和创新，不断明确自身的发展方向。在《重庆市第一中学“十五”发展规划（2001—2005）》中提出“发挥重点中学的办学优势，逐步扩大办

学规模，形成由校本部和一批分校、办学点构成的学校集团，进而把重庆一中建设成为现代化的并在国内外享有一定知名度的示范性高中”。在圆满完成“十五”规划提出的发展目标后，学校又制定了《重庆市第一中学“十一五”发展规划（2005—2010）》，明确提出“把重庆一中办成重庆市示范性高级中学；把重庆一中建设成为现代化的并在国内外享有较高知名度的中华名校”的办学目标。当前，学校确立了“注重发展、追求卓越”的创新思路，形成了以“发展性教育”为基础的各项办学特色，包括以“四·二一”精神为主线的革命传统教育，以科技“四小活动”为主要形式的创新学习，以数、理、化国家奥林匹克竞赛等为主要内容的高素质人才培育，以国际部为依托的“双语教学”实验和以培养国家体育、艺术人才为目标的高水平艺体活动。

（一）学校办学定位形成的背景

1. 党的十六大提出的全面建设小康社会目标，对学校的改革和发展提出了新的要求

为了不断满足社会经济发展对人才和科技的需求，特别是广大人民群众对接受优质教育和高层次教育的需求，适应经济增长方式主要依靠科技进步和提高劳动者素质的转变，促进经济社会的协调发展，促进人的全面发展，在全面建设小康社会的进程中，我们要建立比较完善的现代国民教育体系，基本普及高中阶段教育，消除文盲，形成全民学习、终身学习的学习型社会。高中教育已经成为各类教育协调发展的瓶颈，优质教育资源短缺也已成为社会关注的一大热点。基础教育的发展状况关系到整个教育的水平，关系到民族整体素质的提高、全面建设小康社会和构建和谐社会目标的实现，为社会提供优质的教育资源是推动建设小康社会的重要举措。

2. 西部大开发，重庆大发展，把重庆建设成为长江上游的经济中心和西部教育的高地，是重庆教育和学校发展的新任务

完成党中央、国务院交办的四件大事，推动重庆经济社会持续快速发展，为此，须进一步加大实施“科教兴渝、人才强市”战略的力度，深化教育改革，推进教育创新，优化教育结构，促进教育与经济建设紧密结合，自觉肩负起培养数以百万计高素质劳动者，造就一大批专门人才和拔尖创新人才的重任。

3. 教育国际化趋势和各地教育的快速发展对重庆教育提出了新的挑战

对此，我们必须扩大对外开放，积极开拓国内外教育市场，认真学习国内外先进教育经验，吸引海内外资金和优质教育资源，为我所用，增强教育的国际竞争力。

4. 中华名校的建设是一个永无止境地追求卓越与不断成长的过程

作为一所重点中学，要用战略的眼光去审视自身的发展和环境的变化，未雨绸缪，周密规划，增强预见性、前瞻性和科学性，减少盲目性、自发性和随意性。在纷繁复杂的教育改革大潮中，要敏锐地觉察各种情况，以此对自身的战略进行调整。对重庆一中来说，发展意味着生存和竞争，持续发展意味着创造和动力，科学发展意味着生命和活力。

面对这样的时代发展背景，重庆一中始终坚持发展性教育观：结合学校校情，彰显学校人文特色；顺应社会主义现代化建设的需要，推进学校的现代化；弘扬中华民族传统美德，构建中华名校。最终将“人文特色鲜明的现代化中华名校”作为我校的办学定位。

（二）学校办学定位：人文特色鲜明的现代化中华名校

1. 名校

名校的含义并不是简单地局限在知名的学校这一层次的认识上。所谓的“名校”有着深刻的内涵。我校杨祖旺副校长认为，教育品牌的形成和经济类型的品牌不一样，经济类品牌为了占领市场，可以非常快速地制造品牌效益，而教育品牌有一个历史的延宕。首先，名校的形成需要历史的积淀，有很强的滞后性。名校应当具有深厚的文化底蕴。一所有深厚文化底蕴的学校，才能很好地塑造师生真善美的理想人格，才能使学校长盛不衰，可持续发展。其次，名校的办学思想应该以素质教育为核心，以促进学生全面发展、开发每一个学生的潜能为目的，注重培养学生的创造性思维和创新能力，增强学生的生存能力，为学生的可持续发展打基础。再次，名校是名师的聚集地。名校要能够培养属于自己的一大批名师，由名师铸造名校，进而以名校成就名师，名师成为名校成长的一股强大力量。最后，名校应当具有较强的创新能力，面对社会和时代迅速变革的局面，名校要能够充分发挥示范作用，要有改革创新的品格和精神。

2. 中华名校

重庆一中历来勇于担当振兴中华的使命，培养出了一代又一代为中华之崛起而奋斗不息的志士仁人。这种中华民族精神永存于学校的理念和实践之中。学校不是简单地停留于相对意义上的“国内一流、国际知名”的定位上，而是超越这种外在的、显性的空间概念，真正把握学校存在的国家和民族精神意义。把学校建设成为中华名校是我们的理性选择。中华名校意义深远。首先，它内含着中华民族的精神：作为中华民族精神本质的“生”，作为中华民族精神核心的“中和”，作为中华民族精神主体的“自强”“重德”，作为中华民族精神基本内容的“刚”

“韧”“稳”“进”“宽”“厚”“仁”“义”，以及作为中华民族精神的特殊形态的爱国主义。其次，它是立于世界之中的中华学校，不是没有本土民族文化特色而盲目趋同于西方的所谓“国际化”。我们学习西方，立足国际，但是我们绝不丢掉我们的民族文化之根。

具体来说，建设中华名校首先意味着“崇尚道德”，中华民族注重道德，“地势坤，君子以厚德载物”，我们的学校以德为先，重视对学生的行为习惯培养和价值引导，力争成为充满德性氛围的名校。其次意味着“尚中贵和”。“中”就是适中、中正；“和”就是和谐协调。我们学校正在积极构建和谐校园，使教师、学生、领导处于和睦交往之中，相互协作，共享祥和。最后意味着“民为邦本”。学校是人民的学校，学生不分贫富贵贱在我校均是济济人才，学校以为人民提供优质教育资源为重，以为人民培养优秀人才为己任。

3. 人文特色学校

重庆一中是一所拥有近八十年办学历史的中华名校，悠久的传统人文，浓郁的文化底蕴，老一代校友的艰苦革命精神，铸就了今日重庆一中鲜明的人文特色。“爱国爱校、尊师爱生、朴实勤奋、改革创新”的校风是重庆一中所具有的鲜明人文特色的写照。站在未来的十字路口，我们不能忘记我们优秀的传统精神。毫不动摇地建设人文特色鲜明的中华名校，是我们学校永葆生机的基石。人文特色鲜明的学校实质上是彰显人文精神的学校，它对人的尊严、价值、命运予以维护、追求和关切，对历史留下来的各种精神文化现象高度珍视。

培养学生的人文素质，实施人文教育，是发展性教育的客观要求。如果教育失去了人，忘记了人是有思想、有感情、有个性、有精神世界的，就失去了一切。民族与种族的区别就在于民族是人文文化的概念，而种族是遗传基因的概念。没有自己的人文文化，就没有民族。中华民族历经五千年风雨而未消亡，就在于其人文文化的强大与绵延。季羡林先生认为，中华民族的优秀传统就是以爱国和骨气为主要内涵的人文精神。因此，人文教育关系国家的兴衰，“天下兴亡，匹夫有责”，这就要求每一个国民都具备良好的人文素质。人文教育关系社会的进退，正是由于科学技术高速发展，人类更应理智地追求人性，否则，科技的发展最终将导致人类的劫难，更不用说人的全面发展。人文教育关系人格的高低，《诗经》有云“人而无耻，胡不遄死”“人而无义，不知其可”。对人的思想教育、感情陶冶、精神塑造是人格教育的三个层次。人文教育关系思维的智愚，逻辑思维和形象思维各有优势又互相补充，这就要求科学活动与人文活动相互支持、相互渗透、相互协调，共同促进思维的发展。人文教育关系一个人言谈举止是文明还是野蛮，是高雅还是粗鄙。人文教育还关系一个人事业的成败乃至婚姻家庭的幸福与否。

基于以上分析，我们要建设人文特色学校，以开展人文教育，进一步培养学生的人文素质。结合重庆一中辉煌的办学历史以及当前社会发展的时代精神，我们所要建设的人文特色学校有着新的内涵。一是要传承重庆一中历史上光荣的革命传统精神，永不忘记“红岩”精神和“四·二一”精神，用这些具有民族自豪感的精神武装学校的教育和教学。二是要继续贯彻重庆一中历史上所形成的“尊师爱生”的优秀人文氛围，关心教师、关心学生，为教师的工作、生活创设安逸舒适的环境，为学生的发展提供适合的资源。三是追寻生活的意义和价值，提升学校教育生活的质量。

建设人文特色鲜明的现代中华名校，就是要传承传统办学优势，注重民族精神，培育人文特色，将重庆一中建设成为特色鲜明、人文鼎盛的中华名校。

4. 现代化学校

顺应我国社会主义现代化建设的潮流，为了培养现代化建设的优秀人才，我们力争建设一所现代化的学校。这里的现代化既包括思想观念的现代化，也包括实践行为的现代化；既指物质设备的现代化，也指精神面貌的现代化。现代化是一个相对于传统而言的概念，是一个与时俱进的变化过程。因此，我们学校的现代化就是能够不断地顺应时代的发展要求，建立一套完善的、进步的、推动学生发展的教育系统。

（1）现代化的教育理念。现代化的教育理念与传统的教育理念有着显著的区别，更加重视人的存在和发展，学校的一切以人的存在和发展为出发点与落脚点。我们所主张的现代化教育理念就是以马克思主义关于人的全面发展学说为指导，坚持以人为本，尊重学生、尊重教师，使人的个性得到全面和谐发展。现代化的教育理念来自于全校教师不断地学习教育理论，同时也来自于教师们在教育教学实践中的提升和凝练。

（2）现代化的育人模式。形成适应学校发展特点和学生发展需要的选修课、活动课、竞赛课、研究性学习、社会实践课的框架体系。鼓励教师在日常教学中大胆进行教学改革，构建适合学生发展的教学方式，使学生在多维的、立体的时空范围内高效率地学习。开展以班级建设为主题和方向的德育创新探索。

（3）现代化的制度体系。健全和完善各项管理制度和运行机制，让学校有序地步入制度化、科学化、规范化的发展轨道。完善和深化年级负责制，注重细节和过程管理，使年级负责制在教育教学中发挥更加积极有效的作用。建立有效的竞争合作机制，让教师在激励中成长。建立质量管理目标责任制，明确职责，协调顺畅，把责任落实到每个岗位和人员。建立有效的生源基地，规范招生制度。规范对外宣传制度，加大对外宣传力度。强化民主监督、校务公开制度和教代会制度。学校内部形成科学的决策、执行和监督体系，形成行为规范、运转协调、公开透明、廉洁高效的管理体制。教职工工作、学习、生活条件和福利待遇有较大幅度的改善。

（4）现代化的校园设施。建设校园、美化校园、绿化校园，搞好统筹规划，努力营造校园文化氛围。改造学校景观文化，按照统一协调与个性化发展相适应，物质形式与精神内容相协调的要求，凸显校园生态特色、人文特色，将学校变成一本鲜活的教材，营造一个宏伟典雅、古朴庄重、充满历史与现代、人文精神与高新科技相结合的花园式学校，使学校成为学生读书求学、养性怡情、放飞理想的育人摇篮和成长圣殿。

三、培养目标：有社会责任感、有合作精神和自主发展能力的高素质人才

办学八十年来，学校始终紧扣时代发展主题，培养出符合所处时代发展需要的人才。早在建校之初，《重庆市市立中学校学则》中的第一章第二节就明文规定了“本校以发展青年个性、适应社会需要授以必要知识及生活技能，以养成社会上优良健全之份子为宗旨”。此后，随着中国革命事业的蓬勃发展，国内革命战争、抗日战争和解放战争需要大批有志青年参与，我校顺应革命的需要，先后为社会培养出了不少英雄豪杰和爱国人士，他们始终以强烈的社会责任感和民族意识为重。如“11·27”难日中牺牲的李承林烈士就是我校毕业生，他积极从事抗日救亡工作，支持地下党的革命活动，以革命为重，不惜牺牲生命。新中国成立后，社会主义建设需要大批劳动者，学校坚持教育与生产劳动相结合的原则，培养了大批奋斗在各条战线上的高素质人才。如1952—1957年就读于我校，后成为中国著名氢弹和中子弹研制科学家的何高玉先生；1960年毕业于我校，后成为全国星火科技先进工作者的涂泽元先生；先后72次被省市授予功臣、模范、先进工作者、优秀共产党员称号的“全国公安战线二级英雄模范”李小咪等。进入21世纪以来，国际竞争日益激烈，中国的发展越来越需要高素质人才，我校以发展性教育观为指引，坚持“能飞的飞，能跑的跑，不能跑的推一把”的原则，从人与社会、与他人、与自我的关系出发，秉承我校优良传统，致力于使进入重庆一中的学子们成为有社会责任感、有合作精神和自主发展能力的高素质人才。

（一）有社会责任感

从当前社会发展的大背景来看，随着改革开放的深化，西方个人主义价值观在我国社会中有所渗透。我们常常会听到不少家长、教师抱怨

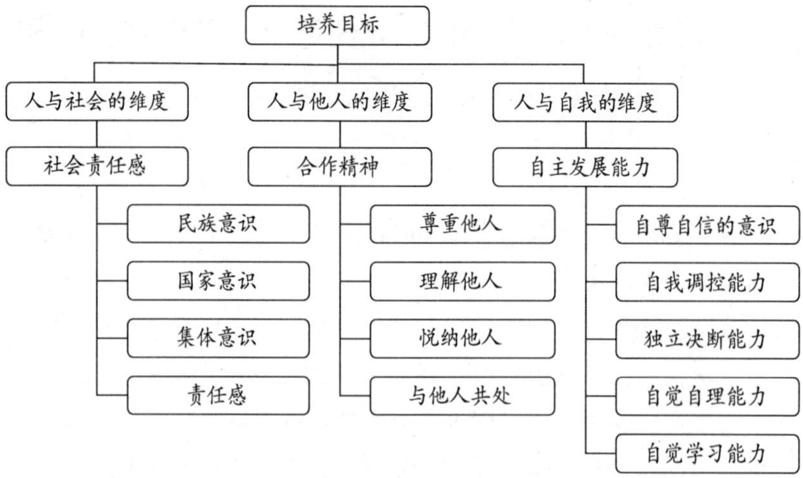

图2　重庆一中培养目标结构

有些孩子在家中和学校没有主人翁意识，缺乏对亲人、对集体的责任感，个人主义意识过于浓厚，缺乏社会责任感。这是我们社会主义现代化建设在人才培养方面所应该克服的问题，我们需要的是有社会责任感，能够为国家、社会发展担当重任的人才。有社会责任感是重庆一中学生所应具备的素质。

针对这样的现实，重庆一中将对学生责任感的培养摆在了重要位置，我们理解的责任感是一种自觉主动地做好分内分外一切有益事情的精神状态。我们期望学生从小就有大局观，有爱国观，有上进观；期望他们能够站在社会和国家的立场上看问题。

培养学生的社会责任感是重庆一中的光荣传统。“斗争风雨，历经时代沧桑，培育英才千万，为着民族解放。我们有着光荣的传统，爱国爱校，团结向上，四·二一精神永放光芒。……巍巍歌乐，俯瞰滔滔大江，培育时代新秀，为着祖国的富强。我们有着浓郁的学风，勤学多思，奋发开创，振兴中华是我们的理想……”这是重庆一中校歌中的一段歌词，朴实的校歌唱出了学校的使命，唱出了莘莘学子的责任。毕业于我校的优秀共青团员黄玲——重庆市石桥信用社巴山储蓄所的会计员，在1983年4月29日，为了保卫国家财产，在和匪徒的搏斗中以身殉职，为了国家和社会的利益而献出了自己年轻的生命，当时年仅19岁。在日记中，她这样写道："为了四化而英勇献身的人，青春虽短犹长，丰碑耸立云端；为了个人享乐，生命虽长犹短，不如一抔黄土。人应该活得有价值"；"我要使自己成为对国家和人民有用的人"。这是一种高度的社会责任感，以社会和国家的利益为重。我们就是要培养有社会责任感的，能够为祖国富强和中华振兴而奋斗的人才，这是重庆一中办学近八十年来一直坚持的培养目标。

培养有社会责任感的人才不是学校中的某一系统单独能完成的任务，而是学校工作全方位的参与和渗透。在教学活动中，要通过学科教学建构关于社会责任的经验与认识；在德育中，要通过学校的革命传统教育感化学生，激发他们的社会责任感；在管理中，要强化学生的集体感、责任感，让学生参与管理，提升其集体意识。培养学生的社会责任感不可能一步到位，而是要经历一个从感性到理性、从思想到行为的提升和转化过程。

（二）有合作精神

21世纪是知识经济时代，是全球一体化发展的时代。当前经济社会发展中，人与人之间的交流合作显得越来越重要，合作精神是现代人必备的素质。学会合作是我国青少年教育最重要的主题之一。然而，在当前我国社会中，独生子女比较多，学生中有很多现实问题，诸如自私、任性、骄傲、不合群等不良表现，容易在解决问题中形成以自我为中心、个人本位主义等问题，在与人交往中缺乏合作意识。与人合作的能力，正是当代青少年所缺失的。

基于这些问题，重庆一中从20世纪90年代开始，就着力培养学生的合作精神，其具体内容包括如下四个方面：一是使学生学会尊重别人，只有尊重他人才能赢得他人的尊重，要尊重教师、尊重父母、尊重同学，尊重社会中的每一个人；二是要理解他人，学会换位思考；三是在尊重和理解他人的基础上，能够悦纳他人；四是学会与他人共处，能够团结他人，具有良好的团队精神。

重庆一中的八字学风——“励志、笃学、乐群、力行”中的“乐群”，突出地彰显了重庆一中学生所应具有的优良的、善于与同伴交往合作的精神。当前中学生的自我意识和个性飞速地发展，他们开始有了更多的属于自己的思想，并且对事物有了更多的批判，但是很多学生缺乏对他人的理解，缺乏与他人合作的精神，不会处理人际关系。此外，由于升学考试的压力，学生之间形成了一种评比竞争的气氛，一些不良的竞争观念甚至导致了个别学生仇视、敌对每次与自己在成绩上一争高下的同伴。这种敌对的竞争很不利于学生的发展，使得他们越来越缺乏合作意识。21 世纪是一个高度依靠社会分工的社会，一个人难以胜任全部的工作流程，我们必须与他人进行合作，在合作中完成工作。生活在学校中的学生，正处于发展之中，我们要培养他们的合作精神，使他们学会与同学合作、与教师合作、与家长协商。

（三）有自主发展能力

当今社会是一个知识爆炸的年代，在学校教育有限的时间范围内，个体是不可能将人类社会的全部知识经验一次性学完的。而我们只有在基础教育阶段学习基础知识的同时，学会自主学习、自主发展，才能在未来的生活、工作中立于不败之地。

发展性教育理论认为，人首先应该具备自主品质。重庆一中历来重视培养学生的自主发展能力，而不是培养只会考高分、死记书本知识，缺乏自我决断能力和独立探索精神的人才。我们所说的自主发展能力是指个体主体意识的充分发挥，就是个体具有自主认识、自主决断、自主评价、独立探索等一系列能力。

重庆一中学生自主性发展能力可分解为以下五个方面。

（1）自尊自信的意识，表现为自我肯定、维护独立人格及对自己的优缺点有公正客观的认识。

（2）自我调控能力，即在行动上按自己的计划、意图行事，不轻易受外部条件所左右，表现为有较强的自制力，做事有始有终，遵守学校的各项制度，以及与伙伴游戏时能遵守集体规则等。

（3）独立判断决断能力，表现为善于独立思考，对同学的优缺点有公正客观的认识，遇事有主见且能合理果断地作出决定。

（4）自觉自理能力，表现为力所能及的事情自己做，能合理安排学习时间，有良好的饮食起居习惯，以及会做一些简单的家务劳动。

（5）自觉学习的能力，表现为学生走出校园后仍能够进行自主学习，具备学会学习的能力。

为培养学生的自主发展能力，学校坚持发展性教育观，将学生作为学校的主体来对待。学校大力引导学生加强主体能力的实际锻炼。在教学中，教师要对学生进行学法指导和思维训练，使其掌握学习方法，能够在不同的情境中进行学习；通过思维训练培养学生解决实际问题的能力。在学习活动领域，要采取一系列措施，使学生学会为自己的学习负责，逐渐成为自主的、高效率的学习者。在社会交往方面，要适当引导学生参加社会实践，同时更要在生活中创设人际交往的条件，使学生学会人际交往的技巧，培养学生的社会公德和社会责任感。

总之，我们要培养有社会责任感、有合作精神和自主发展能力的高素质人才，但这并不意味着我们只重视学生的社会责任感、合作精神和自主发展能力，而是在为学生发展打好必备的德、智、体、美、劳综合素质的基础上，重点突出学生的社会责任感、合作精神和自主发展能力。培养有社会责任感、有合作精神和自主发展能力的高素质人才，并不是单纯依赖某项或某方面的教育活动所能完成的，而是要渗透在学校的日常教育教学工作之中，从学生的思想价值追求和日常行为习惯入手来培养，通过学校日常课堂教学和常规管理来塑造。

四、办学方略：以发展性教育观治校

（一）理念先行，指引科学规划

思想观念直接制约着行为实践，有什么样的思想观念，就有什么样的行为实践。作为一所学校，是否凝练出科学先进的办学理念，是否以先进的理念指引办学实践，是否对学校进行科学的规划，都直接影响着学校能否高质量地发展。治校方略首先需要有先进和科学的办学理念，而先进和科学，定然不是一成不变的，时代在发展，学校在办学理念上也应该与时俱进，赋予其更多的现实内涵。多年来，重庆一中始终坚持以先进的办学理念为指导，科学地规划学校发展。以“学校的一切为学生的发展而存在”“让每一个学生都发展得更好”的发展性教育思想为指导，让全体学生在校园里过得更好、活得更好、发展得更好，从而取得最大的成功。在发展性教育理念的指引下，学校坚持民主科学办学与思想政治工作相结合，坚持继承发扬重庆一中的优良传统与改革创新相结合，坚持德、智、体、美全面和谐发展与科技“四小活动”相结合，坚持培养学生的创新精神和实践能力与教育教学科研相结合，坚持高素质人才培养模式与“三个代表”相结合的五大办学思想。发展性教育思想已成为学校办学的出发点和归宿，成为全校师生的共识和行为准则。在这一教育思想指引下，学校找到了自己的立足点，在新时期展现出了新风貌。

在先进理念的指引下，进行科学合理的规划，是学校走向成功的重要一步。多年来，学校一直坚持立足现有校情并结合社会发展需求，进一步制定可行的学校发展规划。在学校的中长期规划中，我们确定了学校总体发展目标和具体发展目标。总体目标是：把重庆一中办成重庆市示范性高级中学；把重庆一中建设成为现代化的并在国内外享有较高知名度的中华名校，真正成为学生向往，上级肯定，社会满意的名牌、金牌、王牌学校。具体发展目标是：全面实施和谐教育，基本形成内涵式发展模式，基本构建起现代学校制度体系，抢占教师专业发展的制高点，成为课程改革的示范校，学校特色日益深化，校园设备等硬件全面达到并适度高于国家级示范性高中评估标准要求，国际影响力不断扩大。

(二) 人文管理，构建和谐校园

发展性教育观关注人的发展，在管理上倡导人文化管理，尤其注重多方面的和谐发展，通过人文化管理构建和谐校园。所谓和谐校园是一种以和衷共济、内和外顺、协调发展为核心的素质教育模式，是以校园为纽带的各种教育要素的全面、自由、协调，进而形成整体优化的育人氛围，是学校教育各子系统及各要素间的协调运转，是学校教育与家庭教育、社会教育和谐发展的教育合力，是以学生发展、教师发展、学校发展、社区发展为宗旨的整体效应。

和谐校园的创建包括以下内容。一是促进学生全面发展。学校引导学生自主管理，建设和谐班级。学生干部通过自主竞选方式产生，实行任期轮换制，以激发民主参与管理意识。设立文明监督岗，开展“一帮一”活动。帮助学生在各种活动中认识自我，在学习中完善自我，养成宽容、谦和地对待他人，和谐地对待自然和社会的人格素养。学生在主动学习、主体实践、合作探究的过程中，获得德、智、体、美诸方面的协调发展；教师在培养学生适应社会要求所必需的各种基本素质的同时，根据学生自身的潜能、兴趣、爱好、特长等因素培养出具有鲜活个性的多样化人才，使每一个学生都得到不同程度的和谐发展。二是创建安全、健康发展的校园环境。我们树立“以生为本，安全第一”的思想，注重道德、法制、安全和心理健康教育，消除各种安全隐患，杜绝校园暴力，确保师生的人身安全。不断加强学校的保安保卫，开展安全自救演练，完善安全管理的奖惩制度和责任追究制度，制定突发事件应急预案。对问题学生平等、民主地耐心帮教，开设心理咨询室、校长信箱和“重庆一中青少年网络成瘾症预防矫治中心”，化解矛盾，为学生成长创设安全稳定、健康和谐的校园环境。三是推动教师和谐发展。我们大力推进依法治校、依法执教，以公正、公开、透明的理念建立健全管理机制，以公平的信念创造各尽所能、各得其所的激励和分配机制，健全和落实教代会、校务公开制度。给予教职工充分的知情权、参与权和监督权，全力营造融洽、和谐的人际关系和民主平等、团结尊重的干群关系。不断打造和培植重庆一中教师的团队精神和群体意识，以尊重人、关爱人、发展人为前提，加强师德师风建设，牢固树立敬业态度，帮助教师理顺情绪，为他们排忧解难，使其对学校产生强烈的认同感、荣誉感和归属感。四是指导家庭教育，使学校教育环境、家庭教育环境和谐发展。通过家长会、座谈会、报告会、讲座等多种形式，加强与家长、社会的联系沟通，及时传达教育政策和学校动态，帮助家长树立科学的教育观念，掌握正确的教育方法，为子女健康成长创造良好的家庭环境。我们合理地利用家庭这一重要的教育资源，配合学校教育，共同做好学生的工作，使两者相得益彰，优势互补。

和谐校园的建设主要是通过人文化的管理，统筹学校多方面利益和力量，形成和谐团结的凝聚力。学校是个特殊的单位和群体，以促进人的发展为旨向，要使教师满意自己的工作，发挥自己的才智，成为学校的主人，就要在情境上开创一个以淡化人为的行政手段为前提的人文管理的模式，让校园充满家的和谐与温情。首先，倡导“和”的管理理念，以尊重他人人格和自尊为基础，以促进人的发展为根本目标。充分尊重教师、理解教师、信任教师、关心教师、发展教师，努力为教师提供施展才能和开发潜能的机会，尽一切办法解决教师在工作中、学习中、生活中的困难，使学校真正成为教师工作、学习和生活的乐园。其次，倡导“和”的人际关系。着力营造“家”一般的温馨校园，使教师之间充满关爱、尊重、理解、信任，形成协调、包容、亲密、向上的其乐融融的校园氛围。师生之间倡导爱的传递，例如：教师的热爱，学生的敬爱；教师的博爱，学生的喜爱。注重细节和情感，在其乐融融的环境中，形成教学相长、共同成长的和谐校园。再次，强化文化意识，创设有文化特色的校园氛围——一种宽松而和谐的教育、教学、教研氛围，使之成为一种颇具凝聚力的文化现象，以人格力量去熏陶教师，以心理力量去吸引教师，以学术力量去影响教师。尤其需要指出的是，当前，学校中必然会存在一些具有较优的个人潜质、较好的知识修养、较强的工作能力的教师，他们思维敏捷，能独当一面，因此在接受管理的过程中容易滋生一种逆反心理，这就更需要校长以自身高尚的思想情操和良好的业务素养去加以感召，以心服人，以理服人。一句话，以学者风范去联结教师。这是构建和谐校园的基本原则。

（三）资源整合，秉承传统文化

学校教育的一项重要使命是文化传承。办学八十年来，学校积淀了深厚的文化，同时学校所处的地域也有着独特的文化气息。文化的传承依赖于校内外资源的整合。“学校的一切为学生的发展而存在”的办学理念主张，为学生开发和提供最优秀的教育资源是学校的主要功能。现代学校教育要树立大教育资源观，不能将教育局限在校内，而要挖掘校外的优质资源，实现整合，以推动学生发展。博大精深的中华传统文化、独特的地域文化和重庆一中的校本文化共同构成了推动我校学生发展的教育资源。

1. 博大精深的中华传统文化

中华传统文化的内容和形式是极其丰富的。先秦时代，以孔孟为代表的儒家学说，以老庄为代表的道家学说，以墨子为代表的墨家学说，以韩非子为代表的法家学说等，留下了深邃的思想和智慧；汉代的史传、魏晋的诗文、唐代的诗词、元明清的戏剧、小说，留下了浩如烟海的文学瑰宝……这些都是我们宝贵的文化教育资源，是我们学校教育中永远都值得传承的文化。

2. 独特的地域文化

重庆地处长江和嘉陵江的交汇处，为一丘脊舌状半岛。全城依山而构，临江而筑，市内坡峭路陡，楼房重叠错落，山、水、城融为一体，是典型的山水之城。在这个美丽的城市里有着独特的巴蜀人文习惯和民俗风情。重庆地区的独特文化在重庆独特的自然环境中形成，塑造了重庆人刚勇坚毅的气质和精神。重庆人的祖先巴蔓子——宁舍头不割土的巴将军——的英勇事迹，近代抗战文化、陪都文化和红岩精神——“救亡图存的爱国精神、不畏艰险的奋斗精神、和衷共济的团结精神和勇于牺牲的奉献精神”，又为重庆独特的地域文化增添了新的内容。

3. 重庆一中的校本文化

我校是一所有着较长历史的文化名校，拥有深厚的文化积淀。为了民族解放，学校的一批批热血青年奔赴抗日第一线，用他们的血肉筑起新的长城；为了反饥饿、反内战、争民主、争自由，学校的校长、进步教师和青年学生们曾深陷囹圄；为了新中国的诞生，学校 7 名优秀教师和学生血洒歌乐山，用鲜血染红了五星红旗，迎接新中国的诞生。每年 4 月 12 日为重庆一中的校庆日。这种光荣的革命传统文化，彰显出重庆一中追求光明、积极进取、顽强拼搏、敢当大任的精神。在“红岩”精神和革命传统文化的熏陶与感染下，在八十年悠久历史积淀和丰厚的人文底蕴基础上，学校形成了“明礼崇德、求知求真”的校训，“爱国爱校、尊师爱生、朴实勤奋、改革创新”的校风，“崇德、博学、严谨、敬业”的教风，“励志、笃学、乐群、力行”的学风。这些都是重庆一中校本文化的重要内涵。

以上从国家到地方再到学校三方面的优秀传统文化是我们办学的重要资源，我们要通过多方面力量和多种多样的途径整合资源，秉承优秀的传统文化。

一是在学科教学中整合校内外资源，传承传统文化。如，语文学科中的唐诗宋词、名言警句等；数学学科中的中国古代科学技术；历史学科中的传统文化发展的历程。

二是环境诗化，将传统文化元素凝固在校内的环境建设之中。如修建革命广场、花园，在教室中布置含有文化元素的图画等。

三是开发传统文化课程。如开设武术、戏剧、民俗等课程。

四是利用节日活动品味文化。组织学生过清明、端午、中秋等传统节日，举办“红岩”精神讲座，举办“四·二一”征文和演讲比赛，等等。

（四）科研引领，打造名师团队

现代化中华名校的建设靠名师的支撑。现代化的名师不仅仅是教学搞得好的教师，而且是具备一定科研能力的高素质教师，真正的名师能够科学有效地解决自己教育教学中面临的困惑和问题，教育教学中的问题解决需要教师树立研究的态度和精神，可见名师团队的建设需要科研的引领。

教育科研是强校之本，名校在很大程度上得益于教育科研的拉动和提升。从教育实践中探索规律，上升到理性高度，形成科研成果，再用科研成果指导教学实践。改革需要理论的指导，实践需要科研的支持，所以要创办特色学校必先树立“科研兴校和科研先导”的工作思路和办学意识，建设一支专、兼结合的科研队伍，全方位、多视角、大幅度地开展针对学校自身特点的科研工作。教育管理者必须动员全校教师广泛开展教育科研，增强科研意识，形成科研氛围，以课题为载体，以科研促教改，注重过程，追求实效。要鼓励和动员教师参加国家、省、市级课题，带动学校教育科研向纵深发展。

重庆一中历来重视教育科研，在办学目标中明确提出要“以科研树名校”，拟定了以素质教育为中心，包括素质教育体系、师资保障体系、教育技术体系、现代管理体系四大体系的思路；确立了“教学出题目，科研做文章”的思想，提出了“向科研要质量，向科研要名师”的口号，在科研工作中实现了教育科研从神秘化向大众化转变、从理论科研向实践科研转变、从个体科研向集体科研转变、从单纯写教研论文向全面提高教育教学质量转变。现在学校已经结题和正在进行的课题有数十个，课题成果在本校和兄弟学校得到推广与应用，发挥了课题对学校教育教学的指导作用。学校要求中青年教师人人参加课题研究，促进科研能力、教学能力快速提高。学校还注重营造浓厚的学术研究氛围，提高教师的学术水平。

为了提升教师的综合素质，学校提供了良好的科研平台。学校搞科研，学科搞科研，教师人人搞科研，走以教育科研促教改，促师资队伍素质提高，促教学质量提高的路子。学校每年召开一次学术年会，鼓励教师积极参与，共同研讨教育教学问题。论文的投稿数量逐年增加，参与人员越来越多，涉及的领域越来越广，目前已形成“整体质量提高，规范性增强；关注热点突出，科学性增强；立足教育教学，实效性增强”的突出特点，学术年会成为学校的一项特色教研项目。此外，学校还创刊了《教育教学科研》（原名《教与学研究》）期刊，每年出版3—4期，为教师们探讨教育教学问题提供了平台。以教育改革课题研究为契机，发展教师素质。学校正在实施的校级课题有30个，并承担了4个市级规划课题，其中一个是市级规划重点课题，两个是国家级课题的一级子课题。

（五）国际交流，提升学校品质

当今世界是一个开放的世界，同样教育也是一种开放的事业。中国加入世界贸易组织（WTO）意味着我国在深层次上与世界接轨，我国经济体系融入国际经济体系之中，会对文化教育产生全面、深刻的影响。教育面对加入世界贸易组织所带来的机遇和挑战，要有国际意识。教育的国际化是未来社会发展的必然趋势。建设现代化的中华名校需要一种开放的国际视野，而不能关起门来搞建设。现代化的中华名校是立足于世界，相对于其他地域而言的。加强国际交流，不断向外界学习先进的理念和经验是我们的一项重要办学方略。加强国际交流有助于提升学校的品质。

具体来说，进行国际交流，可以把握国际动向，了解国际社会需要什么样的人才，这样有助于我们及时更新学校办学理念，及时制定超前的发展规划，使学校与时俱进，永远具有时代的活力，真正成为现代化的中华名校。

进行国际交流，还可以学习外国先进的教育理念和教育经验。例如，2004年，学校组织教育代表团考察了日本的中小学教育，日本在儿童道德教育方面的一些做法，对我们的未成年人思想道德建设具有重要的借鉴意义。日本于1958年就开设了德育课，先后进行了多次改革。他们于1984年成立了临时教育审议会，提出了两大德育改革目标。一是要打破划一性、僵死性、封闭性等弊端。树立尊重个人、尊重个性、自由、纪律、自我责任感——也就是确立重视个性的原则。二是把德育放在首位，改过去的“智德体”为“德智体”，实行家庭、学校、社会“三位一体”的德育战略。在德育课程开设上，日本学校除了开设道德课之外，还有社会课、公民、伦理、家庭技术等。在德育内容上，主要有对自己的态度、与他人的关系、与自然及崇高的事物的关系、与集体和社会的关系等。同时日本还特别重视培养孩子的行为规范，很多家庭都有教育子女品德、修养的家训。他山之石，可以攻玉。日本的道德教育为我们的学校道德教育提供了深刻的启示。

当然，进行国际交流并不仅仅停留在学习国外的理念和经验上，而更重要的、更根本的是在国际交流中，宣传和扩大中华文化，提升学校的品质。作为中华名校，我们的使命是传承和展现我们中华文化的巨大魅力，使我们的优秀文化永存。

为开展国际交流，提升学校品质，2001 年初，我们成立了重庆一中国际部，这是重庆市唯一的专门教授英国国际基础课程的教育机构。与国际部联合办学的是英国北方大学联合会的部分大学。英国驻重庆总领事馆文化领事包迈岫先生欣喜地说：“项目的开设，为重庆青少年提供了一个接受高品质的英国教育，了解英国历史文化的理想途径，必将有助于为中国培养更多国际型人才。”此外，学校在近年来的发展规划中特别制定了“国际化工程”，主要内容包括以下几个方面。以国际部为依托，加强对外交流与合作，打造国际学校创新品牌，加速学校国际化的进程。努力做好教师交流工作，组织好骨干教师到国外进修、考察。深入做好学生交流工作，有目的地组织学生到国外参加夏令营、冬令营、修学访问等活动。努力实现课程的多样化和国际化，适当引进国外先进的通识课程和教材，力争双语教学有实质性的进展。力争同全球各大洲的至少一所学校建立友好学校关系，双方有正式的合作协议以及实质性的合作内容。筹建外教与留学生楼。完善对外接待工作，主动开拓渠道，邀请国外学校领导、师生来校交流访问，争取承办大型的国际性学术研讨会。加大对海外招生的宣传力度，做好对外招生工作，未来几年，留学生在全校学生中应占有一定的比例。

第三章 适应每一个学生发展的课程体系

课程体系的科学化是人才培养的关键。本章阐述了重庆一中在构建适应每一个学生发展需要的课程体系领域所作的有益探索与实践，探讨了传统课程改革的必要性、重庆一中课程设置改革与发展、全面发展基础上的差异化发展理念的形成、重庆一中发展性课程体系的基本思路和构想、具有重庆一中特色的发展性课程体系的构建，并深入分析了以培养学生实践能力和创新精神为重点的活动类课程体系的意义、形态、途径，“三·三模式”课程结构的设计思路、结构、特色，培养学生科学探究精神的探究型课程建设和发展学生特长的艺术课程建设。

一、构建适应全体学生发展的课程体系

（一）改革传统课程设置，适应学生发展

1. 传统课程设置的问题

21 世纪的科学发展蕴涵着一种饱满的生命力，知识更新的速度之快是历史上从未有过的。这表明知识的生长是一个变量，而当前课程的学时却是一个常量。随着时代的发展，这一对变量与常量之间的矛盾越来越尖锐。如何化解这种矛盾？增加内容和学时是一个办法，但无疑是简单而愚笨的扬汤止沸式的办法。作为一种普遍的现象，这种办法过分依赖沉淀的理论和学习者的记忆。在这种课程中，学生大多是知识的接受者，难以成为发现者和创造者，学生参与探索和体验的机会不足。

传统的课程设置在一定的时期内曾起到了非常重要的作用，但随着时代的变换，尤其是进入 21 世纪以来，传统的课程设置逐步产生了诸多问题。

（1）在指导思想上，强调精英教育而不是大众教育。课程内容偏于深、难，缺少灵活性。现行中小学科目门类繁多，各学科各自为政，强调自身体系的完整性，造成许多知识的不必要重复。在初中阶段，凡中考科目，全为必修的重中之重，理论性又强，仅初二年级下学期几何

定理就有 57 个，且大多比较抽象，这与初中生“由具体形象思维向抽象逻辑思维过渡，仍以具体形象为主”的心理特征不相符。

（2）在课程设置上，过分强调课程的工具性，强调课程要适应经济建设的需要，为社会服务，而不是针对各类型人才目标和学生爱好。

（3）在课程评价上，过于强调学业成绩和甄别、选拔的功能，选拔与发展形成了尖锐的对立。

（4）在课程编制上，以学科的知识理论系统为依据，结合社会生活实际少，学生是为了学而不是为了适应社会实际的需要。偏重于智育，而疏于德育、体育、美育以及劳动锻炼和社会实践，重必修课程、学科课程，轻选修课程、活动课程，硬性有余而弹性不足。

（5）在知识内容上，强调各学科的系统知识，偏多、偏深、偏旧，对思想品德、创造性思维和审美观念的培养不够，没有综合课程。

2. 课程改革促进学生发展

20 世纪 80 年代以来，课程改革的基调不再一味强调“学科”“学问”“卓越知识”，取而代之的是“人性”“个性”“自我实现”“文化知识基础”“完整的人”等概念。从终身学习观来看课程，人和其他生物的不同主要是由于人的未完成性，他必须从环境中不断地学习那些自然和本能所没有赋予他的生存技术，为了生存和发展，他不得不继续学习。因此，所有的课程都是为培养完善的人格和为日后的生活作准备的，学生能够较为自由地转换课程类别，以便能得到最大限度的发展。

从人的发展观来看课程，课程已成为一种发展的过程。课程旨在改变学习者的思想与行为，以促进其发展。课程通过给予学生自我调整的时间和机会，在最有利的时机引发其内部的不平衡，以实现新的发展。从科技发展的综合性来看课程，随着社会的进步，科技的发展，学科知识之间不断交叉、整合，自然科学和社会科学逐渐合流，由此而导致教学科目不断综合，目前在有些省市实行的“3 + X”考试制度就是课程综合化的一个标志。中小学将出现文科内混编与理科内混编，乃至文理科混编的教材体系，课程与教材编配显示出更大的弹性，不同的人将有不同的发展，从而构筑学生发展的立交桥。课程设置分为必修与选修两类：必修课程体现共性要求，旨在培养普通的大众化的素质；选修课程体现个性要求，旨在发展学生的兴趣与潜能。教材内容应体现层次性，为不同层次学生的健康发展提供学习的基本素材。

3. 特色教育在传承中发展

1931 年，重庆一中在建校之初就提出了“发展青年个性、适应社会需要授以必要知识及生活技能，以养成社会上优良健全之份子”的办学宗旨，特别强调发展学生的个性与实践能力。八十年的办学历史，使重庆一中凝练了“尊重学生个性发展，侧重学生动手实践能力与创新精神”的课程理念。这一理念在当前的教育形势下，有着更加重要的意义，也需要我们从整体上进行创新、改革，以培养更多国家亟须的科技创新型人才。无论是重庆一中坚持了数十年的科技活动课程，还是近年来开发的校本课程都体现着这一理念。

重庆一中的科技教育在解放前就已经开始发端。抗日战争爆发后，重庆作为战时陪都，有大批高等院校和科研机构迁入，全国著名的专家学者云集山城，在重庆开展了多种形式的教育实验。而重庆一中所在的沙坪坝区就有当时的国立中央大学，从这里培育出了著名的诺贝尔奖获得者丁肇中教授、中国第一颗人造卫星设计者之一王家声等。在这样的环境和背景下，重庆一中在科技教育方面有了一些尝试和探索，学生开始走出传统的课堂，进行一些实践性的科技动手活动和社会实践活动，科技教育开始萌芽发端。可见，重庆一中的科技特色文化有着很深的历史渊源。

尤其是 20 世纪 50 年代以来，这一悠久的传统得到了全方位的发展。从最初的学生课外兴趣小组，发展到目前已成为我校研究性学习的主要形式。

半个世纪以来，探究性科技活动课程大致经历了四个发展阶段。

（1）20 世纪 50 年代：以航空模型为主

20 世纪 50 年代以来，学校一直有重视课外科技活动的传统。当时的活动小组被称为兴趣小组，活动内容以航空模型为主，如弹射飞机、索引飞机和线操纵飞机。限于当时经费少，条件差，环境简陋，活动参与人数不多，但由于学生素质高，活动时间充裕，参加比赛也获得了一些成绩。

（2）20 世纪 60 年代至 70 年代：两模（航模、海模）一电（无线电）活动

20 世纪 60 年代和 70 年代，学校的课外科技活动在航空模型的基础上有了一定的发展，增加了海模和无线电，主要活动内容是制作航模（如弹射、牵引和自由飞模型）、海模（如帆船、自航船），无线电则以安装收音机和无线电测向等军事项目为主。学生参加市一级的航模和无线电竞赛，取得过很好的成绩。有些学生在教师的指导下，参加课外科技兴趣小组，进行小火箭的研究和试制，作过多次实验，取得了较好的成绩。物理、化学教研组教师在实验室举办了科技游园活动，学生动脑动手，产生了浓厚兴趣。当时强调教育与生产相结合，学生学工、学农、学军的时间很多，了解了工业、农业和军事方面的一些科学技术知识，劳动生产技能得到了锻炼和提高。

（3）20 世纪 70 年代末至 80 年代："四小活动"为主

乘着改革开放的东风，教育改革蓬勃发展，学校科技活动迎来大发展，活动内容增加了科技小设想、小制作、小发明、小论文"四小活动"和计算机活动，经常举办科学讲座，开始开展"科技月"活动。这个时期的科技活动不仅活动量增加了不少，更重要的是活动目的由以培养学生模仿能力为主，发展到以培养学生创造精神和创造能力为主，整个活动发生了质的飞跃。以科技小发明和小论文为主的"四小活动"，实际上是对科学研究的模拟，它要求学生自己去发现、解决问题，去开拓，去创造。为了搞好这项活动，学校成立了科技活动领导小组，由校长亲自担任组长，一名中层干部担任副组长，负责日常具体工作，并有若干科技辅导骨干教师参与其中。科技活动领导小组负责制定全校科技活动规划，协调管理全校科技活动：开学初抓各小组的计划，平时抓检查，期末抓总结评比。经过几年的探索，制定了考勤、考核、命

名、档案、总结、表彰等一系列制度，保障了学校科技活动的正常开展。“四小活动”的开展，激发了学生的创造热情，学生的思维空前活跃，涌现了一大批科技活动积极分子，取得了突出的成绩，学校教育教学呈现出生机勃勃的景象，升学率也大大提高，社会反响强烈。

（4）20 世纪 90 年代：开设选修课，加强理论研究

在20 世纪80 年代的基础上，90 年代的活动内容增加了以培养学生创造精神和开发创造潜力为特点的“头脑运动会”，深受学生喜爱。这期间，主要是把科技活动引向深入，有计划、有目标地组织全校学生参加科技活动，同时更加注重对科技活动的理性化探讨，研究如何使实际活动同课内教学相结合，经常性的科技活动同定期在全校普遍开展的科技活动相结合，还开设了选修课。学校尝试以科技活动为课程改革的突破口，通过科技活动开设研究性项目，并经过实验、总结、提高，使之逐渐完善。

现代教育中，知识本身的获得已经不是最重要的了，重要的是如何在知识获取的过程中开发我们的各种潜能。我校在对探究实践活动的探索中，真正认识到了这种学习方式是现代教育发展的趋势，它与国家课程中新增设的“研究性学习课程”的主要功能是一致的。我校在对研究性学习进行深入研讨和思考之后，结合学校自身的实际特点，逐渐探索出具有我校特点的研究性学习模式。

取得重大成就的杰出人才，他们创新的火花很有可能在最具有创新潜能的中学阶段被点亮，而我们应该为每一个可能、愿意进行科技创新的学生提供条件和机会，让学生得到个性的发展。重庆一中不断开发新的科技活动和科技课程，给学生以更多的空间，鼓励学生参加各种创新大赛，鼓励他们进行创造发明，并申请专利。通过这一系列的努力，在这批孩子的心灵中播种下科技创新的种子，为祖国高科技精英人才的培养奠定基础。

（二）重庆一中新课程改革的基本理念——在全面发展基础上的差异发展

1. 全面发展和差异发展的内涵

（1）全面发展

人的全面发展并非是指人们的每一种能力都同样突出，达到均衡水平，也不意味着一个人是万能型的，没有任何缺陷和不足。它不单指人的生理、心理、思想道德、科学文化水平本身的协调发展，还包括人与自然、人与集体、自我与他人、个人自身各方面的发展处于协调一致、同步运行的状态之中。人的全面发展的基本含义在于，人作为主体，其实践活动、社会关系、各种能力、潜能素质的全面发展，这是一个动态的、不懈追求的过程，没有终点。

学生的全面发展意味着学生身心健康成长，是学生身体、智慧、情感、态度、价值观和社会适应性的全面提高与和谐发展，是与片面发展、畸形发展相对的。全面发展是我校的人才培养目标。多年来，在应试教育的指挥棒下，中学教育过分看重选拔功能，看重学生的学业成绩，而忽视了其他方面的发展。重庆一中注重学生身心的全面发展，提供多种机会和平台，为学生的全面发展服务。

（2）差异发展

“差异发展”作为一种新的教育理念，为我们的教育改革提供了一个新的思路。它有助于我们针对不同的学生，确定不同的教育目标，采用不同的教育方法，提供最适当的特色教育，使学生在最适合自己的成长环境中获得最佳发展。

差异化教学并不是为了显示差异而差异发展，其真实意义在于引导学生认识人类的价值和个人的价值（包括自己的和他人的），从而确立个人在社会中的位置，更好地发挥自己的作用。因此，必须把差异化教育活动的目标定位于发展学生的特性，能否促进每个学生自主性、个性化的发展，应是衡量差异化教学活动合理与否的重要标准。只有这样，才能回归教育的价值原点，即促进每个学生的发展。

差异化教学主要体现在三个方面。首先，学生个体的生理和心理差异，这种不同的个性特征将对个体的学习及发展产生重大影响；其次，针对学生差异而提出不同层次的教学目标；最后，学生的差异以及目标的不同，直接导致学生发展过程的形态各异。因此，差异化教学需要我们关注学生的个体，因材施教，工业化批量生产的模式适应不了差异化教学的需求。人之所以区别于其他动物，重要的一点就是人有自己的独特性、不可替代性、精神独立性，教育应发展学生的个性，使学生成为他自己而不是盲目趋同。差异发展有利于尊重学生的个性。

2. 发展性教育指导下的重庆一中课程设置的特色

我们从课程结构、课程目标、课程内容、课程实施、课程评价等方面，对重庆一中发展性课程理念进行了思考和界定。

（1）课程结构丰富化。改变课程结构过于强调学科本位，科目过多和缺少综合、选择的现状。按照现代社会和科技的发展，对学科设置及内容进行选择、整合，增进各学科之间的联系，就是根据学生发展的需要及社会发展的需要，设置丰富多彩的课程，促进自由选择。

（2）课程目标多样化。改变课程目标指向的单一性和封闭性，特别是缺乏对学生可能生活的构建，导致生活意义的缺失，以及将学生的整个精神生活定格在既定的教科书上，课堂缺乏现实感，缺少生命的活力、成功的体验的弊端。新课程目标设计更看重创新精神和实践能力，以及终身学习的愿望和终身学习能力的养成。

（3）课程内容现实化。改变过去的学科课程在内容设计上存在的“繁、难、偏、旧”和过于强调书本知识，忽视学生学习兴趣的培养和直接经验积累的弊端，加强课程内容与学生生活及个人知识、直接经验以及现代社会和科技发展的联系，关注学生的学习兴趣和经验，精选终身学习必备的基础知识和技能，以满足不同学生学习和发展的需要。

（4）课程实施多样化。改变课程实施过于强调接受学习、死记硬背、机械训练的状态，倡导学生主动参与、乐于探究、勤于动手，培养学生收集和处理信息的能力、获得新知识的能力、分析和解决问题的能力以及交流合作的能力。

（5）课程评价多元化。改革课程评价过于强调选拔功能的取向，制定旨在促进学生与教师发展的评价制度，体现重“发展性”和“多元化”的特点。从评价的指导思想看，新课程评价是为了“创造适合儿童的教育”，而过去的考试与测验是为了“选择合适教育的儿童”；从评价对象和范围看，新课程评价突破了学习结果评价的单一范畴；从评价的方法及技术看，它不是定量的分析，而是发展到定量分析和定性分析相结合，鼓励个人参与评价以及运用学生成长档案袋、小论文、答辩、各式各样的小制作等多元化的评价形式。

总之，新理念意味着课程改革体系将要走出目标单一、过于僵化、方式机械的“生产模式”，为每个学生的个性得到充分的发展提供广阔的空间。

3. 重庆一中课程设置的基本思路

我们从适应学生多样化发展的需求出发，以学生自身发展为目标，明确规定教师在课堂上必须增加学生自主学习的时间和空间，建立有助于学生自主学习、探究、交流与合作的课程形态，特别是要把学生的人格、情感、审美、行为等素质的发展纳入课程开发的范畴来设计实施。在课程的目标结构中既要有基础性目标，又要有发展性目标。在发展性目标中采取开放的弹性管理方式，要求教师创造各种条件，为每一个学生精心设计适合其个性发展的课程，让每一个学生在各自天赋所及的领域里展示并发展自己的个性，这是开放的课程目标结构的宗旨。开放式课程不仅要求目标结构是开放的，而且要求内容也是开放的，课程内容可以打破年级，横跨学科，可以吸纳最新科技成果和地方传统文化，也可以超前学习课程内容，解决实际中的研究性课题。

目标层次的差异性既兼顾了普通学生的发展，也适应了高层次学生的发展需求。课程内容的开放适应了不同学生的兴趣爱好。因此，开放式课程的实施，为不同层次、不同类型学生的发展筑起了立交桥。

我们在课程设置上，反对过去所强调的课程的基础工具性，而是更加强调人的发展，提高人的素质（即个体发展），把为人的发展服务与为社会发展和经济建设服务统一起来，重视学生的个性发展，因材施教。在课程目标上，在知识、能力基础上，强调培养学生对事物的情感、态度与价值观。在课程编制上，强调结合社会实际，学习是为了更好地适应社会，这与完成性教育以学科系统为依据、以升学为目标不同。因此，除学科课程外，学校强调设置实践性课程，通过实践活动培养学生综合运用在学科课程中学到的知识的能力，培养他们的创新精神和实践能力。

设置综合课程，是与社会发展需要、知识发展需要和人自身的发展需要相适应的。现代科技高度发展、高度综合，要求培养具有创造能力的、具有综合知识和全球竞争力的人才。普通教育的观念必须显著地加以扩大，使它明确地包括社会经济方面的、技术方面的和实践方面的普通知识。

综合课程强调各学科领域之间的联系和渗透，避免过早地或过分地强调各学科的区别和界限，因此，有必要将孤立的、分散于各学科之中的那些本应相互联系的知识融会贯通起来。学生心理、个性及情感的发展需要全面、综合、完整的认识世界，综合课程所包含的知识内容相互之间紧密联系，课程体系呈开放格局，有助于学生形成对客观世界的完整认识。综合课程有助于弱化学科门类，开阔学生视野，克服学科局限，使学生学会主动求知的方法，较快地适应时代需要。综合课程不是单纯传授知识，它重视学生主体发展，有利于学生充分主动地发展其个性品质。综合课程的设计要在学科、学生、社会三者之间寻找一种动态平衡，要有合理的综合度，应自成体系，有自己的逻辑和结构。

课程要有灵活性，把必修课的标准规定在大多数学生能接受的水平上，同时为不同的学生设置多种选修课，允许学生选学不同的课程。在教材编写上，除国家课程外，还可推行地方课程和校本课程。目前，我校校本课程的开发正在进行之中。校本课程旨在满足学生个性发展的需要，立足学校实际，促进教师专业发展。同时，校本课程也最能体现学校特色。

（三）建立具有重庆一中特色的发展性课程体系

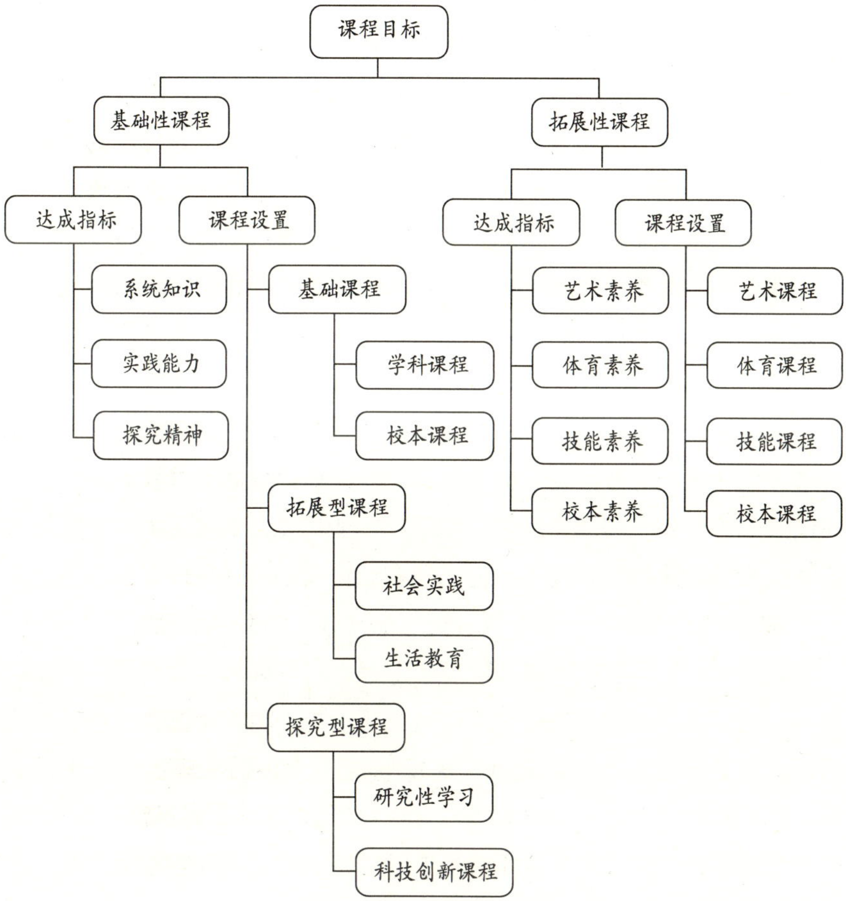

图3 重庆一中课程体系结构

“新课改”之前，我国中小学校的课程以国家课程为主，课程开发周期长，稳定性有余而适应时代变化、学生个性发展需要不足。这种课程结构造成了学校教育发展的同一化、单一化，学生的个性发展难以实现，地方、学校优质的教育资源难以充分利用。

在传统学科课程的基础上，重庆一中着力于开发校本课程的尝试，取得了一系列的成绩。

校本课程建设是课程资源开发的重要组成部分，学校课程是校本课程、地方课程与国家课程的有机统一。每一所学校在环境、风气、校园文化、教师优势、教学设施等方面都有各自的传统和特色，这些都是学校的教育资源。开发校本课程就是要让这些资源得到充分合理的利用。校本课程同时也是为使学生发展的层次性和个性得到最大限度的发展而开设的。本校教师最熟悉本校学生的学情，因而最能开发出贴近学生实际的课程资源，为每一个学生得到更好的发展提供平台。

课程的人性化、个性化表现为：承认个体差别，关注不同层次学生的需要，让每一个学生都步入适合他自己的发展之路。我们充分重视学科知识与个人知识的内在整合，在课程内容的选择上尊重学生的个人知识，将信息时代富有生命力的新知识以学生喜闻乐见的形式反映在校本课程体系之中。另外，我们也突出了校本课程的发展性、多元化，搭建面向未来的课程“多元立交桥”。校本课程以适应学生未来发展需要为目标，与国家课程相呼应，呈现出了多元化的格局。目前，我们已开发出了50多门校本课程，这些课程突出活动性、实践性，深受学生欢迎。

发展学生科学与技术素养的校本课程有：基因与生命科学、信息技术与日常生活、科技小论文写作、科技小设想、科技小制作、科技小发明、厨房里的化学、天象观测、环境监测、计算机编程、广告平面设计、摄影与暗室技术、现代农业技术、新能源与新生活、汽车维修等。发展学生综合人文素养的校本课程有：沙磁文化、沙坪坝革命传统、朗诵与演讲、雄辩术、中国文化史讲座、古典诗歌鉴赏、现代诗歌鉴赏、诗歌写作、古文指要、诸子语录、采访与新闻写作、头脑运动等。与生活相关的体育、技艺类校本课程有：服装设计、泥塑和制陶、雕刻、插图艺术、现代园艺、生活小百科、生活中的美学、影视评论、管乐、民乐、声乐、男排、女排、男足、男篮、女篮、乒乓球、国际象棋、围棋、桥牌、魔术解密、水彩技法、花卉栽培、插花艺术、线描等。还有辅助学科课程的校本课程，如学科学习导航（分年级、分学科）、学科竞赛辅导（分年级、分学科）、理化生实验操作（分年级、分学科）、英语会话、英语短剧表演等。

校本教材是校本课程的物化载体，学校根据本校学生发展的需要，组织教师编写相应的校本教材，是校本课程得以开发实施的重要保证。我校在开发校本课程的基础上已编写校本教材30余种，正式出版的校本教材有10多种。

我们编写的校本教材体现了如下特色。

1. 内容的思想性、科学性

保证内容的思想性、科学性是任何教材编写都要遵循的共性原则。精选和编写的内容必须是科学的，体现时代性，符合国情。与此同时，还应符合教育教学规律，符合学生生理、心理发展的规律。

2. 给学生提供探索与交流的活动空间

校本教材为学生留有足够的探索与交流的活动空间，有利于发挥学生的主动性。编写校本教材时，要多设置具有挑战性、启发性的问题，让学生开展观察、实验、操作、推理、交流等活动。如学习汽车维修时，我们就把学生带到附近的汽修厂去，看资料、找问题、查原因，动手动脑，解决问题。学生兴趣非常浓厚。

3. 内容丰富多彩、生动有趣

校本教材的吸引力离不开内容的趣味性、呈现方式的生动性。因此，校本教材力求图文并茂。同时，结合学生年龄特点，适当运用一些学生感兴趣的图片、表格、文字、实物、照片、音乐、动画等形式，力求语言生动、情节感人。如《现代园艺》一书就配有介绍世界园艺经典的VCD，《广告平面设计》一书附有精美的插图等。

4. 体现学生发展的层次性

编写校本教材不能忽视学生的差异性、层次性，既要有大众化层次的要求，又要有深化发展层次的要求；既要有继承方面的内容，也要有创新方面的内容。这样才能促进不同层次的学生获得相应层次的发展。

5. 突出学科间的综合性

学科课程整合必将影响校本教材的综合性，这是课程改革的大趋势。因此，编写校本教材可以采取跨学科的办法，文科中渗透理科知识，理科中贯穿文科知识，以便造就文理兼备的通才。比如《摄影和暗室技术》教材就涉及物理、化学、艺术构图等学科知识，《生活小百科》教材更是涉及多种学科知识和人类生活的方方面面。

二、培养学生实践能力的活动课程

素质教育的重点是培养学生的创新精神和实践能力。活动课没有大纲的限制，没有教材的束缚，学生有巨大的自由发挥空间，学生凭借自己的兴趣和爱好参加活动，学得积极，更能发展个性，培养能力，激活潜能。

（一）活动课程之于发展性教育的重要意义

活动课程的开展特别注重发挥学生的主体作用和主观能动性，避免“保姆”现象，使学生能根据自己的知识、能力、兴趣、特长等有目的、有意识地在社会这个大课堂中展示自己，从而培养独立的主体意识、能力、精神和人格，实现自我发展。在活动的组织方式上采取点面结合、组织与自发相结合、分散与集中相结合的原则，对社会实践的形式、内容、方式的确定，以及对实践手段、实践工具的选择都充分发挥学生的主观能动性。在社会实践活动中注意健全、完善学生的自我管理、自我教育、自我评价机制。改变传统的以教师为主、学生为辅的教育模式，最大限度地发挥学生的创造潜能，收到了很好的效果。

为了培养学生的主体意识，我们为学生提供了多种实践锻炼的机会，去模拟、感受、体验社会生活。让学生在社会实践活动中学会从我做起，从身边做起，从小事做起，自我锻炼，自我发展。

为了发展学生的主体能力，我们努力为学生创设表现自己、表达自己独特见解的机会和环境。社会实践就给学生提供了这样一个空间。社会实践激发了学生全面素质发展的需求，也促使学生主动思考、选择自己兴趣特长的发展方向，注意开发自己的潜能。

为了完善学生的主体人格，我们在社会实践中，特别注意尊重学生的看法、做法和学生本身，逐渐地使学生承认自我、发现自我、发展自我意识和能力。

通过开展社会实践，学生的身心素质得到提高，意志品质得到加强，社会感知能力得到发展，情感世界也更加丰富细腻。如，我们组织高二学生进行翻越歌乐山的行军拉练，全程 20 公里。出发时风雨交加，道路泥泞，同学们疲劳不堪，但是谁都不愿示弱，而是相互鼓励，互相帮助，走完了这段艰难的路程。很多同学对自己能克服困难、战胜自我感到兴奋自豪。许多同学说，一个人只有融入集体才有力量。有的同学从中发现到自身蕴藏的巨大潜能，找回了自信。有位同学将自己行军的经历讲给父母听，满以为父母会大吃一惊，没想到父母竟平淡地说，我们过去也是这样，甚至走过更长的路。父母的回答引起了该同学深深的思索：为什么父母面对生活的磨难会如此坚强，自己应该从什么地方获取精神支持和力量。有的同学说：行军中有苦也有痛，有汗也有泪，但更多的是战胜困难后的成功感、自豪感、喜悦感，“不经历风雨怎么见彩虹，谁也不会随随便便成功”，我们现在才是真正体会到红军长征的艰辛。因此，后来就有人把这次行军叫做“小长征”。这些体验成为教师们教育学生和学生们自我教育的最好范例。

社会实践以事实为题材，以生活为老师，常常可以用无声的语言对学生进行教育，促进学生思想的升华。例如，我校 2003 级的学生到五云山社会实践基地劳动，学生直接进入农民破旧的土墙草房，与老农拉家常，了解农民的生活状况，并亲身体验劳动的艰辛，感受在泥泞小道上行走时的艰难，看到农民生活的不易。这引发了同学们的许多感想，从农业改革的设想到节约粮食的反思，从感叹、同情农民的处境到明确自己对改变祖国落后面貌应尽的责任，他们对中国的国情有了更深的了解，增强了振兴中华、努力学习的决心，增强了社会责任感和民族使命感。

综合实践活动课程既能提高学生的学习兴趣，加深他们对课堂知识的理解，形成人文素质；同时也能帮助学生取得优异的成绩。由此，我们可以得出这样的结论，综合实践活动课程不是脱离应试教育的所谓“纯粹的素质教育”，综合实践课程也可以同时是强化、巩固、变相深化应试教育。换言之，现在我们的教育不是简单的应试教育，或者素质教育，而是真正意义上的“人的教育”。

（二）活动课程的形态

1. 社会实践活动

杜威说过：走出教室一点就意味着对学科的超越，选择了一种教育，就选择了一种生活。

陶行知说过：行动的生活与生活的摩擦，便包含了行动的主导地位……行是知之始，即行即知，书和书中的知识都是著书人从行动中得来的……

社会实践活动是对学生进行素质教育的重要内容和途径。社会实践能全方位实现德育目标和要求，促进学生形成完整的思想品德结构，形成科学的世界观、人生观以及良好的个性心理品质。社会实践也是一项理论与实际相结合的活动，是对学生知识学习和运用的检验。同时，在实践活动中，可以更好地发挥学生的自主性和创造力，养成良好的团队合作精神。因此，本着“让每一位学生发展得更好”的办学理念，把组织学生参加广泛的社会实践，提高学生的整体素质作为学校教育改革的方向，取得了很好的效果。

（1）社会实践活动的开展

首先，将社会实践作为学校课程纳入每学期的教育计划中。我们规定每个学生每学年参加社会实践的时间不得少于两周。高一学生必须集中参加军训实践课，高二学生必须集中参加学农实践课，不同年级的学生必须分期分批参加建校劳动课，每学期各年级各班还必须利用一定的周末时间和寒暑假时间组织外出学习参观，从时间上保证社会实践活动有计划、有规律的开展。

其次，精心安排社会实践活动指导教师。我校采取专兼职结合，既聘请军训基地、社会实践基地的专职人员进行活动指导，又聘请我校在市级领导岗位工作的老校友、两院院士、重庆大学等在渝高校和科研单位的科技专家、工农业生产岗位上的先进英模，以及艺、体部门的专业人员担任我校社会实践活动的兼职教师和辅导员，以确保社会实践活动的正常开展。

此外，我校还与一些单位、街道、社区联合建立专门的社会实践教育基地。如与中国人民解放军重庆通信学院联合建立国防教育基地，用人民解放军的优良传统、优秀作风教育感染学生，使学生树立报国之志；与歌乐山烈士陵园、红岩村革命纪念馆、黄山抗战陪都史迹展览馆联合建立传统教育基地，让学生在历史与现实的对比中探索、思考，用革命先烈的事迹和信仰来点燃学生心中为了民族而拼搏进取的熊熊烈焰；与大足石刻以及“两厂一校一乡镇”（即重庆制药三厂、重庆水泵厂、解放军第三军医大学、沙坪坝区覃家岗）等单位联合建立国情教育实践基地，供学生进行调查研究，参观访问，从而让学生多层次、全方位、广角度地观察社会，用自己的眼和脑了解分析中国的国情。此外，我校还出资 50 万元，用于沙坪坝区五云山社会实践基地建设，学生们可以在基地集中实践，身体力行，体验劳动生活。同时还在校内安排了专用教室、图书馆、广播站、兴趣小组活动室等场所，为学生将学习与实践活动相结合提供了必要的活动空间。

（2）社会实践活动的原则

社会实践是特殊的教育活动，这一活动与社会生产和日常生活紧密联系，能帮助学生更好地理解所学知识、扩大眼界、打开思路。在深入社会、接触自然、体验生活的过程中，树立正确思想，培养良好心理品质，掌握必要的生活技能和学习书本上没有的丰富知识。因此，在实践活动的内容和方法上，我们特别注意遵循行知统一、贴近生活、形式多样、富于趣味、切实可行、便于操作等原则，把握好“三个结合”。

第一，校内实践与校外实践相结合。学校是小社会，社会是大课堂。陶行知先生提出“社会即学校，生活即老师”的教育观点，提出学校教育要与生活结合。因此社会实践活动应充分体现校内活动和校外活动的相互结合。例如，我校学生绝大多数是住校生，他们离开家庭进入学校集体生活的过程也是迈入社会生活的开始，为了帮助学生尽快实现生活上的转轨，我们利用军训这一校外社会实践方式，对他们进行站、坐、住、行的严格军营训练，教会学生用社会规范约束自己的行为。除此之外，还有教学生学会洗衣、铺床、用钱、存款、着装的校内实践内容。通过两者的结合来实现学生生活的自理自立。又如，我们的劳动实践课有校园内整修道路、清洁扫除、种花植树、锄草施肥等建校劳动，同时也组织学生参加农村的春播秋收，参加社区服务的义务劳动，从而让学生得到不同的锻炼和收获。

第二，集中活动与分散活动相结合。我们根据学校不同年级的学生特点，采取了在时间、地点、人员、内容等方面相对集中与分散活动相结合的方法来安排活动。例如，学军实践与学农实践就是依年级教学计划相对集中安排，而外出参观学习、访问调查则是以班级或个人的形式分散进行。在行课期间，我们的活动多是以集中方式进行。寒假期间我们的活动则是学校命题，由家长或教师带领学生或以学生兴趣小组的形式分散进行。这样，活动方式灵活多样，便于组织。

第三，直接体验与间接知识相结合。除了组织学生直接参加、体验和感受的实践活动，如学军、学农、参加社会义演、服务执勤、赈灾募捐、慰问军烈属与孤寡残疾儿童等，我们还带领学生到工厂、农村参观访问，到名山大川游览考察，听来自社会各阶层的不同人士谈自己的生活经验，请社会上的成功人士作成才报告等，从他人经验中间接了解社会生活。活动内容丰富，题材新颖，贴近生活，紧跟时代，因而激发了学生广泛的兴趣，保证了活动取得良好效果。

（3）社会实践活动是培养学生综合实践能力的有效途径

发展性教育观要求学生学会做人，学会生存。而要做到这些，就要摒弃“目不窥户，足不涉园”的传统观念，到大自然中去，像杜威所提倡的一样，“教育即生活，教育即创造”，在生活的过程中学到知识。

地处重庆市郊的五云山社会实践基地是我校与当地共同投资建立的，我校每年都要组织高二和初二的学生到山寨进行为期一周的社会实践活动。让同学们远离父母，远离都市的喧嚣，在这个半军事化的社会大课堂里接受洗礼。

基地实践课程设置很丰富，有劳动、赛龙舟、野炊、服装设计、木刻根雕艺术、泥塑、影视配音、野外生存竞赛、卡拉 OK 比赛、文艺会演、露天电影等。通过这些活动，同学们真实地感受了生活，学到了许多课堂上、书本里学不到的东西，陶冶了丰富的情操，锻炼了坚强的意志，涤荡了宽厚的胸怀。

——铸就了艰苦朴素、吃苦耐劳的精神品质

劳动课，在一些人看来是最枯燥、最乏味的课程，然而却是最发人深省、最能体现人生价值的一门课程。劳动课包括在基地开荒、施肥、种菜、挖红薯、喂猪等，几天时间，从播种到收获，同学们体会到了劳动的艰辛和粮食的来之不易。所以，有同学亲切地把这里称为“南泥湾”。这些来自城市的孩子们都清楚地知道，到这里，不是来玩，而是劳动，是吃苦。在这里，没有父母的呵护，衣服脏了自己洗，扣子掉了自己钉，住的不是酒店，吃的不是麦当劳、肯德基。他们说：山寨一周，我们学到的不仅是基本技能，同时还培养了自己的独立生活能力，磨炼了吃苦耐劳的精神，体会到生产粮食的艰辛，体会到“汗滴禾下土……粒粒皆辛苦”的真正内涵，体会到创造的喜悦、收获的满足。劳动中，许多同学手上磨起了血泡，每个血泡都有一个真实的故事，这是一份无声的纪念，一份馈赠，它使同学们学会了在以后的日子里勇于面对困难和挫折，永不退缩。因为，磨炼过的双手紧紧握着一份坚强。

——弘扬了团结协作精神，增强了集体荣誉感

野炊是同学们最感兴趣的课程，八个人共同组成一个家庭，山寨为每个小组准备了炊具和生食。大家分工明确，你切菜，我生火，他劈柴。既分工，又协作，偶尔有闪失，也没有埋怨，伴随的是一阵笑声。一顿午餐好了，白花花的米饭，香喷喷的菜，不能说这是美味佳肴，但这是集体智慧的结晶，是团结协作的产物。服装设计课同样也体现了同学们团结协作的精神，用料是报纸，八人一组，每组选出一位模特，大家为他量体裁衣，既分工又合作，你做帽子，我做衣服，他做裙子。一会儿工夫，模特们就被武装起来：有佐罗、机器人、花仙子、夏威夷姑娘……模特们合着音乐节拍，迈着刚学会的一字步，在T形台上展示自己制作的服装。其实，展示的不仅是衣服，更是集体智慧的结晶。龙舟竞技是最能体现团队精神的活动。比赛中，同学们齐心协力，伴着鼓声，喊着口号，奋力划桨，也不怕溅起的水花淋湿了全身，真正是众人划桨开大船。长途拉练途中，同学们相互帮助，你帮我拿包，我帮你拿衣服。在这里，我们看到了一只手与两只手的力量悬殊，个体与集体密不可分的联系，还有那同窗间深厚的情谊。

——培养了创造能力，开发了创造潜能

服装裁剪、木刻根雕艺术、泥塑等课程，让同学们的创造才能得到充分展示，报纸、树根和泥块，在同学们手里变成亮丽的服饰、精美的木雕和惟妙惟肖的塑像，展示了同学们惊人的艺术才华。每个学生都有独到的长处和优点，很多学生，平时在老师眼里很不起眼，但在这里，他们精力充沛，热爱劳动，动手能力强，在老师和同学们面前展现了自己不为人知的优势，改变了自己在集体中的形象，增强了生活和学习的信心。在这里，他们找到了自己的位置。有的学生在实践中发掘了自己的创造潜能，从此走上创造之路。泥塑课上，有位学生做的人头泥塑雕像栩栩如生，可事实上这是他的处女作品，他自己也很吃惊，原来自己还有这个潜在能力。影视配音课上，一位学生意外地发现，自己能把电影《西游记》中孙悟空的声音模仿得惟妙惟肖。卡拉OK比赛后，有位学生得了一等奖，但他却说我从未想过会得奖，因为这是他第一次在大庭广众之下演唱，自己都不知道自己的真实水平。也许就是从这里开始，他们找回了自信，找准了自己的位置和优势。也许这就是他们的“第一课”，也许这些不起眼的学生就是将来的服装设计大师、电影明星、雕塑家、歌唱家……

——拓展和延伸了课堂知识

课堂教学应当为生产劳动实践服务，和生活实际相结合。五云山基地的社会实践就为同学们提供了这样一个舞台。同学们在推豆花的过程中，知道了豆浆变成豆花的原理；在施肥的过程中，知道了植物所需养分的成分，以及吸收养分的化学反应；在龙舟比赛中，知道了赛龙舟的来历；在野炊中，知道了架锅时锅离火焰的距离要适中，尽量利用温度较高的外焰。同时，实践中也暴露出当前应试教育的一些弊端。例如挖红薯时，有学生把红薯当萝卜，花菜当白菜，花椒树当梨树，不会使用锄头，饭烧成了锅巴，炒菜不会放盐，以至于有位学生为自己将来订下的目标是“上得考场，下得厨房”。

——师生情感得到了沟通交融

实践活动中，老师们身先士卒，给同学们作示范，作指导，和同学们劳动在一起，吃住在一起，荣辱与共，同甘共苦，拉近了师生间的距离。平时在同学们心目中严肃又略显神秘的老师们，今天在同学眼里就像一群淘气的孩子，充满活力。他们和学生做游戏，捉迷藏，开玩笑，无拘无束，师生感情更加融洽。在这样一种民主、平等、和谐、友好的氛围里，能更好地实现师生之间认知与情感的交融，以情感促认知，以情感增认知，促进认知与情感的和谐统一。知识只有借助情感的沟通才能被学生主动地接受并内化，从而增强教育效果。五天的山寨生活给同学们留下了难忘的回忆。挑着粪担、走在田坎上的身影，被炊烟熏得眼泪横流却荡漾着笑意的脸，龙舟上挥舞的一只只桨，令人难忘的豆花、红薯和猫步，师生同台演绎的激情夜，阳光普照的五云山……基地生活成为了学生生活中的亮点。基地社会实践突破了单一的教育模式，把教育视野投向社会，建立了一个开放的多元化教育体系，集中各种具有教育性的社会资源，使素质教育在更广阔的背景下进行，使学生在更广阔的天地中求得自主、自律、自信。社会实践能给学生创造一个自由的、生动活泼的学习环境，学生不仅开阔了视野，增长了见识，激发了兴趣，而且在动手动脑活动中锻炼了意志，培养了创造能力和独立生活能力，获得了全面健康的发展。基地教育成为学生社会实践的一条有效途径。

2. 综合实践活动

作为新课程改革的一大亮点，综合实践活动在基础教育阶段学校课程中逐渐由盲目到自觉地开展起来，并呈现出方兴未艾之势，这应该说是新课改重要的阶段性成果。重庆一中多年来持续进行了综合实践活动的实践探索。在这个过程中，通过对校内校外，市内市外大量原始数据的分析，我们发现，当前综合实践活动已经处于向纵深推进的关键时期。我们以为，综合实践活动不单单是一门在学校课程体系内排进课表，有固定课时，在按时授课的常规状态下开设的课程，而且因其本身所具有的综合性、系统性、实践性，而具有超越课程本身的常态化的特征。所谓综合实践活动的常态化，是指它在《国家九年义务教育课程综合实践活动课程指导纲要》指导下，具有一种各要素连贯，能持续、普遍地开展，并且凸显出自身课程特点的课程运行状况。

针对当前综合实践活动开设中的种种问题，我们认为，作为一门课程，有无明确的课程结构是该课程能否成立的重要属性参照，因此，在近几年的实践中，在钱学森先生“大成智慧”教育思想和我们提出的发展性教育观的指导下，我们着力于课程结构建设，总结、提炼出了重庆一中综合实践活动“三·三模式”课程结构，并且在实践中不断地完善这一课程结构。

(1)“三·三模式”课程结构的设计思路

从课程结构的角度审视“三·三模式”，我们认为该课程结构有其内在的逻辑体系。从课程内涵来说，人离不开与天、人、物、我的关系，“三·三模式”课程结构的“三大课题”由微观到宏观包括了人与

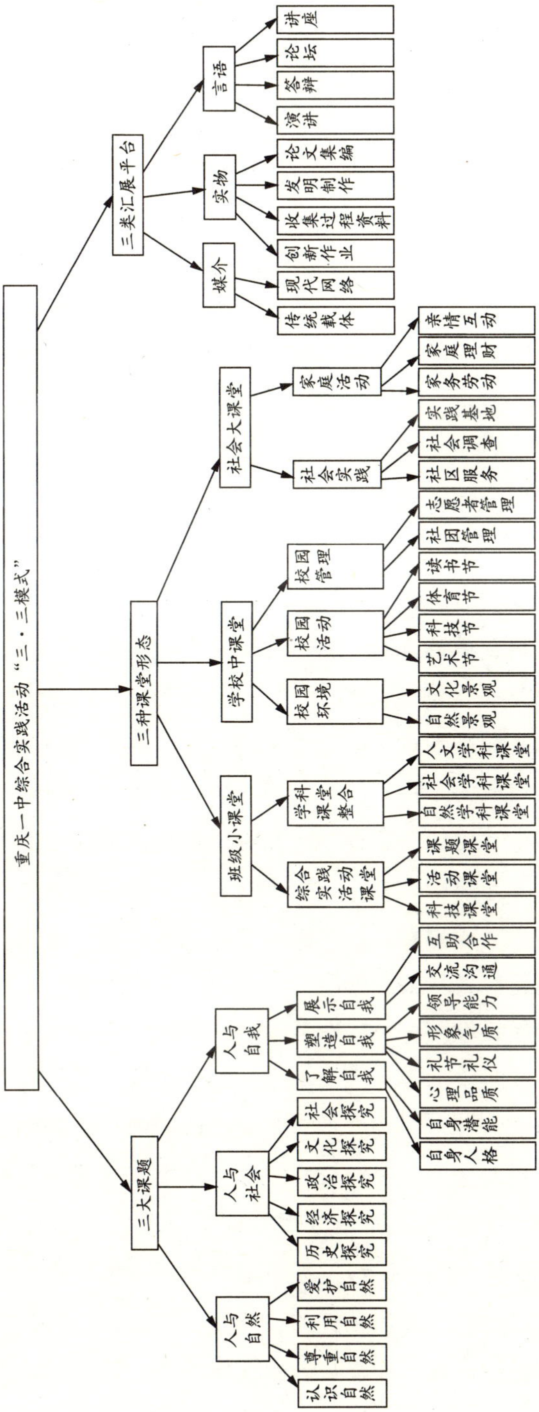

图4　重庆一中综合实践活动"三·三模式"课程结构

自我、人与社会、人与自然三种关系维度，这使得该课程结构具有既深且广的课程内涵。从课程的实践形式来说，人是社会性动物，学生所属的社会关系从微观到宏观分别是班级、学校、社会。与之对照应确立综合实践活动的三种课堂形态。从课程的过程和结果呈现的方式来说，媒介、实物、言语三类汇展平台较好地呈现了课程的过程与结果。

课程理念的创新性。我们以“唤醒”为理念来开展综合实践活动。所开设的各项活动着眼点都只有一个，那就是从不同的侧面唤醒个体的生命意识、与自然和谐相处而获得生命的韵致的意识、积极参与社会并与之和谐发展的意识，使我们的学生成为真正的“人”，全面发展的人。

课程资源的广泛性。综合实践活动的课程资源，包括人力资源、技术资源、设施资源和环境资源等，其中人力资源又包括师生智力资源等。充分利用学校现有的文化环境，并在活动中再建富有人文气息的校园文化。拓宽学科领域的知识，并在综合实践活动中加以延伸、综合、重组与提升。充分实现对社会资源的应用，并在活动中使学生亲近自然，了解社会，从而增强责任心和使命感。努力利用网络信息，发挥校园网的功能，使之成为学生交流、学习、成长的平台。抓好课程资源中最基本的、最具主导地位的资源——教师，促进教师通过研究充分转变教育观念，并在各学科中大力实施综合性教学，最终成为良好课程资源的鉴别者、开发者、积累者和利用者。整合地区资源，形成一套有一定体系，能较好地适应各年龄段学生的综合实践活动资源包。

课程实践的层级性。综合实践活动课程超越了封闭的学科知识体系和单一课堂教学的时空局限，面向学生的整个生活世界，其课程目标和内容具有强烈的实践性。在综合性实践活动课程中，实践能力的层级明显得到了区分。我们认为，在综合性实践活动中实践能力具有不同的层级：认识与判断、探索与提炼、发明与创造、动手与制作、审视与反思。实践能力按这样的层级逐级发展，最终达到一个较高的层次。对学生而言，这无疑也是对其开拓精神的锻炼。

课程实施的易操作性。在以往的课程建设中，缺乏对师生在教学活动中共同创造的操作性文本的考虑，使得课程建设的链条出现断裂，最终导致课程目标难以较好地实现。而“三·三模式”课程结构的三个组成部分——“三大课题”“三种课堂形态”“三类汇展平台”则是遵循哲学方法论，结构清晰，一目了然，易于操作。

（2）“三·三模式”课程结构的具体分解

课程结构是整个课程体系的骨架。我们总结并逐步完善了综合实践活动常态化的课程结构，提出了“三·三模式”。

——三大课题：人与自然、人与社会、人与自我

课题是综合实践活动的主要载体，我们遵循上述三类课题实施综合实践活动。

人与自然课题从认识自然、尊重自然、利用自然、爱护自然四个层次进行研究，主要探究人与自然的关系。比如，“我为校花当侦探”这一课题就直接涉及人与自然的上述四个层面。

人与社会课题从历史探究、经济探究、政治探究、文化探究、社会探究的维度进行研究。这主要是从社会的全面发展角度进行探究。比如“人文重庆”这一课题就包括重庆的变迁、码头文化、山城棒棒军、重庆桥都等丰富多彩的内容。

人与自我课题从了解自我、塑造自我的维度进行探究。了解自我，可以从自身人格、自身潜能两方面入手，于是我们开设了心理课来帮助学生了解自我；塑造自我是从健康心理、文明礼仪入手，我们开设了文明礼仪课和心理咨询室等帮助学生更好地塑造自我。

——三种课堂形态：班级小课堂、学校中课堂、社会大课堂

班级小课堂指综合实践活动课堂、学科课堂整合两种课堂。综合实践活动课堂，包括科技课堂、活动课堂、课题课堂等。学科课堂整合指从教学内容、教学形式、实践活动等方面来整合其他学科课堂。后者是目前各个学校开设综合实践活动课程的一大难点，如果没有与其他学科的融合，综合实践活动就难以呈现出自身特点。如何融合？对此，我校的历史剧表演实践活动是一个很好的尝试。该实践活动是通过学生自己的表演再现历史，始于2001年，每年举办一次，从选材和剧本的创作到角色的确定、编排、服饰、场景的布置甚至灯光等都由学生自主完成，老师给予适当指导。其间，学生对“结论性知识”越来越持怀疑态度，而对“方法性知识”和“过程性体验”充满兴趣，各种知识和能力得到极大的提升与锻炼，无论是从内容上还是从形式上，都实现了历史学科与其他学科的有效整合，成为学校综合实践活动课程之一。

学校中课堂主要是指校园文化建设。校园文化建设包括隐性文化建设和显性文化建设两大方面。校园隐性文化建设指传统文化、思想文化、制度文化、行为文化、网络文化、饮食文化等方面的建设。校园显性文化建设从对校园设施的构想创新与改造升级两方面来体现。比如，“让教室墙壁‘活’起来”这一课题就是一种学生身边的校园文化建设。

社会大课堂从社会实践与家校文化的角度来展开。社会实践包括服务社区、社会调查等。家校文化中的家长学校建设与家长委员会有助于形成教育的合力。我们初一年级的家长学校，每两周要向每一位家长发放一份家长学校的材料，以加强学校与家长的配合、协调。

——三类汇展平台：媒介、实物、言语

媒介指以传统载体（如报刊等纸质的载体）和现代网络为媒介进行的汇展。

实物指以发明制作、论文集编、收集过程资料、创新作业等方式进行的汇展。值得一提的是，我们积极探索寒暑假作业的创新方式，通过寒暑假作业有效地实现综合实践活动的课外和校外延伸。例如，我校初中寒假作业有这样一项内容：

寻找生活中的民间美术

“美是到处都有的，对于我们的眼睛，不是缺少美，而是缺少发现。”

寒假到了，让我们在这浓浓的中国节里，开始我们的发现之旅，睁大你发现美的眼睛，去寻找生活中的民间美术，用相机拍下你找到的“美”吧！

民间美术品在生活中无处不在，相信你肯定能发现不少的美，记得用相机拍下来，洗成七寸照片，并用文字写下你的历程，于下学期开学带来和老师、同学们共赏！

通过几年的实践，我们发现通过假期开展综合实践活动，是一条开设综合实践活动课程的有效途径。

言语指以演讲、答辩、论坛、讲座等形式进行的汇展。

从总的框架来讲，“三·三模式”课程结构的“三大课题”侧重于课程的基本内容，“三种课堂”形态侧重于课程实施的基本形式及具体内容，“三类汇展平台”侧重于课程实施的过程及成效的交流、展示。三个部分三位一体，共同组成了我校综合实践活动的课程结构。

（3）“三·三模式”课程结构的特色

和以往的综合实践活动比较，“三·三模式”课程结构呈现出如下特色。

——生命：温暖了学生的心

以“唤醒”为理念的综合实践活动“三·三模式”课程结构，将学生的生命化进程作为重点关注对象。这主要体现在以下三个方面。

第一，通过“三大课题”的内涵开掘，引导学生热爱生命，建立人与自然、人与社会、人与自我的和谐关系，学会关心自我、关心他人、关心社会，提高生命质量，促进学生的人格发展。

第二，通过“三种课堂形态”的实践引领，在丰富多彩的实践活动中，锻炼学生自主学习、合作、交际等多种能力，促进学生综合素养的提升。

第三，通过“三类汇展平台”的过程展示，使学生积极主动地展示自我的思想与生活的印痕，促使学生积极思维，习得能力。

“三·三模式”课程结构强调人与自身的和谐、人与他人的和谐以及人与社会的和谐，它的提出符合“和谐社会”这一时代精神，体现了对学生积极的生命化引导和教育。

——生成：激活了学生的脑

综合实践活动把教学过程视为一种交往合作的过程，是师生在社会这一广阔天地中进行的多边、多向、多方面的人际交往和相互作用的过程，强调把学习活动和社会活动结合起来，把个人的目的和群体的目的协调起来。

第一，在“三大课题”的研讨过程中，活动课题确定以后，在教师的指导下，学生自愿组成研究小组，选出组长并合理分工，聘请有关教师、家长做指导教师。学生们在指导教师的帮助下查阅有关资料，制订详细的活动方案，包括活动的目标、研究的方法、活动的进程以及如何收集资料等。这样的选题与组织不仅有利于活动取得实效，也是对活动双方的相互激活过程，很多意想不到的精彩在活动过程中悄然生成。

第二，在“三种课堂形态”的实践活动中，由于活动的空间不仅仅局限于传统意义上的课堂，活动形式的灵活性较大，对学生的交流与沟通能力起到了极大的锻炼作用，很多活动形式也需要由学生根据实际情况来确定和生成。

第三，在“三类汇展平台”的过程展示中，学生所呈现的结果并不是一成不变的，更多是对过程的优化展现，这种过程也是具有生成性的。

——生活：放开了学生的眼

第一，“三·三模式”课程结构选择了贴近生活的课题，培养学生丰富的情感。“三大课题”的内容主要来源于儿童的生活实践经验，根据日常生活中的问题选取学习课题，建立与生活目的的联系，使学生产生兴趣。

第二，“三·三模式”课程结构注重生活时空的多元性。初中综合实践课要回归生活和社会，我们不能将学生局限于学校中，而要以学生的活动和交往为线索，构建学校、家庭、社会三维的活动网络，全面实施教育。“三种课堂形态”引领学生走出校门，走进社会，在家庭、社区中开展丰富多彩的活动，用自己的眼睛观察生活，用自己的心灵感受生活，用自己的方式研究生活。因此，活动的组织形式根据时空的特点，或班级，或小队，因地制宜，因“效”制宜。通过各种生活体验活动，满足学生的天性，让学生在活动中收获快乐和愉悦的同时获得发展。

第三，“三·三模式”课程结构注意到了学生交流沟通的需要。“三类汇展平台”的展示交流使学生得到有效的沟通，培养了他们的协作能力，扩大了他们的视野。

当今世界的社会现象千变万化，学生生活在充满各种信息的社会里。我们通过开展综合实践活动，让学生回归社会，使学生随时随地受到教育，从而促进生活与社会的统一。

——生动：发展了学生的个性

第一，“三大课题”为学生的个性发展提供了更大的空间。当前学科分化和综合的趋势并行发展。学科的分化在课程中的反映是课程内容的范围越来越窄，课程之间的联系越来越薄弱，从而知识也越来越片面化，这不利于学生全面发展和个性的形成。学科课程不能照顾作为整体的文化现象，不能关注学生全面而有个性的发展。而“三大课题”的多样性为学生的个性发展创设了更多的可能。

第二，“三种课堂形态”的实践活动更有利于引导学生的思想情感与价值观达到和谐统一。“三种课堂形态”注重学生在开放的、多样的活动中实践，同时还考虑学生在这一过程中的情感体验问题。如学生在活动中不断地追求、进取、努力，其思想情感与价值观越来越成熟，学生从活动中所学到的远远超过教师的预想，得到发展、提高的也不仅仅能用一两句话表述出来，他们收获的是展示自我个性的喜悦。

第三，在“三类汇展平台”的过程展示中，每一个学生都可以找到和他们个体的个性发展相适应的平台，因为积极性极大地提高，个性展示也越生动。

我们认为，综合实践活动不是少数学生的展示，我们在具体实践中注重综合实践活动对每一个学生的发展所起到的引领作用，也从每一个学生的实际出发给他们提供相应的展示平台。“为了每一个学生发展得更好”是我们孜孜以求的目标，我们相信，这也是体现教育公平的一项积极举措。

（4）重庆一中综合实践活动课程的主要收效

衡量教育的收效，我们可以从学校发展、教师发展、学生发展三个维度进行考量。发展教师是发展学生的前提，在发展学生的过程中教师也会获得发展，教师和学生都发展了，学校才能得到发展，学校发展的目的也是为了促进教师和学生的发展。这三者相互依存，紧密联系。重庆一中综合实践活动的开展，真正实现了三者的协调发展。

——学生的收获

第一，学会学习，学会生活，学会相处。为期两周的综合实践活动课程中，许多学生远离父母和亲人开始了独立的生活与学习。在这两周中，他们自己照顾自己，自己监督自己，不仅要搞好同学关系，还要搞好与室友的关系。在两周的朝夕相处中，学生学到了许多处世的道理，更加深了与同学的友谊。

第二，团结协作，共同进步。在综合实践活动课程中，许多活动需要大家齐心协力才能完成。在平时的学习中，同学们往往只注重个人的意志，只要自己能把题做出来就能得到高分，不需要注意别人的问题。但在综合实践活动中，协作精神是十分重要的。没有大家一起动手，活动就很难完成。综合实践活动课程深刻地教育了他们必须将自己同他人紧密地联系起来，否则单凭个人的努力几乎很难成功。

第三，素质拓展，认识自我。我校综合实践活动课程的安排十分注重拓展学生的素质。从体育到数学，从音乐到物理，同学们在活动中巩固、加深并提高了自己的知识水平。将课堂上所学习的知识理论充分地运用到实际中来解决问题，是我校综合实践活动课程的一大特色。年级组将所有科目的基础知识融会起来，以“头脑风暴”为代表的一系列综合实践活动，贯通了学科之间的知识链接，拓宽了知识和思维的视野。同时，许多考试成绩平平的学生，也热情高涨地参与到活动中，从中发现了自己的兴趣，培养了好学的精神。有了综合实践活动作为契机，同学们更能找准自己人生的坐标，实现自己的社会价值。

——教师的收获

第一，进一步认识到了学生的智慧。在综合实践活动课程中，我们为学生的聪明才智感到惊叹。他们表现出来的惊人的素质也是我们的成功和骄傲。许多成绩一般的学生也具有自己的特长和优点，平时在课堂上不发言的学生，也有自己活跃的一面。认识学生，从而更好地指导他们走过人生的花季，这是令每位教师都倍感欣慰的事情。

第二，为教师提供了重要的教学反思。在常规教学的过程中，教师非常容易走进僵化的死胡同，教师最终变成了一种职业而不是一项事业。综合实践活动课程的开展，为教师打开了另一扇大门，门的那一边是更加重要的育人职责。怎样去发现学生进而培养学生，这是摆在我们面前的一个重要课题。事实证明，成绩再差的学生也都有自己的特长，那么我们应该怎样去保护他的这种特长呢？如何改变课程设置，又设置怎样的课程？我们有道义去实现孔夫子三千年前提出的“因材施教”。

第三，提高了教师的课程创新能力。随着新课程改革的深入，教师进行课程创新成为当前教育界的热点。因为，培养教师的课程创新能力是新课程理念的要求，我国多元地域文化教育的要求，创新教育和个性教育的时代呼唤，以及教师专业化的应有内涵。我校开展的综合实践活动课程的组织、管理以及课程资源的开发制作都是由教师自行完成，这对于培养教师的课程创新意识和课程创新能力有着重要的作用。

——学校的收获

第一，为新校区赢得了社会声誉。我校综合实践课程的成功展开，充分证明了新校区过硬的基础设施以及优越的学习环境。新校区完全具备开展正常教育教学活动的能力。它清净的地理环境更是有利于学生潜心学业，它必将是一块育人宝地。

第二，充分体现了学校的办学特色。我校综合实践活动课程突破了应试教育的藩篱，独辟蹊径，充分展现了重庆一中在学生素质教育上的优势和特色。在新的教育理念的号召下，学校走在时代前列，向传统教育发起了一场胜利的会战。实践证明，综合实践活动是成功的，是具有重大教育意义的。

第三，为集中课时开展综合实践活动探索了新路。传统的综合实践活动课程安排比较僵化，形式比较死板，往往采取分班教学的形式，战线长，效率低，甚至有些科目的综合实践活动根本就没有让学生活动起来，仅仅只是换个地方上课。而“三·三模式”拓宽了学生学习的时间和空间，为在校园集中课时开展综合实践活动探索了新路。

第四，为学校今后素质教育的发展探索了一条全新的道路。长期以来，素质教育被不断提倡，但素质教育如何走进课堂却一直是困扰当代教育者的重要难题。我们的综合实践活动，形式上完全走出课堂，内容上依托课堂，真正做到了理论与实践的结合。大胆创新的活动课程，更是传统教育所缺少的。这些宝贵的经验将启发后来者，为教育事业作出一份贡献。

——综合实践活动课程实施的经验

第一，必须建立健全领导制度，活动必须有纲领，有方向，有统筹，有计划。领导一定要有力度，有原则，有方法，有人情。领导要善于管理，勤于管理，利于管理。

第二，一定要有一个健全的执行机构，责任到人，任务到岗。执行机构一定要分工合作，不能是浑水一滩，泥沙俱下。具体管理细则一定要细，事先要多次征求意见，尽量尽善尽美。

第三，坚持早策划、早安排，这是综合实践活动课程正常开展的基础。任何计划都要提前作好准备，不能仓促行动，从而保证活动质量，确保课程效率。

第四，课程的设置一定要新颖，要能吸引学生，要有可操作性和可参与性。要尽量跳出常规教学的思路，实现学科融合。

第五，要尽可能地展现所有科目的特色，而不光是主要科目。用学科的魅力去吸引学生，用生动的活动去活跃学生，用新颖的形式去激发学生，用创新的意识去塑造学生，发现兴趣并培养兴趣，最终实现自觉学习。

第六，综合实践活动课程甚至可以长期开设，以改善培养人才的固定思维，改变人的分数化，实现人的素质化。不断完善和加强课程的隐性建设，推动社会对人才标准的重新审定。

三、培养学生探究精神的探究型课程

（一）培养学生探究精神的重要意义

科学探究既是学生的学习目标，又是一种重要的教学方式。作为目标，科学探究是一种精心设计的，为培养学生的科学探究能力服务的教学活动。作为一种教学方式，它要求学生经历与科学家进行科学探究相似的过程，深入理解、掌握知识与技能，体验科学探究的乐趣，学习科学家的科学探究方法，领悟科学的思想和精神。

传统的课堂教学很大程度上限制了教育的全面育人功能，教学丧失了其自身所应具有的开放性和互动性。

鼓励学生不盲从权威，大胆质疑，鼓励学生寻找各种结论或不同途径，保护他们的好奇心，这是学科教学渗透研究性学习的原则。基于此，课程设计上，教师要多提供现象和策略引导，少下结论，把教材当做例子，而不是唯一可靠的知识范本；教学流程中，教师应该把课堂的自主权交还给学生，让他们在平等、自由、民主的氛围中剖析以往的知识经验，重新建构新的知识体系。让学生积极地参与学习过程，培养学生的探究精神，深切地体现了发展性教育的宗旨。

（二）探究型课程形态

1. 研究性学习

（1）研究性学习的课程设置

随着素质教育的推进，课程改革作为基础教育改革的核心，其重要作用已越来越为我们所认识。特别是《基础教育课程改革纲要（试行)》明确提出的国家、地方、学校三级课程管理框架，改变了课程管理国家一统的状况，使学校拥有了一定的自主权。在重庆市教委提倡研究性学习的激励下，为了使学校课程更加适应学生实际，适应学生身心发展规律，适应社会经济发展和科学技术进步，为学生的持续、全面发展奠定基础，在广泛论证的基础上，我校于 2001 年开设“研究性学习”，把它作为学生必修的一门课程。

——研究性学习的目标

为了真正贯彻执行第三次全国教育工作会议精神，更加突出地体现创新精神和实践能力的培养，我校把研究性学习的目标定为以下三点。

第一，研究性学习鼓励学生自主选择主动探究，设置学生可以自主选择的课题，倡导学生主动参与、乐于探究、勤于动手，将知识加以综合并应用于实践。要求同学们在发现问题的过程中激活各科学习中的知识储存，在解决问题的过程中提高自己的综合实践能力。多渠道培养学生收集和处理信息的能力、获取新知识的能力、分析和解决问题的能力、交流与合作的能力。培养学生的创新精神和实践能力。

第二，指导教师提供必要的培训，为学生提供一个挖掘自我、发展自我的平台。

第三，为了适应现代社会发展对人才的需要，以研究性学习为契机，逐渐在单一的传统教学模式中融入探究式的教学模式。

——研究性学习的原则

学校参与：为学生构建开放的学习环境，根据学生的兴趣和爱好，研究学生多样化发展的需要，在一定的范围内，为研究性学习提供必要的支持。

学校管理：学校对研究性学习进行宏观调控，微观指导，并有专门的部门进行管理（如考勤、评分）。

教师指导：研究性学习中，学生是研究的主体，要允许他们有自己的见解，允许他们自由地提出研究设想，教师在研究性学习中只是起到提供必要的帮助以及组织和管理的作用。

学生全员参与：研究性学习作为学校开设的必修课程，要求每一名学生都必须参加，学分将记入档案。

学生自主选择：学生的研究课题，可以根据自己的兴趣、爱好而不同，可以是自己提出的课题，也可以是别人提出的课题。指导教师可以由研究小组自己确定。

（2）研究性学习的课程实施

——通过立项课题研究，明确研究重点，训练队伍

随着教育研究的日益深入，加上几次出国访问、参加国际学术讨论会，我们有一个感受越来越强烈了。要把研究性学习这门新兴的课程搞好，必须要有一些核心成员，他们不仅要有实际的操作经验，而且要善于总结，善于把实践升华为理论，从而逐步完善我校的研究性学习。我们在深入思考我校研究性学习的现状，广泛征求相关教师的意见之后，向重庆市教委申报了课题“西部地区城市重点中学研究性学习模式及实效性研究”。重庆市教委经过认真审核，同意了申报，于是我校迅速组建了研究性学习的核心团队，这为研究性学习的顺利开展提供了重要的方向性保障。

——通过培训教师，为课程实施提供保障

研究性学习的具体实施需要教师教育思想、教育模式的升级换代，教师的指导水平和能力将决定“研究性学习”课程的发展。教师在研究性学习的实施中扮演指导者、促进者、合作者、激励者等角色，为了开发教师的潜能，我校采取的方法主要有三个：一是组织一些教师到研究性学习的发源地——上海去进行实地考察；二是聘请研究性学习的专家到学校对教师进行培训；三是课题组成员组织一些教师采取座谈会的形式相互交流讨论，并把讨论中的一些具有指导价值的意见整理成文，让所有的指导教师学习。

——通过学生、家长动员，为课程实施提供支持

我校从 2004 级学生开始，正式把研究性学习作为一门课程，每周两课时。当时，作为一门新课程，很多人还不了解研究性学习，怕它费时过多，影响基础课程，并认为学科学习与研究性学习是相矛盾的。于是，在开课之前，学校专门组织教师对学生、家长进行动员，给他们讲清楚研究性学习的意义、价值。当学生、家长对它有了足够的认识之后，研究性学习的实施也就水到渠成了。

——教务处统揽全局

因为研究性学习这门课程本身的组织形式相对松散，学生的自由空间很大，如果在管理上没有相应的保障措施，学习的过程中也许就会有个别课题组得不到落实。为了保证课程的顺利实施，保证每一个同学学有所获，教务处制定了相应的管理措施。正因为有了相对完善的管理措施，研究性学习这门课程才得以有序进行。

——以年级为单位具体组织实施

我校研究性学习课程的开展，主要以年级为单位。原因有以下几个方面：一是同一个年级的学生之间水平相近，易于交流与合作；二是以年级为单位统一学生选出的课题，所涉及的领域比较大，更能满足不同学生的兴趣、爱好；三是便于指导教师的指导；四是便于统一管理。

——具体实施流程

鉴于研究性学习的特殊性，研究性学习要在学校统一组织安排下实施。由各个学科安排研究性学习的主讲与指导教师。整个学习过程可分为三个阶段，即规划准备、组织实施、成果评价。

规划准备阶段：包括师资培训、学生和家长动员、课题的提出、相应指导教师的确定。

组织实施阶段：在核心课题组成员的组织下，请教师举办专题讲座，介绍研究性学习的概念、实施过程及方法；学生在教师指导下开展实施，待实施过程结束后，共同开展研究工作，由小组成员共同写出研究报告。

成果评价阶段：由年级组统一安排，把研究过程中的成果分类别、分层次地进行展示，并安排举行研究论文宣读答辩会，由学生代表在会上宣读，并接受答辩。然后，由教师、学生代表组成评委会进行评估，由教务处进行表彰和奖励，并将研究报告汇编成册。

（3）对研究性学习课程的总结反思

经过几年的探索和实践，我们有理由相信：作为一种现代的、新型的学习方式，研究性学习体现了素质教育的方向和需要，对优化学校资料配置，提高学校管理效率，培养具有主动发展和终身学习能力、能适应时代要求的新人（包括教师）等，具有十分重要的意义。

——教学相长，师生互动，活学活用，激发潜能，终生受用

在研究性学习中，学生要全面体验一段探究过程：从课题的提出、步骤的设计、过程的参与到结论的得出。很多课题要求走出课堂，走入大自然，步入社区，伴随着对资源（时间、财力、物资设备和人员等）的统筹，对人际关系的处理和同他人的合作，对信息的获取与利用，甚至对活动的系统运作等，学生的自主性、主动性和创造性自然就会得到凸显。从这一角度讲，学生对研究性学习这种学习方法的适应，实际上又是对一种生存方式的适应，包括观念的适应、环境的适应、人际的适应和方法的适应等，这为学生在德智体诸方面生动、活泼、主动地发展创造了有利的条件。

研究性学习是以学生“自主选题、自主探究、自由创造”为特点的开放性学习方式，内容上具有广泛性和不可预知性，许多研究课题对教师来说也是第一次。教师的权威由此被打破，于是，教师和学生的关系便从传统的主动和被动、先知和无知变为真正的平等，教师被推到了再研究、共同研究甚至重新研究的要求前。

实验证明，研究性学习对转变教师的教学观念和增强其教学创新能力成效显著。教师在研究性学习的教学中，必然产生对课堂教学目标、教学模式、教学评价等一系列要素的观念转变。一方面，必须从新的角度来重新审视自己的课前准备工作，对研究性学习指导中可能出现的问题有比较全面的预测，能够随时解答学生可能提出的问题，或提供给学生解决问题的信息资料，抑或解决问题的方法和思路，并根据学生的表现进行适度调整。因而，教师要不断进行知识学习和知识更新，实现自己的专业化成长，使自己真正成为学生学习中的引路人。另一方面，教学中不仅要有学科目标的落实，有知识点的落实，而且要有实践应用目标的落实，要把教学因素同过程的内在优化和外在转化有机结合起来，从而使教学始终在开放与创新的路子上不断得以推进，这样一来，教学思维和学习思维都会得到激活。相应地，这也将极大地增强教师的素质，增强教学的自由度，提高教师的能力。

——育人方式的变革与创新

教育的功能本质上应归结为一点：促进人全面、和谐、自由地发展。而长期以来的应试教育使教育模式趋于单一，传统的教授—接受式教学严重地制约了教育本质功能的实现。研究性学习课程的开展，极大地改变了这一现状。

研究性学习课程是以培养创新人才为教育宗旨，把学生界定为具有鲜明个性的发展中、成长中的主体，这就要求学校的一切工作都必须围绕培养学生积极的主体思想和创新精神这一目标而展开。近年来，学校完全遵循“学校的一切为了学生的发展而存在”这一办学理念，积极组织和支持各种社团活动、兴趣小组，坚持开展“四小活动”等，结合学科特点进行学科渗透强化，在选修课程、活动课程和综合课程的结合上进行了课程改革，并逐步完善了学生综合素质评价以及教师素质评价体系。学校教育的整体面貌焕然一新，教育工作也卓有成效，赢得了社会的广泛赞誉。

为开展研究性学习，学校最大限度地为学生创造条件：开放图书馆，建立并完善学生阅览室；开通校园网，提高学生使用率；教务处等学校部门相互配合，为学生提供及时的信息来源和方法指导；有组织地让学生走出校区，深入周边区域如磁器口、嘉陵江、朝天门、歌乐山等进行调查研究或信息采集。校园建设和社会环境的开发，不仅优化了学校内部资源的配置，而且有效地开拓了外部教育资源。

研究性学习强调学生的主体性和学习的探究性，学生容易在活动中成为学习的主人、自我的主人。为避免散乱等现象，学校和年级课题组制定了相关条例与原则，在教师的引导下，学生不断了解自己的学习过程及特点，自觉主动地研究自己的学习方法、人际交往、组织能力和实践状态，并不断地加以调控和改进。学习上自我探究、自我管理的意识，自然会潜移默化到学生的生活中，学习和生活的良好规范给学校教学管理与常规管理带来了方便，极大地提高了学校的管理质量。

在实施研究性学习的实践过程中，我们认为以下几方面是值得思考和继续探索的。

其一，师生角色的转换不是颠覆，研究性学习不是对学科教学的否定。

传统教育观以教师、教材和教室为中心，视学生为被动接受的容器。研究性学习打破了这一格局，学生有了自主的空间，但我们不能因此而高估学生、放纵学生，也不能因此而忽略教师传统意义上的作用和学科教学的价值。

开展研究性学习，要符合创造性教育的规律，特别是教学对象的年龄特点、心理发展规律。在学生心智、思想都比较成熟的中学阶段，尝试进行类似于科研的研究性学习是适宜的。实践中，教师应更注重学生如何能提出有创建性的问题，注重其实践过程中的创造性活动，注重培养创新意识和科学精神，而不应太计较出多少成果，使研究性学习流于形式。

同时，从心理学角度讲，任何依赖于自律的环境往往容易滋生投机取巧的现象。学生的研究性学习，如果缺少调控约束就容易出现散乱现象和作弊现象，给研究性学习这块“美玉”涂上污点，所以教师传统意义上的作用不可忽视。教师只有把握好介入的“度”、介入的时机以及介入的方式方法等，研究性学习才能真正地使学生的主体性得到充分的发挥。

我们还应明确，高中的学习还是以打基础为主，研究性学习是高中的必修课，但并不是高中学习的全部。开展研究性学习，绝不是否定理解、记忆式学习和接受式学习的必要性与重要性，不能用研究性学习去否定学科教学，相反，它十分注重以学科学习为基础，力求激活学生已有的知识与经验。教师只有把研究性学习与接受性学习（基础知识教学）很好地结合起来，使它们互为补充、相得益彰，才能有效发挥研究性学习的作用。

其二，如何充分依托课程载体和发掘课程资源，是研究性学习生命力的源泉。

研究性学习的实施，需要依托相应的课程载体来体现，于是研究型课程应运而生。研究型课程是由各个学校依据“以学生为中心”的教育观自主开发的，适合学校具体特点和条件的课程，属校本课程开发的一种形式。但目前有效的课程开发还十分有限，重复现象突出，特色不显著，使研究性学习还停留在“游击”状态。况且，仅仅依托每周安排的两三节课，也是远远不能满足作为一种现代学习方式的研究性学习的需要的。要知道，研究性学习既是一种学习方式，更是一种思维方式，“走出课堂，走出校门”并非是研究性学习的唯一有效途径。因此，在开设研究型课程的基础上，我们更应当把研究性学习注入所有的课堂教学中，突出研究性学习方式应用的广泛性。在一定程度上可以说，有机渗透到各门学科日常教学之中的研究性教学，对学生的成长和发展有着更重要的作用和意义；而如何更好地依托学校所有的课程资源来开展研究性学习，将是学校深化素质教育、实施研究性学习的更高层次的追求。

从利用资源的角度来说，实施研究性学习不仅要依托学校所有的学科课程，还要充分利用学校和当地的自然环境、人文环境以及现实的生产生活中的各种信息等资源。更为现实可行的是，教师和学校应注意积累、整理实践的成果，形成资源库，为以后的课程实施提供指导，并由此形成有自己学校特色的研究性学习模式。

其三，形成多元化评价标准与风气。

评价的多元化是研究性学习区别于传统学习方式最主要的特征之一。研究性学习重过程而非结果，重知识技能的实际运用而非掌握知识的数量，重亲身参与体验而非一般性的接受容纳，重全员参与而非少数尖子生的“脱颖而出”。相应地，对学生的评价可以来自导师（教师或校外人士），也可以来自学生；可以来自个体，也可以来自集体；可以来自班级、年级和学校，也可以来自同研究性学习活动相关的单位、企业和社区；可来自别人，也可来自自我评价。此外，研究性学习的评价还是一种动态评价，它应该贯穿于研究性学习的整个过程，从开题评价到信息收集评价，再到信息处理评价、结题评价等。

所以，学校面临的最迫切的问题便是尽快建立有效的多元化评价体系，并兼容原有的传统评价系统，而不是仅仅停留在口头上或开展研究性学习活动的时候。这就需要学校领导拥有大胆识，敢动大手术，从而形成课程的规范化管理。具体而言，学校领导要从思想意识上予以充分的重视，学校要结合本校实际情况，建立相应的领导、管理小组，制定必要的规章制度，明确研究性学习的课程界定、课程目标、课程内容、课程设计、课程实施、课程评价、课程管理和课程保障等。学校要加强教师培训，在改进和优化学校课堂教学的基础上，促进研究性学习的课堂渗透。另外，学校还要在研究性学习的宣传上下工夫，打破学校教育的围墙，让社会、家长认识和了解并逐步参与研究性学习，从而开创出一条社会、家庭、学校“三结合”的新型管理之路。

2. 科技创新活动

在人的全面发展中，科学素质是重要的一环。中学生的科学素质应包括扎实的科学知识，较强的科学探究能力，以及健康的科学态度、情感与价值观等。学校教育应矫正单纯传授知识这一褊狭倾向，加强对学生积极参加知识探究的引导和实事求是、严谨治学等态度的培养。

（1）研究性科技活动的主要类型

——知识运用型

这类课外科技活动和课堂教学之间有十分紧密的关系。课堂教学为课外科技活动奠定了必要的基础理论知识，但是课堂内无法完成整个教学任务，需要通过课外活动去实践。如初中物理课讲了杠杆平衡和虎克定律后，要求学生利用所学知识，自己制作杆秤和弹簧秤，用来称物体质量，测定力的大小；高中物理讲了冲量之后，要求学生自己动手设计，包裹好鸡蛋让其从楼上自由落下，研究怎样才能使鸡蛋不容易摔破；化学课讲了 pH 值之后，要求学生实地测量一下校园内不同地方土壤的酸碱度，研究改造土壤的办法；地理课讲了地质地貌后，教师带领学生到歌乐山进行地质考察，收集资料，展开分析；学生在生物课教师指导下，饲养小动物，栽培植物，制作动植物标本等。这些活动紧密结合课堂所学的知识，将其应用于实践，不但加深了学生对知识的理解，而且做到了活学活用，让学生亲身去实践，去验证，去研究，去创造。

学生通过学习知识和运用知识两个过程，完成了整个学习任务。

——科普宣传型

科学普及也是学校科技活动的一项重要内容，它是学生加深对科技知识的理解、培养科学精神的重要途径。为此，学校专门为热心该项活动的学生准备了一个黑板报栏，由小科学家协会组成编委会，负责撰稿、编辑、出版，每月出版一期。内容以普及科学知识为主，报告世界最新科技成果，介绍科学常识、科技趣闻以及科学活动情况等。在“科技活动月”期间，各科技活动小组还编写科技墙报，内容有环境保护、地理地质考察、科技小论文等。

——动手制作型

科技小制作对培养学生的动手能力有特别重要的意义。经过多年开展科技小制作活动的实践，学校筛选了一些趣味性强、选材容易、制作简单的项目介绍给学生，让他们根据爱好和条件自行选择制作。平时制作后都会举行一些单项评比或比赛，由于中学生喜欢竞赛，积极性较高，因此科技小制作活动开展得轰轰烈烈。目前，学校科技作品的制作主要包含以下几个方面。

第一，显微镜的制作。学生已经在生物课上使用过显微镜，在物理课上学习过显微镜的原理和构造。学生自己动手材料容易得到，制作也很简单。用针药玻璃管头烧结处形成的玻璃球做显微镜的镜头，既是目镜也是物镜，其实就是一个高倍放大镜。同学们用一厚纸筒将镜头装上，然后在离镜头距离很近的地方装上载物片，最后在纸筒下面装上一个能转动的反光镜就完成了。有的学生在纸筒的下面装上电池，安一个小灯泡，使用更方便，效果也更好，学生戏称为“电子显微镜”。

第二，走马灯和孔明灯的制作。走马灯和孔明灯（热气球）是深受人们喜爱的传统灯具，每年年末岁尾，学校举办灯展，要求每个班设计制作走马灯，燃放热气球。走马灯转动原理和现代汽轮机的原理完全一样，热气球也运用了物理学里的热学和力学道理。

每个灯笼都要经过反复制作和试验才能成功。对于这项活动，不论是制作者还是观众，都留下了相当深刻的印象。往往离校多年的师生，每当谈及此事，还都津津乐道。

第三，风筝的制作。作为少先队的一项活动，学校每年春天举办一次风筝制作和放飞比赛。由少先队大队部组织学生到嘉陵江边或平顶山举行风筝比赛。比赛时在现场进行扎、糊、绘、飞，要求学生必须在规定的时间内设计、制作完成并放飞。决出胜负后，选出代表再参加少先队大队部举行的比赛。因为把新颖独特作为评分的第一标准，每年总有几个新“发明”的风筝问世，参加市风筝比赛曾获得第一、第二名的佳绩。

第四，航模、海模和车模的制作。模型制作很受学生喜欢。学校在学生中开展航模普及活动，想办法联系一批材料和零件，辅导学生进行制作。在制作过程中，教会学生看懂图纸，要求他们学会使用工具。学生在教师的指导下，装配调试，最后还要进行试飞、试航、试开。学生看到自己亲手做的模型能在空中飞，能在水中行，能在地上跑，都异常兴奋，兴趣大增。学校还组织竞赛，让学生互相观摩，研究改进模型的办法，进一步激发他们的兴趣。

对于在空模、海模、车模制作活动中涌现出来的积极分子和制作优胜者，学校将吸收他们为学校航模组新成员，进行专门的训练。

第五，生物标本的制作。生物小组在校园内就可以采集植物并制作成叶全形、叶尖、叶茎等标本，有的还把标本加工成趣味贺卡，或制作成叶脉书笺等。动物标本的制作，简单的有蚯蚓浸制标本，复杂的有蛙骨骼和脊椎动物骨骼标本。学校每年举办的科技小制作展览中，动植物标本都是展品最多的项目。

第六，对于在科技活动中学生自行设计制作的作品，学校也很重视。如学生用电池带动一个小电动机或装上灯泡，做成电风扇、小台灯及机器人等模型，如果能够发声、发光或者能够运动，都会受到鼓励，如果还能运用磁控、声控、温控、遥控等技术的，在评比中往往会获奖。

——探索研究型

为了培养学生的创新精神和创造能力，从 20 世纪 80 年代初开始，学校在学生中广泛开展小设想、小发明和小论文活动。最初学生对搞科技发明和撰写科技小论文感到十分神秘，认为发明创造与撰写论文是发明家和科学家的事情，中学生哪能办得到，如果有，也只是那些天分很高的人，一般的人是可望而不可即的。

为了打破这种神秘感，学校举办讲座，用具体事例说明人人都有创造力，都有过发明创造。开展科技小设想、科技小发明、科技小论文这类探索性活动，就是创造条件，开发每个学生的创造力，使自我实现的创造力向特殊创造力方面发展。

——高新科技型

为了让学生触及现代科学技术的脉搏，呼吸现代科学技术的新鲜空气，学校开展了力所能及的一系列科技活动：参观人造卫星展览，组织学生进行航天飞机搭载实验设计，参观大学实验室，观察植物克隆实验、激光实验、磁悬浮实验，了解纳米技术等。电子计算机小组活动时，学校有意识地介绍最新软件的程序设计和网页制作，还利用计算机接口作控制家电的实验，把一些最新的科学技术呈现在学生面前，让他们了解科学前沿所发生的事情，进而追踪世界科学前沿，开展各种与高科技紧密相连的研究探索活动。

（2）研究性科技活动组织与实施的基本原则

学校的科技活动有着自身的规律，因而，搞好学校的科技活动就要遵循这些客观的原则。在组织与实施学校科技活动的过程中，我们一直坚持以下几条原则。

科学性原则。既然是科技活动，就必须在活动中自始至终坚持体现科学性原则。学校开展的所有活动，首先，一定要符合科学原理。学校要给予学生反映客观真理的知识，各项活动要遵循客观规律，同时还要通过活动培养学生热爱科学、尊重科学的态度，养成他们严谨的科学作风，提高他们的洞察力，不被披着科学外衣的伪科学所迷惑。其次，要指导学生学会运用科学方法。如在活动中收集材料、鉴别材料、整理材料、操作实验、分析比较，最后归纳总结得出结论。再次，要培养学生的科学态度。学校应要求学生实事求是，尊重真理，尊重客观实际。最后，要培养学生的科学精神。在科技活动中，学校要把培养学生的意志品质和拼搏精神放在重要的位置上。

普遍性原则。学校开展科技活动的根本目的是培养广大学生的创造能力，而绝非仅仅是为了培养几个“尖子生”去夺金牌。所以，我们着眼于大多数，把科技活动当做一项群众性的活动来开展，让愿意参加的学生都能参加。对于参加活动的学生，教师要做到普遍关心和照顾，无论学习成绩好坏，无论竞赛有无成果，都应当一视同仁地给予指导与帮助。如果只重视个别人而冷落另一些人，其结果只能是压制一部分学生的积极性。普遍性原则要求学校关心每个学生的发展，为每个学生的发展创造最大的机会。哪怕这个学生只有一个优点，只有唯一的特长，学校也要通过包括科技活动在内的各种活动，让他的长处得到充分发展。

趣味性原则。科技活动是学生凭自己的兴趣、爱好自愿参加的活动，如果不在兴趣的激发上狠下工夫，不能使活动“好玩”“有趣”，就不容易吸引他们自愿参加。因此，科技活动必须要有趣味性，以引起学生对活动的浓厚兴趣，吸引他们参加。趣味性的要求有如下几条。一要活动内容本身有趣味性，科技小制作、航模、环境调查、地质考察、天文观测，以及科学魔术、科技游园等活动都很有趣，能够有效地调动学生活动的积极性，吸引大量的学生。二要适合学生的年龄特征和知识水平，不提出超越他们实际水平的过高要求。学校的活动形式有课内外结合型、科普讲座型、学科特色型、普及制作型、探索研究型、社团活动型、文娱表演型和高新科技型等，从组织形式来看又可以分为集体的、小组的、个人单独进行的等活动形式。学生可以任意选择自己喜欢的一种形式参加活动。三要活动形式多标准化，富有吸引力。四要处理好普及与提高的关系。科技活动是群众性活动，因此普及活动是学校的重点，以提高每一个学生的科学素质为目的。但是在各项普及活动中，对那些兴趣特别浓、成绩特别突出的学生，也要因材施教，让他们充分发掘自己的潜能，促进更大的发展——或者经过专门训练，参加全国比赛，去争取大奖；或者送去夏令营（或冬令营）进行培训。

实践性原则。科技活动是一项实践性很强的活动，因此要坚持以实践为主的原则。学校不能把科技活动当做课堂的单纯延续，要引导学生发现问题、自己动手解决问题，通过参观、考察、实验等实践活动，学会基本的技能，获得必要的直接经验和材料，最终掌握科学的方法。科技活动中的小设想、小发明、小论文等创造性活动，主要是从实践活动中去发现问题，通过实验去解决问题，通过实践去检验结果，这一切都必须通过大脑和双手的实践去完成。初二年级学生刘昱用电钻作钻木取火模拟实验，对实验进行巧妙的设计，作了大量实验，经历了多次失败，手都被烟熏黑了，但是他没有放弃，仍然认真分析失败的原因，改进实验操作，逐渐掌握了钻木取火的要领，再做钻木取火实验，几乎每次都能成功。

自主性原则。学生是活动的主体，是活动的主人。一开始，学生是凭自己的兴趣自愿报名参加活动的，小组是自由组合的。在活动中，学生自主选择课题，自己设计实验，自己收集数据，自己分析判断，自己得出结论。最后，学生还需要进行自我评价。整个活动过程都是学生自己身体力行，自己管理自己。只有在这样的环境中，学生的个性才能得到自由、充分的发展。

（3）科技“四小活动”

——科技小设想

设想是一种产生假定性答案的思维活动。这种假定性答案是人的好奇心的产物，是人们进行创造性活动的动力与科学发现、发明的基础。任何科学发明和创造都是从设想开始的，设想具有假定性，是带有创造性的思维活动。

- 小设想的激发与思维训练

设想，作为一种产生假定性答案的思维活动，其活动能力是可以通过学校教育进行培养的。其思维训练有以下四个方面。

第一，开发学生的发散性思维能力。创造性的思维能力是发散性和收敛性思维能力的统一。发散，是思维的一种形式，是多角度、多层次、多侧面思考问题的方法。这种思维沿多个不同方向展开，对一个问题从多个角度进行透视。它没有一定的模式，其特点是想象丰富，不循旧规。发散性思维是创造性思维的一个重要组成部分。发散性思维训练的途径很多，可以从功能发散入手，也可以从形体发散、结构发散、方法发散、组合发散、色彩发散和因果关系发散等方面入手，从而训练学生思维的独创性、敏捷性和流畅性。

第二，开发学生有创造性的想象能力。想象是创造的源泉之一，没有想象，就没有创造。在思维训练过程中，可以从以下几方面入手发展学生的想象力。①假设条件，刺激想象。若事情未曾经历，也无体验，可假设一定的条件，激发想象。这些假设条件包括假设时间、假设地点、假设环境、假设人物、假设情节等。②基于体验，训练想象。如学习了通过人物言行的记述表现人物性格的课文后，要求学生当堂口述《爸爸（妈妈）看着我的半期考卷》片段，要求想象和描绘本周回家家长看着自己的考卷时可能出现的神态、动作、语言。③借助对比，促进想象。想象多从比较中来，因此通过比较展开想象是一种常用的方法。比较的方法很多，美丑、是非、善恶、上下、内外、远近、久暂、今古、现在与未来、大小、长短、多少等，都可以进行比较，展开想象。

第三，提高学生质疑性的探究能力。创造总是从疑问开始的，质疑是思维的飞跃。学生在知识积累过程中发现问题，提出疑问，可以使思维活动进入一个新层次，在求疑、解疑过程中提高自己的探究能力。

第四，提升学生把握思维方向性的判断能力。思维按其方向可分为纵向思维、横向思维、逆向思维和顺向思维，不同方向的思维在形成科学设想的过程中有不同的作用。在这样的思维训练之后，学校可以运用创造技法中的智力激励法、联想法、缺点列举法、优点列举法、组合法等，激发学生科学设想的能力，从而推动科技活动的开展。

● 小设想活动的组织过程

就教育过程来说，学生的科技小设想包括小设想的诱导、命题、展示和评价等方面，学校科技小设想活动的组织就是围绕这些方面来展开的。

——科技小制作

科技小制作是学生手脑并用，将有关科学原理运用于实际，产生科技小设想，制成科技小作品的过程。它是科技小设想的延续，在科技“四小活动”中起着承上启下的作用，占有重要地位。通过科技小制作，学生们可以使自己的科技小设想产生质的飞跃，使创意的火花转化为熊熊燃烧的创造之火。长期坚持开展科技小制作活动，为科技小发明奠定了雄厚的基础，还为写作科学小论文储备了大量的素材。

● 小制作活动指导中应注意的问题

第一，选题指导中应注意的问题。小制作的选题有三种情形。一是学生通过观察，提出创意之后确定；二是一些常规的小制作，例如车模、船模、航模、建模等；三是通过教师的思考，或者通过与学生的讨论，提出一些崭新的、富有创意的小制作题目。在作小制作的选题时，要注意科学性与趣味性兼顾，同时要求取材容易，效果明显，安全可靠。另外，要坚持以学生为主体的原则，教师切忌包办代替，但在关键的地方要多指导，多鼓励，多提出问题。

第二，制作中应注意的问题。在科技小制作活动中，学校要尽可能地为学生创设条件。在科技小制作活动中，一定要注意对学生加强人身安全的教育，增强学生的安全意识，防止各种意外事故的发生。

第三，成果评比中应注意的问题。在科技小制作活动结束后，学校通过成果展示会、表演会、竞赛会等形式对学生的科技成果进行评比。学生科技成果的评比要以增强学生的自信心、成就感为主导，充分激发学生开展科技小制作活动的积极性，使他们的制作热情能长期保持。这些活动也是传播学校科技小制作活动经验的重要途径。

——科技小发明

简单地讲，小发明和小创造就是青少年从观察周围世界开始，发现在日常生活、学习、工作和劳动中用起来不称心、不顺手、不方便的器物，利用科学道理和方法去思考设计，并加以改造，制造出一个新的器物。

● 小发明活动的组织

发明创造的构思、设计和制作一般都以个人为主，也可以以小组为主进行发明创造，在主要的设计制作者组织下，大家一起研究，取长补短，分工合作，最后制作完成。但是小组共同设计制作，人数不要太多，以3—5人为宜。

● 小发明作品的评估

第一，举办小发明展评。学生小发明作品制作完成后，学校要注意收集，进行评比展览，组织学生参观，小发明的创作者可以在现场加以解说并进行演示，参观的学生可以列举缺点和优点，最后根据评选标准评出一、二、三等奖。

第二，小发明的评选标准。坚持“三自”和“三性”原则，即自己选题、自己设计、自己制作和新颖性、创造性、实用性。

● 小发明专利的申请

对那些科学性、新颖性特别是实用性强，而且具有一定的商用前景的小发明成果，要尽可能地申请专利。然后进行宣传推广，实施转让，把小发明作品变成商品。

——科技小论文

科学论文是科研成果交流的载体，很多情况下，科学研究的成果都会以科学论文的形式体现出来。科技小论文活动是对科学研究的模拟，它完整地再现了科学研究的成果形成论文的过程，因而对培养学生的科学素养有很大的帮助，是探究性学习的一种很好的组织形式。

科技小论文由论点、论据、论证三部分组成。一篇好的小论文，必须课题新颖，论据有事实根据，论证符合逻辑，叙述文字通顺，层次清楚，能使青少年受到启发教育，或对生产、生活、学习有实用价值。

● 选题

小论文选题的基本原则：科技小论文一定要有科学价值；小论文研究的内容要新颖，富有探索性和创新性；研究的课题要符合学生的兴趣；容易获得资料，能就近得到指导、帮助；研究的题目要“小”，难度要适宜。

小论文选题的基本途径：从周边、身边环境中找课题，通过教材找课题，从作业中找课题，抓住偶然找规律，从矛盾中找课题，“节外生枝”生成课题，等等。

● 收集论据，进行论证

撰写科技小论文离不开论据。研究课题确定后，就要大量收集论据，只有收集了大量的材料，才能从中选取具有代表性、典型性的部分作为论据。

在科技小论文活动中，大量论据的获得还是要通过学生自己动脑动手，进行观察、考察和科学实验以直接收集科学事实，这是获取感性材料的基本途径。通过这种途径获得的材料真实可靠，更具有说服力，是形成和检验自然科学理论的实践基础。

● 撰写

科技小论文一般由标题、摘要、前言、论证、结论和讨论、参考文献等条目组成。

● 论文答辩与评审

学生撰写的论文不论质量高低，教师都要认真仔细地阅读，提出论文的特点，尤其是闪光点，给予充分肯定，以强化学生在科学探求方面的动机。绝不要因为有错而过多地指责，使学生泯灭了创造的火花。

答辩是撰写小论文活动的重要环节。答辩不仅要考查论文的科学性，同时还要考查学生与论文相关的一些基础知识，检验论文的真实性。答辩的步骤是先由学生进行论文报告，然后由专家和教师组成的答辩委员会针对论文的论点、论据和论证的各个方面，从不同的角度提出问题，要求学生逐一回答。如果发现问题，须让学生作进一步的修改，使论文更加完善。通过答辩，可以培养学生的口头表达能力和应变能力。

评审是对学生科技小论文质量的判断，它对提高学生对科学小论文写作的兴趣有重要作用。

学生撰写的论文都要得到充分展示。除举行答辩会外，还要将好的论文张贴出来，或者举行论文报告会。在学生宣读自己论文的时候，教师可进行点评，指出论文的特点、亮点，供大家观摩学习。对于学生的优秀论文，要积极推荐参加各种层次的科学讨论会，使他们在更大的舞台上充分展现自己，进一步激发他们进行科学研究和撰写小论文的积极性。

（4）科技活动取得丰硕成果

我校科技活动开展得轰轰烈烈，取得了丰硕的成果。仅举以下数例。例如，我校学生杨云舒、陈文兰等在中央电视台“异想天开”栏目中，用一节五号电池带动一个小电动机，把一辆“长安之星”汽车拉动了145厘米，战胜了清华附中、北大附中，成为结构最巧妙、费用最少、效果最好的设计方案。

不久，中央电视台给学校来函：“上次合作之后，对重庆一中留下了很深的印象，节目也受到了台领导和观众的好评，我们又将进行一次录制，想邀请贵校做一个专题，需6名学生带6件作品（命题：日常生活帮手），实物、模型均可”。收到通知后，我们对学生平时科技活动中的小发明、小制作进行了比较，筛选了6件作品：

① 油烟机的改进（学生陈子秋）

② A. 足球场广告牌　B. 坡度仪（学生彭晶晶）

③ 易换纱窗（学生钟文嘉）

④ A. 停电双宝　B. 双用螺丝刀　C. 自动浇花器（学生李天虹）

⑤ A. 颜色及透明度可改变的玻璃　B. 灯头转换器（学生万良渝）

⑥ 计算机控制家用电器（学生李博）

节目摄制十分顺利，学生的作品及表达得到了现场观众和专家的好评，我们的工作也得到了中央电视台青少部中心负责人的肯定。这个专题已在中央电视台陆续播出。

近年来，在科技教育方面我校取得了一系列成绩：学生共获国际银牌3枚，国家级一等奖106个、二等奖238个、三等奖509个，省市级一、二、三等奖更是不胜枚举；学生黄思冲、张宇翔、卞长生、王笑寒获得了“重庆青少年科技创新市长奖”，学生秦领、郑礼维、罗嘉、谢俊杨都曾连续夺得中央电视台“三星”智力快车周冠军、月冠军。学校也曾先后获得“联合国教科文组织创新学习与研究实验学校”“全国宋庆龄少年儿童科技发明示范基地”“全国中小学信息技术创新与实践活动先进单位”“全国机器人能力风暴创新实践基地”“重庆市首批科技特色学校”称号以及重庆市政府设立的“首届科技创新培育奖”等荣誉。

四、发展学生特长的艺术和体育课程

艺术是人类旅程中不可分离的组成部分，它净化着生活，丰富着环境，改造着我们的生活经验，使人得以充实和完美。艺术实践是儿童的思维和心灵健康发展的基础。在人类文明史中，艺术与教育密不可分。艺术教育主要是通过审美来促进学生的发展，它的育人价值表现在多个方面：陶冶学生的道德情操，开发学生的智力潜能，提高学生的审美能力，促进学生身心全面和谐地发展。

（一）艺术教育

1. 艺术教育与人的发展

我们在艺术课程实施发展性教育的实践研究中，对发展性教育所体现的自主品质、合作品质和创造品质都进行了深入的思考与探索。艺术教育在目标定位上，以培养学生的艺术审美能力和人文素养的整合发展为总目标。艺术课程要用艺术的感人形式和丰富的内容，培养学生丰富的情感体验和崇高的精神追求。在让学生轻松、快乐地掌握艺术的基本知识和基本技能的同时，培养学生尊重、关怀、交流、合作、分享等人文素养，促进学生和谐发展。

人的全面发展应该是理性与情感的协调发展，感知、情感、想象等感性方面的成长是儿童发展的一个重要方面，只重理性发展而不重感性发展的教育不能算是全人的教育。怎样才能使我们的教育在理智训练与感情奔放之间求得和谐平衡，以使学生尽可能地得到全面而和谐的发展呢？《中国教育改革和发展纲要》指出："美育对于培养学生健康的审美观和审美能力，陶冶高尚的道德情操，培养全面发展的人才，具有重要作用。"

（1）提升学生的审美能力

一个人审美能力的高低，直接影响到他的人格素质与生存质量的高低。在中学艺术教育的多方面价值和功能中，审美价值和审美功能始终是基本的、第一位的。艺术教育的辅德、益智等多方面功能的发挥，要以审美功能的发挥为前提。艺术教育从本质上说就是审美的教育，我们借助审美媒介，通过艺术化的教学，组织、引导学生参与艺术欣赏和表现活动，并在艺术活动中学习、掌握基本的艺术知识与技能，目的是帮助学生提高艺术修养，陶冶审美情操，培养审美能力，完善审美心理结构，从而促进学生的全面和谐发展。

提高学生的审美能力有三方面的内容：一是提高审美感受力或鉴赏力，包括对审美对象的外在形式因素的感知，对审美对象所蕴藏的内在情感因素的领悟；二是提高审美表现力和创造力，包括借助审美媒介表现自身和创造物化审美对象；三是培养正确的审美观念，包括审美趣味、审美理想、审美标准等。

（2）促进学生思想品德的发展

艺术教育的德育功能的发挥，不是直接向学生灌输道德信条、政治思想，而是通过艺术教育使学生的审美情感得到培养和发展。审美情感的发展一定程度上能促使学生的审美趣味变得纯洁，审美能力获得提高，而健康的审美趣味又为高尚的道德观念的形成提供了动力和条件。艺术教育注重让学生通过对艺术形式与艺术内容之间相互关系的把握来理解艺术的思想内涵，从而获得德育效果；艺术教育重在以情动人，仅有较少的语言讲解，讲解的内容主要也是艺术语言，德育效果的获得主要是潜移默化的，影响是长久的；艺术教育主要是教给学生什么是美，什么是丑，以激发学生对美好事物的追求，从而使自己的心灵变得更加美好。

（3）促进学生智育的发展

艺术的基础是感知，艺术教育是提高人的感知能力最强有力的手段，而这种感知能力是任何一个研究领域中的创造性思维都不可缺少的。同时，艺术活动本身也是一种特殊的思维活动，即知觉思维，而创造性思维在任何一个认识领域又都是一种知觉思维。因此，艺术教育对个体智力发展的作用，主要体现为它能有效地提高个体的感知能力和知觉思维能力。美国的罗斯彻经研究得出结论：音乐教学能改善儿童的空间智力，并能维持很长时间，甚至永久。她对 19 名上音乐课的学前儿童与 14 名不上音乐课的同班儿童进行了实验比较，8 个月后她发现：上音乐课的儿童的空间智商有 46% 的提高，而不上音乐课的儿童仅有 6% 的改善。她对此的解释是，音乐学习能加强空间推理能力所需要的各种脑神经之间的联系，并能建立新的神经桥。

同时，艺术教育作为一种情感教育，能使学生获得审美的愉悦体验，这种审美情感能够直接牵动学生的理智感，激发他们对科学知识和真理的追求，而这也是智育本身能否取得好的效果的一个基本条件。科学和艺术是人类文明的两朵并蒂莲，它们为了促进人类文明的进步与发展这样一个相同的目标，发挥着各自的优势并进行着优势互补。爱因斯坦、达尔文等人类历史上最伟大的科学家的创造发明经历和谆谆告诫无不启迪我们，科学与艺术的碰撞点往往便是创造性奇迹出现的地方。

2. 重庆一中的艺术教育

近年来，在“让每一个学生都发展得更好”的办学理念的指导下，学校十分重视艺术教育，艺术教育硕果累累。学校舞蹈队表演的舞蹈连续两次荣获国家文化部举办的“群星奖”舞蹈大赛金奖，连续两次在教育部举办的全国中小学艺术展演中获得一等奖。学校的民乐队、管乐队、话剧社、合唱队以及美术书画社也曾多次在国家级、市级比赛中取得优异的成绩。

（1）以艺术团队为支撑，让艺术之花绽放在校园的每个角落在学校艺术教育这个五彩缤纷的大花园里，盛开着各种各样的花朵，它们绚丽多姿，交相辉映，其中最耀眼的艺术团队有舞蹈队、合唱团、管乐队、民乐队、戏剧社、美术组、书法组、弦乐组、键盘乐组、电脑动画制作小组，以及摄像摄影小组、体育舞蹈小组和街舞小组。艺术团队有章程、纪律要求和管理规定。大的团一般有 70 余人，小的团有 20 余人。各艺术团队的学生来源有三部分：一是学校特招的艺术特长生，他们是学校艺术团队的核心；二是有艺术兴趣和一定艺术功底的爱好者，他们是学校艺术团队相对稳定的成员；三是有兴趣但没有经过培训的普通学生，他们是艺术团队的外围成员。学生艺术团队的建立，保证了艺术教育有为、有位，使学校的艺术爱好者有自己的归属和学习交流的家园，保证了艺术活动的持续、稳定开展。每个团队每周定时组织至少一次活动。学校还定期组织艺术演出和比赛，给学生展示艺术才华提供平台，这些常规的活动有：一月的元旦文艺会演和书画展，三月的风筝设计和放飞比赛，四月的校庆文艺演出，五月的歌咏比赛，六月的戏剧小品汇报演出，九月的迎新生文艺演出，十月的音乐会，十二月的学生艺术节……这些活动使校园内的艺术氛围更加浓厚，促进了学生艺术素质的发展，有力地推动了学校的素质教育。

（2）艺术课程教学与综合实践课程相结合

我们把艺术课程教学与素质教育改革的综合实践课程结合起来，按照多学科综合实践的思路进行了探索。如学校每年一届的历史剧表演比赛，就是由历史教研组指点学生查阅历史史实，语文教研组指导学生编写剧本和朗诵台词，话剧团的辅导教师教学生舞台表演技巧，美术教研组指导学生设计不同时代的古典服装，学生通过自己裁剪制作的服装道具表演，充分体现了学习的趣味性、积极性和创造性。

（3）以优美和谐的校园环境陶冶学生身心

我们注重强化环境文化建设，为学生营造浓厚的艺术氛围。俄国教育家乌申斯基说过：“意志、自由、美的城郊，馥郁的山谷、凹凸起伏的原野，蔷薇色的春天和金黄色的秋天……我深信美的风景，在青年气质的发展中所具有的那种巨大的教育影响，对于教师的影响来说，是很难和它竞争的。”欣赏自然和环境的美是一种最好的“寓教于乐”，学生能够从中得到滋补精神的养料。为此，我校领导高度重视，精心组织设计建设，形成了富有艺术特色的校园。

学生几乎天天都要在学校学习和生活，它可以是教育者按照“美的规律”创造出来的，从而成为学生接受美的熏陶、培养美好感情、塑造美好心灵的课堂和园地。所以，重庆一中在创造校园环境的时候，从每幢建筑物的外观形状到每间教室的内部装修，从校园的整体布局到花坛里的一草一木，都精心设计、艺术构思，让学生在校园中时时处处都感受到艺术的气息，得到美的享受，自觉地唤起对艺术和美的追求。如今的重庆一中，校园内一年四季绿树成荫，鲜花盛开，鸟语花香，环境优美。以典雅别致的“四·二一”广场为中心，香港爱国人士邵逸夫先生捐资修建的逸夫图书大楼巍峨壮观，与挺拔雄伟的体育馆、富于创造的科技楼、造型典雅的艺术大楼、古朴优美的项家院、舒适温暖的男生公寓和女生公寓以及庭院式的教学大楼遥相呼应，构成校园的主体建筑群。校园景点“迎霞湖”亭阁对峙，绿树环抱，水波粼粼；尊师亭、红领巾林等园林式绿化带是师生课余休息的理想场所，为学校增添了无限生机；曾承办过全国中学生田径运动会的标准运动场气势恢弘，给广大师生提供了一片自由驰骋的广阔空间。

（4）与社区互动，促进学校的艺术教育

教育不是学校单方面的事情，它需要社会的支持和配合才能取得更好的效果。艺术教育更是如此，无论是提供场所和锻炼机会，还是聘请专业的艺术教师，都离不开社会的支持，因为中学的场所和师资都是有限的。近几年来，重庆市艺术馆和沙坪坝区文化局、文化馆等机构给予了学校艺术教育大量的支持，包括提供演出与训练的场地和机会，提供演出服装，给予师资支持等。重庆市的很多知名艺术专家，像二胡演奏家刘光宇、著名舞蹈编导高兴、重庆市杂技团陈继生先生以及重庆市话剧团团长郝鹏寿等，对学校长期进行艺术培训和指导，为学校的艺术教育作出了巨大的贡献。

苏联作曲家、音乐教育家卡巴列夫斯基说过：“科学和艺术是人类精神文明的两大基础，为了取得两者的平衡，需要进一步完善我们的学校教育，如果缺乏这种平衡，它就没有资格称为普通教育。”如今的重庆一中，校园环境幽雅美丽，文化艺术氛围浓厚，艺术活动丰富多彩。

3. 艺术教育的成果

首先，重视学生参与，促进学生发展。传统的艺术教学重传授，轻参与；重知识，轻发展。而我们认为，学生是艺术教育的主体，必须运用各种教学手段调动学生艺术学习的积极性和主动性。在艺术教学中，教师的传授固然重要，但没有参与，学生就产生不了艺术审美体验，也就不可能提高其艺术审美能力，艺术教学的审美育人目标也就不可能真正实现。如“奥尔夫音乐教学法”从节奏入手，每人都击节奏、念节奏，要求的是运动和言语知觉等的共同参与。其次，重视艺术欣赏，培养爱好和体验。通过欣赏教学来培养学生感受艺术美的能力，以此为目的实施艺术教育，全面发展学生的音乐能力，培养学生对音乐的爱好和体验、参与音乐的情趣，陶冶其高尚的情操，把培养人的创造性提升到一定高度。

除了在学校成功地实施和开展了全面的艺术教育之外，我们打造的艺术精品也在全国范围内产生了巨大影响。2002 年和 2004 年，我校舞蹈团的舞蹈节目《山野小曲》和《竹韵》，分别在国家文化部主办的全国“群星奖”舞蹈大赛中获得金奖，并参加国家文化部组织的为十六大代表举办的汇报表演和教育部的全国中学生文艺展演。2007 年，舞蹈团的舞蹈《春蚕》在教育部主办的全国第二届中小学生艺术展演活动中获艺术表演类节目中学组一等奖，不久，又获文化部主办的全国第十四届“群星奖”舞蹈大赛金奖。2009 年，重庆一中学生在第四届全国中小学美术展上获特别金奖 1 人次、金奖 21 人次、银奖 9 人次、铜奖 2 人次；古诗《国殇》获重庆市大中小学生经典诵读大赛一等奖；民乐团在全国音协组织的民乐比赛中获得“阳光奖”。学校的合唱、管乐、美术、书法等社团每年获得数十项全国和省市级的竞赛大奖，为学校争得了荣誉。

近年来，学校艺术成果获市级集体一等奖 12 次，市级集体二等奖 5 次；个人方面获全国金奖、特等奖 10 人次以上，市级一等奖 30 多人次。重庆一中也因为艺术教育成果显著而年年被评为“重庆市艺术教育工作先进集体”，曾被评为“全国艺术教育工作先进集体”和“全国百佳艺术教育单位”。全国许多重要媒体，如中央电视台和《人民日报》《中国青年报》《舞蹈》杂志等，都报道过我们在艺术教育方面所取得的成果。全国许多省市的兄弟学校也到我校取经，对宣传和推动学校艺术教育工作发挥了很好的作用。

（二）体育课程实践

1. 建立体育教育管理体系

（1）成立学校体育工作领导小组

重庆一中有一套完整的体育工作管理体系。早在 20 世纪 90 年代，我校就建立了以校长为组长、所有副校长为副组长的体育工作领导小组。组员由学生处、教务处、总务处主任，体育教研组长、体育干事、各年级组长和班主任代表组成。领导小组每学年定期举行会议，讨论和制订全校体育工作计划，总结计划的执行情况及改进意见，协调和处理体育工作中的经费、管理、选材、训练和比赛等方面的问题。

（2）明确分工，落实责任

我们建立并逐步完善了相关工作制度，明确了各部门的职责，各项工作得以顺利开展。学生处主管体育工作的副主任主要负责全校日常的体育工作，督促各部门积极开展工作，主持评选“体育十佳班主任”和“体育先进班集体”，协调和指导体育教研组进行课题研究，协助校长和分管校长负责运动队招生、比赛与日常管理。体育教研组组长主持体育教研组日常工作，检查全校课外活动的执行情况，组织本组教师进行学习和培训，负责课题研究的各项具体工作。体育干事主要协助进行日常的训练工作管理，上报各种统计数据和汇报材料，填写每天“两操”情况。教练员的主要工作是对运动员进行专业训练，并配合班主任做好运动员的思想教育工作。

（3）制定奖惩条例，完善评价机制

我们建立了《重庆一中体育教师业务档案》，制定了《重庆一中体育教师奖励办法》，奖勤罚懒，鼓励教师勤奋工作，并积极参与课题研究，多出成果。

我们制定了“体育十佳班主任”和“十佳体育干部”评选办法，表彰在学校体育工作中付出了辛勤劳动、取得了较好成绩的年级组长、班主任和学生体育干部。

我们还建立了运动员、教练员奖惩制度，用以鼓励与督促教练员们改进工作，运动员们更加奋发向上，取得新的成绩。

2. 坚持依法治教原则，确保体育与健康课程时间

一定的营养、适度的运动和合理的休息是人健康成长的三要素，面对现在中小学生的身体素质急剧下降的情况，许多有识之士指出：学生的营养不存在问题，关键是休息不足、体育锻炼太少。虽然为了保证学生的全面发展和健康成长，国家以教育法律法规的形式制定了科学严格的课程标准和课时计划，但是，在当今实际存在的“应试教育”背景下，学校的教育教学活动不得不屈从于上级的成绩考核、社会的舆论压力、学校的功利目标和家长学生的短视行为要求，片面追求升学率和考试成绩，任意挤占学生运动和休息的时间，忽视了学生体质的健康发展。

因此，在各种升学压力面前，用什么态度对待体育与健康课程，实际上已经成为衡量和考验学校领导的教育思想、办学理念与政策水平的试金石！在重庆一中，我们坚持依法治教，努力做到“四个坚持”：坚持按照国家课程计划（包括毕业年级）开全、开足、开齐学校的体育与健康课程；坚持保证每天的学生“两操”和一小时的体育锻炼；坚持学校传统的体育锻炼赛事活动；坚持学生体育社团和高水平运动队的训练活动。我们的经验证明：通过体育运动调节，每天学习时间的“8－1”不但不会影响学生的文化成绩，还能够极大地提高学习的效率。

3. 发掘体育潜课程功能，营造体育与健康文化

法国教育家卢梭说过："千万不要干巴巴地同年轻人讲什么道理。如果你想使他懂得你所说的道理，你就要用一种东西去标示它，使思想的语言通过他的心，从而为他所了解。"现代的教育管理者都十分重视学校的文化建设，一个有思想的学校领导必须注意研究和发挥体育与健康的潜课程作用。

学校的体育与健康教育活动通过特殊的方式体现校园文化，发挥着隐性的育人功能。走进我们的校园，学校的玻璃钢乒乓球台、标准塑胶田径场、游泳池、体育馆、足球场，以及塑胶化的篮球场、排球场、羽毛球场等运动场地，为学生体育活动提供了良好的空间，它用无声的语言召唤着广大青少年积极参加体育锻炼。

学校还开展了许多以学校体育教师为指导，高水平运动队为龙头，学生群体组织为依托的课外体育活动。如已经坚持了60余年的春季田径运动会和秋季体育节，坚持了20余年的冬季百日长跑，"黄玲杯"篮球、足球、排球比赛，新生广播操比赛等。这些课外体育活动为青少年学生提供了体育角逐、释放心情、展示风采的平台，形成了学校传统中一道亮丽的风景线。

依托体育活动平台，我们为体育注入了许多全新的文化内涵。比如，结合体育赛事，团委会与学生会举办班旗、班徽和运动会吉祥物的设计展示，校运动会出场式的队列表演，拉拉队的鼓号组织，赛场服务、文明观众、场地卫生、竞赛新闻报道和新闻摄影等比赛，使学生的创新精神和创新能力得到发挥，学校的精神文明建设得到加强。

此外，我们还利用学校的校园橱窗、电视、广播和学校网站，坚持开展有关体育与健康知识的宣传报道，让学生了解正确的健康新概念。同时，培育青少年体育观众和各种运动项目体育迷队伍，引导学生进行高雅的娱乐欣赏。置身校园，你可以随时看到生龙活虎的锻炼人群，英姿飒爽的健美少年，你可以感受到学校厚重的体育文化氛围和扑面而来的青春气息。

4. 发挥体育的特殊作用，建设文明和谐的校园

伴随着广大人民群众物质生活水平的逐步提高，人们越来越重视运用体育手段丰富生活。因此，我们不应把学校体育与健康教育仅仅视为学校教学领域的事情，而应该具有大体育和大教育的观点，注意从系统的战略高度进行审视，把学校的体育与健康工作同社会体育、家庭体育有机结合起来。重视发挥体育与健康活动的强身健体功能，注意积极推动“全民健身”“主动体育”和“终身体育”活动，发挥体育在建立和谐社会中的特殊作用。

我们注意关心在职和离退休教职工的文化生活与业余生活，成立了许多体育组织，涉及篮球、足球、排球、羽毛球、乒乓球、健美操、自行车、台球、门球、钓鱼、健身操、太极拳、棋牌等项目。通过校团委和学生会组建了各种学生体育组织（包括篮球、足球、排球、乒乓球、羽毛球、健美操、跆拳道、武术、无线电追踪、围棋、桥牌等十余个学生体育协会与学生社团），形成了组织完善、机构健全的体育与健康活动组织。

我们还成立了服务社区的“培英青少年体育俱乐部”，开办了面向社会的各种体育培训班，每天早晚和周末向周边社区居民开放运动场地。通过各种积极向上的体育活动营造良好的文化氛围，用健康高雅的体育理念引导人们的生活方向，用健美活泼的锻炼形式陶冶身心，发挥体育活动在人际交往中的情感交流、沟通联谊的特殊作用，以体育活动为媒介促进学校与社会之间的良性互动，使体育与健康活动成为建设和谐社会的有力支点，营造出文明和谐的重庆一中！

第四章 激活学生发展潜能的课堂教学

课堂教学是我国中学最基本的教学形式，是学生生存与发展的重要途径，是实现学生发展的主渠道。在片面追求升学率、压抑学生发展的完成性教育的弊端日趋严重的情况下，重庆一中在发展性教育思想的引领下，对课堂教学进行了深入的研究和实践，努力寻找课堂教学的内在规律。

20 世纪 80 年代，重庆一中在黎见明老师的带领下，开始了以“导读”为核心的课堂教学探索和实践，在当时产生了较大的影响。以此为基础，我们又开展了分层教学实验，并进行以“导学”“导创”为主题的全方位学科教学改革，各个学科形成了丰富多样的课堂教学风格。近年来，我们又开展了以“课堂教学激活”为中心的新的教学探索。

反思近几十年我校的课堂教学探索，从 20 世纪 80 年代的导读法，到“导学”和“导创”，到分层教学，再到当前的课堂教学激活，我们坚持的是：自觉实现学生的发展。发展性教育之下的发展性课堂教学，对学生的发展产生了巨大成效。

一、完成性课堂教学的困惑与反思

（一）完成性课堂教学的困惑

在科技理性指引下的“完成性”课堂教学，是一个把不同的学生置于同一教学模式中进行统一打造的过程，内容、标准、教学方法都比较统一，有利于学生学习达标。完成性课堂教学按照预设的程序，按部就班，以完成预定任务为最终旨趣，主要是受西方工业化大生产的思维模式影响。像工业生产的划一性一样，它采用的是统一的大纲、统一的教材、统一的作业、统一的评价，最终实现一个统一的教学目标。因为有严密的计划、理性的部署，有利于发挥教师的主导作用，使学生的学习循序渐进，系统完整，完成性课堂教学能够在较短的时间内完成既定的教学任务，具有高效的“生产效率”。

但这种高效的“工业化生产”方式也带来了无法避免的先天缺陷。

我们在“完成性”教育观指导下形成了重知识灌输、轻能力培养，重考试、轻发展，重分数、轻素质，重记忆模仿、轻实践创新，重唯书至上、轻发明创造，影响学生实践能力和创新精神的培养模式，抑制了人的和谐发展。完成性课堂教学具有如下偏颇。

在指导思想上，片面追求工具理性。在工具理性和科技理性的片面指引下的完成性课堂教学，易将鲜活的课堂当做可计算和量化的对象，忽视了学生作为活生生的生命个体的存在，忽视了人作为理性与非理性整合体的存在，使人从思想的王国中游离出来，异化为一个理性的机器。它忽视了课堂教学过程的生成性，过于追求课堂教学预设性的一面，课堂教学按部就班，以完成预定任务为最终旨趣，不敢轻易对课堂进行创新。

在价值诉求上，片面追求人的工具性价值。这其实是延续长期在我国占据主导地位的忽视个体的教育思想，在长期的封建社会里，人往往是被“大写”的，也就是说，在个体与集体、个体与国家之间，往往是先国家、先集体再个体，甚至没有个体。往往是强化个体对集体的功能、对社会的义务，一味强调牺牲自我。

在教学目标上，片面追求划一性。伴随着赫尔巴特等人的教育思想转道日本而传入我国，西方工业化大生产的思维模式对我国的课堂教学产生了深远的影响。正如工业的划一性生产，课堂教学为追求班级授课制的效率最大化，往往采用的是统一的大纲、统一的教材、统一的作业、统一的评价，最终实现一个统一的教学目标。

在教学内容上，片面追求书本世界。自从课堂教学从日常生活中剥离出来而日益成为一个独立体，原本与日常生活世界融为一体的课堂教学日益脱离其生活的本性而成为一个别样的书本世界。完成性教育更是加强了这一痼疾。书本世界与日常生活世界在根本诉求、存在方式、活动方式、构成要素等方面都存在诸多差异，而一味停留于书本符号当中，势必造成学生对课堂教学的兴趣丧失，甚至发展的片面。

在师生关系上，片面追求师道尊严。在根本上，教师其实是作为一个社会和国家的“代言人”而出现的。完成性教育中对“大写”的人的强化，其实会很自然地演绎为课堂教学中师生关系的师道尊严。所以，学生的课堂生活自然地为教师所限定。班级授课制这一教学组织形式，难免会产生一个或少数教师难以面对太多的学生，从而产生一些被“边缘化”的学生等弊端。

在教学评价上，片面追求教学结果。重结果而不太重过程是完成性课堂教学在评价上的典型特征。这是由考试和分数在完成性课堂教学中的无限强化所致。学生为了高分急功近利，弄虚作假，甚至不择手段。

完成性课堂教学的片面性，对学生造成了一系列的不良影响。（1）学生被预先灌输一个意识，即教师传授和书本传授的知识都是正确的，不容怀疑的，学习的过程就是掌握这些知识并运用它们解决许多问题，而这些问题主要是书本上的。因此学生必须记忆力好，听话、驯顺。（2）学生必须尽可能多地掌握这些知识，成为一个博学的人，而不管这些知识是否过时，将来是否有用。（3）在教学活动中学生被要求跟随一个集体共同学习，必须抛弃许多个人的想法和要求，达到一个集体共同的目标。（4）学生的能力主要表现在考试成绩上，分数是学生学习优劣、能力高低的评判标准。这种以应试能力为本位、以选拔为基本手段、以书本为主要内容的精英教育显然损害了学生的个性和发展潜力。（5）学生被视为一个理性的动物，而失却了非理性因素。

我们发现，在教学中普遍存在着一些突出的矛盾。

第一，学生与教师和学校的矛盾。学校和教师为了应试普遍选择题海战术，导致多数学生负担过重，从而造成学生与教师和学校的冲突不断。

第二，学生与学生的矛盾。在教育资源有限的情况下，在以应试与升学为根本目的的完成性课堂教学推动之下，学生之间的正常友谊在很多时候往往被异化为竞争对手的关系。

第三，学生自我的矛盾。学生自我的矛盾根源于学生本身理性与非理性因素之间的冲突，这一冲突也可表述为学生个体与其社会职责之间的冲突。为了获得一个高分，为了在社会上谋取更好的生活，学生必须学会克制自我，必须将一个完整的生命体异化为一个理性的动物。

第四，学校与社会的矛盾。学校与社会作为两个有着不同特质的相对独立的系统，在对人的评价上存在着一定的差异。完成性课堂教学强调知识的传授和对知识掌握情况的检测，强调以分数为标准的结果评价，对学生学习过程和能力培养关注较少，这与社会对高素质人才的要求往往差距很大，结果导致相互间的关系紧张。

（二）发展性课堂教学：以“导读”为核心和发端的教育探索

教育的历史其实就是一部人的发展史。随着我国经济体制由计划经济向市场经济的全面转型，以及与此相伴的社会全面转型，对人的发展历经从轻视到重视、从自发到自觉的过程。在重庆一中，发展性课堂教学的思想先后历经了语文“导读法”、以“导学”“导创”为主题的全方位学科教学改革、分层教学和课堂教学激活探索四个阶段。

1.“导读法”阶段

（1）“导读法”开创的时代背景

20 世纪 80 年代，重庆一中语文教师黎见明通过广泛的调查和丰富的教学实践，站在时代高度，反思我国的中学语文教学，深感在教法上有三大主要问题。

一是“满堂灌”。有的教师说“灌、灌、灌，几十年的老经验”，敝帚自珍，不愿抛弃。“满堂灌”虽然名声不好，可到处盛行。有的教师借口差班差生，启而不发，不如满堂硬灌，总会令学生有些收获；有的教师认为教毕业生有升学与进度的双重压力，必须满堂灌；有的教师明确地说：“成绩是灌出来的”。

二是“满堂练”。分散孤立的练习接连不断，练的花样多、分量重。这种“满堂练”特别盛行于高三、初三。教师费尽心机，编制若干套考题；疏通各种渠道，获得若干套考题。教师、学生、家长到处奔走，研究考试命题、答题的规律，把大量考题集中归类，找出某些规律，从而把活的要求变成死的模式，然后让学生死记死练。学生终日填空格、画勾勾，面红耳赤、头昏脑涨，深为“题海”而苦恼。有识的教师不免慨叹：“题海无边，回头是岸。”

三是“满堂问”。于20世纪50年代后期开始流行。提问的目的不明确，即兴提问者多；满足于牵着学生鼻子走，不管学生怎样答问，即便他们的答问确有创见，还是要照搬教案上写的教学要点，一定要教师说了算。这看来是学生在“说”，而实际上是教师在“灌”的又一种形式。这种“问”，形式上比教师一个人“灌”热闹得多，实际上这种热闹只在一部分学生中存在，而另一部分不问不答的学生，则是受到冷落。个别教师甚至把提问作为压服学生的手段，那就更难调动学生的积极性了。

当时，这三种教学弊端在重庆一中的语文教学和其他学科教学中都不同程度地存在着。灌输式是主观主义教学的一种重要表现形式，“满堂灌”是封闭性的模式，而“满堂练”和“满堂问”却是封闭性的变式。“满堂灌”，不顾学生是否能接受；“满堂练”，不顾学生是否能够有效；“满堂问”，不顾学生是否能够发挥。这些都严重地脱离了实际。“满堂灌”是一种最省力气的教学模式。而这种主观主义的教学方式，否认了学生在学习中的主体地位，抹杀了学生的主动性和积极性，把学生看成容器，认为“多灌多得，少灌少得，不灌不得”，“把学生的头脑看成一面静止而不动的镜子”，结果使学生呆读死记，头脑闭塞，压抑了智慧。灌输式教学严重抑制了学生的发展，而当代世界科学技术的突飞猛进，我国由农村到城市各个领域改革的蓬勃兴起，都要求我们改变陈旧的方式，以适应新时代人才培养的需要。

（2）“导读法”的创始人和释义

自20世纪80年代以来，“导读”一直备受专家和全国各地语文教师的青睐。“导读派”以特级教师黎见明、钱梦龙、钟德赣为代表。“导读”理论问世于1981年，几乎是由黎见明和钱梦龙同时提出的。①

---

① 宿婉芳．导之以法 各显风流：三位特级教师“导读法”的异同研究［J］．内蒙古教育，2001（8）：7－10.

我校教师黎见明先生（1920—1991）是全国著名的语文教育改革家，早年在西南联大受业于闻一多等名家，学问渊博，治学严谨，尽管音哑病困，历经坎坷，他还是在重庆一中语文教坛上辛勤耕耘了40个春秋。在教学中，他潜心研究，倾力实践，以《读写新编》《语文导读》《语文导读与创造方法》《语文导读艺术》等著作，构建了全国著名的语文流派之一——“导读派”，影响着一代又一代语文教师，对重庆市语文教育作出了卓越的贡献，同时也带动了我校各学科的教学改革，学校教学走上了全方位的学科“导学”之路。如今，“导读”教育思想之花已经开遍全国语文教坛，“导读”的理论与实践也获得深化和发展。语文导读理论继承了古代语文教学启发诱导的优良传统，汲取现代教学理论的精华，在语文教学的教学目标、教学关系、教学模式、教学方法等方面均有所发展和创新。

“导”，指教师的指导、引导、因势利导，也就是发挥教师的主导作用；“读”，指学生的阅读实践，也就是充分体现学生的主体地位。“导”与“读”的统一，揭示了教学过程中师生彼此合作又互相制约的双边关系。

关于“导读”，张志公先生是这样阐释的：“导读”与“导演”和“导游”在结构上完全相同，都涉及两个方面，一方面是“导”，另一方面是“读”“演”或“游”。这两个方面中，后者是主体。导读的主体自然是学生，教师“导”的目的就是让学生读得更好，最终脱离教师，自己去读。教师不能代替学生读，更不能只管自己“导”，而不顾学生的阅读实际；要看学生呈现出的思维走向，要因势利导。学生阅读一篇文章，在有限的时间内收获大小，关键在于教师的“导”，它直接决定学生读的成效。

（3）“导读法”的开创性意义

“导”，注重引导学生学思结合。当学生学而不思时，须引导他们多思；当学生思而不学时，须引导他们去学。经过学思结合，做到举一反三、闻一知十，告诸往而知来者，触类旁通，温故而知新。“导读”的核心就是要“导”。叶圣陶说：“导者，多方设法，使学生自求得之，卒底于不待教师授之谓也。”“自求得之”，形成自学力，这就是“导”的基本要求。通过“自求”，培养创造力，做到“求疑，求异，求活，求速”。

“导读”注重培养创造力，根据有关培养创造力的理论，确定自成一派的原则系统。“导读”通过培养学生的发散思维能力培养学生超常力，即超越常态的思考能力；培养一种合乎时代发展要求的朝气蓬勃、充满生机的进取力；培养一种为创造提供源泉的想象力；培养对事物作出明晰而简洁的概括的综合能力；培养去伪存真，去粗取精的选择力；培养剔除糟粕的批判力；培养积极思考、敏于创造的敏捷力。

“导读”注重对“满堂灌”单纯传授知识的反省，与后者相比，它具有以下三个特点。第一，“导读”不仅教给学生知识，而且重视知识的应用，不断使学生具有解决实际问题的能力。“导读”贯彻理论联系实际的原则，克服理论脱离实际的弊端，引导学生把知识应用到生活和实际中去，让学生懂得这些知识在社会生产和生活中有什么用处，引导他们运用这些知识解释和说明某些社会现象和自然现象，分析和解决某些新问题。运用知识，比理解知识更困难。运用知识解决实际问题，需要广博的知识、正确的判断、灵活的抉择。真正解决了实际问题，认识便实现了新的飞跃，自然闪烁着创造性思维的火花。第二，“导读”不仅引导学生知道这些知识是什么，而且引导学生知道这些知识是怎样获得的，从而掌握认识世界的方法，使自己变得更聪明。“导读”还引导学生重视“学法”的研究，鼓励学生在听、说、读、写诸方面总结学习经验，经常相互交流，从中选择适合自己的最优学法，从而有所发现、有所创造。第三，“导读”突出情感教育，体现文道统一。①

“导读”重新关注学生的主体性。它要求一定要加强学生的阅读实践，教师不能越俎代庖，更不能只管自己“导”，置学生于不顾。要时刻关注学生，并通过学生的语言、表情、眼神、动作来窥视他们的内心变化，从而及时调控教学，加以合理诱导。教师还要尊重、鼓励学生发

---

① 黎见明．语文导读［M］．重庆：重庆出版社，1987.

表与众不同的见解，即使见解有些偏差，也一定要从不同侧面、不同角度给予适当的肯定，要小心翼翼地保护学生学习的积极性，并使每个学生都具有成功感。要培养学习兴趣，增强学习信心，因为自信心越强，成功的可能性就越大。黎见明先生认为："学习的迁移，主要是通过找出新旧知识点之间的共同要素来实现。共同要素是接线点，要善于用尽可能多的线，把现在正在学习的知识与自己已经形成的知识结构上的某些点连接，网络越精细，正迁移越大。"①

"导读法"强调给学生以充分的尊重，以学生素质发展为目的，符合先进的教育理念。

2. 以"导学""导创"为主题的全方位学科教学的改革阶段

"导读法"在黎老师的带领下，以"问导型""读导型""写导型""讲导型"等为基本课型，并派生出了"自学指导实验""学法课""单元目标教学"等教学模式实验，探索出了"牵线寻点导读法""层层揭疑导读法""误入正导法""比较提问导读法""逆向导思法""提问导思法""供材料导写法"等导读教学方法，从而呈现出一派生机勃勃的局面。在"导读"思想指导下，我校其他学科把语文导读思想运用于本学科教学之中，并结合本学科实际，不断研究、实践、创新，形成了"导学""导创"的课堂教学改革新局面。"导学"就是在教师引导下的学生自主学习，"导创"就是在教师引导下的学生创新学习。为此，我们致力于对学生进行学法指导：进行学情调查；加强思想教育和心理咨询，充分调动学生的学习积极性；掌握学法理论；提高学生的学习兴趣；分类指导，因材施教；将学法知识转化为学生的学习能力，使学生养成良好的学习习惯；学科渗透，拓展和深化学法。

3. 分层教学阶段

班级授课制使学生个体潜能难以得到充分的发挥，同时，随着学校

---

① 黎见明．语文导读与创造学法［M］．成都：四川教育出版社，1991：233.

规模的扩大，校际之间在重点大学升学率上的竞争加剧，学校的优生教育趋向渐明，出现了中差生跟进不力的现象。为使人人得到发展，实现教育的公平，我们借鉴了美国学者布鲁姆的“掌握学习理论”和苏联教育家巴班斯基的“教学最优化”思想，在以往课堂改革的基础之上，于1995年至1998年进行了为期三年的“分层教学、分类指导的实验与研究”。在充分研究学生特点的基础上，我们按学习状况确定了三个层次，在班级团体教学和分班教学中，依据教学大纲的要求，从各类学生的实际出发，确定不同层次的要求，进行不同层次的教学，给予不同层次的辅导，组织不同层次的检测，使各类学生在学习中人人有兴趣，个个有所得，在各自的“最近发展区”得到最大限度的发展。

实施分层教学的五个基本环节是：学生分层、教学目标分层、施教分层、测试分层、评价分层。分层教学是以体验成功来正面引导学生，改变过去那种以一份教案、一张试卷、一种学习方式、一个标准面对全体学生的做法，体现了对学生差异发展的追求，体现了以人为本，也体现了特色教育。分层教学实现了因材施教的教育思想，体现了人性化的教育理念，提供了新人才观的理念。

当然，分层教育也存在一些问题，如教师角色的转换问题，分层教学的组织协调问题，理想化的分层与教育成本的核算矛盾问题，成功型的评价理念与传统评价的构建冲突问题，为进行分层教学而形成重点班和普通班所带来的社会问题，等等。这些都有待进一步思考、研究，以找出合理可行的解决方案。

4. 课堂教学激活阶段

现行课堂教学普遍存在以下两个极端。一是升学压力下的课堂教学呈现出明显的“完成性”和“线性”特征，存在主体意识的沦落、启发式教学的丧失和民主创新的缺失，学生的“有为”太少，主动去发现、捕捉、实践的机会基本被剥夺，教学呈现出单一化、教条化、模式化和功利化等突出问题，基本上无激活表现。二是新课程改革背景下，不少的课堂教学又呈现出形式化弊端：课堂提问过多，肢解了内容主体；课堂活动过多，掩盖了内容主体；辅助手段过多，弱化了教学主体；拓展角度过多，淡化了学科特质。课堂因缺失积极的调控而只是表面热闹，教与学呈现出一种无序状态，课堂缺少真正有效的激活。

“激活”原是行为主义心理学的一个术语，指的是对生命个体的神经或者有机体进行刺激而促使其产生应激反应。在词汇学上，激活是指“刺激机体内某种物质，使其活跃地发挥作用。用来比喻刺激某事物，使其活跃起来”①。

从这一角度讲，教学激活就是一种唤醒，是一种积极的调动和有效的调控，包括对人的兴趣、情绪、意识、思维以及知识、环境、关系等的唤醒、调动和调控。其中，“激”是一种教学手段和方法，如激发、激励、激疑、激趣、激动等；“活”是一种教学状态和结果，如活跃、活动、灵活等。所以，激活既是一种教育方式，也是一种教育目的，教学激活的旨归就是实现课堂教学价值的最大化。

作为一种积极的调动和有效的调控，激活包括对人的兴趣、意识、思维、情绪以及知识、环境、关系等的唤醒、调动和调控。真正好的课堂教学应该是处于有效激活状态和激活过程中的课堂教学。

课堂教学激活应体现“知识和能力”“过程和方法”“情感态度和价值观”的“三维”教学目标观，激活不是单一的，而应是多层面的，特别是影响学生潜在能力发掘的相关因素，譬如习惯、思维等，课堂教学激活唯有同时关注知识技能、过程方法、情感态度价值观等多个方面，才能真正而全面地实现人的素质的提升。

课堂教学激活应体现开放、生成的新知识观和课堂教学观，即强调知识的内隐性、动态性、开放性、生成性，强调课堂为开放、动态、生成的生态系统。真正意义上的课堂教学激活应该是师生在基于教材文本的相互交流、对话中不断进行的知识、思维、思想的生成，而这种生成反过来又促进双方的共同发展。

---

① 中国社会科学院语言研究所词典编辑室．现代汉语大词典［M］．5版．北京：商务印书馆，2005：634.

课堂教学激活应体现关注过程、尊重差异的课堂教学评价观。关注过程，要求课堂教学围绕某一教学点或情绪点进行有序的过程激活，让学生在过程中体验知识的原创过程，感受知识生成的激动与欢欣；尊重差异，要求课堂教学评价除了具有共同的内容、标准、要求，还应考虑学生的个体差异，课堂教学激活应该有不同的层面和不同的针对点。

以上四个阶段，内在地体现了改革开放以来我们对学生和人的认识的不断深化，体现了教学价值取向从提高知识传授的效度到培养学生能力、发展智力、培养非智力因素，再到当前关注人的完整生命体的发展这样一个历程，正是这些认识的深化，使我们将学生的发展作为课堂教学的主题，而这首先要激活学生发展的潜能。

二、激活学生发展潜能：课堂教学改革的理念

（一）学生：具有发展潜能的生命体

课堂教学期待用一个完整的体系来培养一定规格的学生，希望学生在自己的学生时代就形成足够供其一生享用的知识和技能。这是工业经济和计划经济时代的产物。21 世纪是一个全球化和知识信息化的社会，对人才提出了新的要求。新时代的人才应该具有以下特征：健康的体魄、健全的人格和健康的心理素质、思想道德素质、创新型精神品质、科学素养、人文素养。这便需要我们在当前课堂教学的语境下对“什么是学生”进行本体论的追问。我们认为，学生首先是一个知情相统一的完整生命体。他们不仅具有求知的需要，也客观上存在情感方面的追求。其次，学生是一个独特的生命体。学生之间在生存环境、生活方式、智能结构、学习方式等方面存在着差异，必然导致其对知识进行不同的建构，进而获得不同的发展。最后，学生是一个具有发展潜能的生命体。现代心理学的研究早已表明，人的发展潜能极大。以上三点启示

我们应树立一种以学生发展为本的学生观，使教学尊重学生的主体地位，发挥学生的主体作用，激发学生的学习热情，使其主体意识、主体精神、主体能力和主体人格得到良好的发展。当前的课堂教学不仅要面对学生的昨天和今天，还要面对学生的明天，它应该始于关注每一个学生，尊重每一个学生，满足每一个学生的需求，善待每一个学生，成全每一个生命的发展。

（二）教师：学生发展的导航者

鉴于对学生是一个具有发展潜能的生命体的判定，发展性课堂教学视阈中的教师应积极转换其自身的角色，从“独奏者”过渡到“伴奏者”，不再以片面传授知识为主要目的，而是致力于帮助学生去发现、运用知识。教师应由知识的传授者、教学的管理者转变为学生学习的合作者、参与者和引导者。

在课堂教学激活中，教师应坚持以下原则。（1）发展性原则。作为落实素质教育的主阵地，课堂教学应以促进学生素质的提高为出发点和落脚点，充分发挥课堂教学亦即教育的发展功能，使学生得到最大限度的发展。（2）全面性原则。教师在课堂教学中应面向全体学生，全面完成课堂教学的各项任务，全面提高学生的基本素质，这是一个涉及教育公平和公正的问题。（3）实践性原则。学生的发展是在实践与活动、合作与交往基础上的自我建构，所以课堂教学的激活应提供给学生充分的实践机会。坚持实践性原则并不否认知识的学习，只是主张在一个新的视角下，即实践观的视角下，重新审视知识的生成，正视知识的经验性、情境性、个体性等特征。

在课堂教学的语境中，教师应坚持三个原则。（1）学生本位的原则。坚持以学生为本位，力求实现教师与学生、学生与学生之间的互通互融，彰显每一个学生的独特个性，还学生以课堂主人的本真地位。（2）尊重学生的原则。把学生视为一个整体的人，有学习的能力，有探究的欲望，有创新的潜能，有独特的个性，这就要求教师真正做到尊重学生，信任学生。（3）依靠学生的原则。引导学生主动参与课堂教学，坚守课堂教学是教师价值引导下的学生自主建构这一基本命题，在教师、学生、文本的有效互动之中获得知识的意义。

为转变角色，教师要做到“师爱”。“师爱”就是教师对学生的爱，热爱教育事业就是热爱学生。林崇德教授认为：“疼爱自己的孩子是本能，而热爱别人的孩子是神圣！”教师对学生的爱“在性质上是一种只讲付出不记回报的、无私的、广泛的且没有血缘关系的爱，在原则上是一种严慈相济的爱。这种爱是神圣的。这种爱是教师教育学生的感情基础，学生一旦体会到这种感情，就会‘亲其师’，从而‘信其道’，也正是在这个过程中，教育实现了其根本的功能。因此，师爱就是师魂。”“师爱”是转换教师角色的动力。

教师需要加强学习，以更新自己的知识结构，从重学科知识到学科知识、学科教学知识、教育基本理论知识等并重，并极力在教学实践活动当中生成自己的实践性知识，最终实现从一个以教育为谋生手段的教书匠，转变为一个以教育为专业的智慧型教师的根本性转变。这是教师转换角色的关键。

锤炼稳定的心理素质、开阔的胸怀，这是教师转换角色的保障。教师要树立开放意识，要从书斋、教室、学校走出来，结束那种自我封闭、自我满足、自我欣赏、自我陶醉的状态，立足岗位，立足国情和当地实际。通过各种信息传递方式，把视野多角度地扩展到外部世界；用辩证唯物论的观点观察、分析、认识问题，把握国内外教育改革的动态。要从头脑想着应试题，心里盼着从高升学率的禁锢中挣脱出来，与旧的、保守的教育观念、人才观念、素质观念、教学方法等划清界限，寻找自我素质结构定位，并积极创建素质教育的新模式，在参加目前向素质教育转变的实践的同时，看到素质教育所呈现的未来前景。一个有作为的教师能够预测未来教师的形象，研究未来教师的类型和素质结构，从而站在前瞻性的高度来构筑 21 世纪教师素质结构，以此作为不懈追求的奋斗目标。

教师要坦诚地接受学生的挑战。在教师与学生的双边交流活动中，虽然教师担任教育者角色而学生扮演受教育角色，但教师与学生应该是互相促进、共同增益的。教师作用于学生，而学生又可以能动地反作用于教师。这就是双方教学相长的规律。这正如《学记》所说："学然后知不足，教然后知困。知不足然后能自反也，知困然后能自强也。故曰'教学相长'也。"这同样如古人所云："青，取之于蓝而青于蓝；冰，水为之而寒于水"，"弟子不必不如师，师不必贤于弟子"。

教师要能包容学生的过失。"人孰无过，过而能改，善莫大焉。"教育的对象，相对而言是一些年纪轻，阅历少，知识欠缺的个体。学生的过错是学生成长过程中一个无法避免的合理性存在，我们应把孩子当成小孩子，不要当成小大人。

（三）教学：学生发展的文化生态系统

教师的任务不只是完成预设的方案，而应和学生一同探讨、分享、创造美好的生命经历。从生态学的视角来看，课堂是一个生态系统。课堂生态系统是一个开放式的系统，它包括物的因素和人的因素。物质因素包括教室内的设施、媒体、时间、空间以及自然形态等，物质因素构成课堂自然环境；人的因素指课堂中的学生和教师，以及人在特定的物质背景下所生成的精神因素，这是课堂教学的主体因素。这些因素在自然环境、社会环境、规范环境、心理环境的综合影响下，共同依存，相互制约，并不同程度地作用于课堂教学。将教学作为学生发展的课堂生态，其实是为学生的发展构建一个生态课堂，也就是说，在课堂教学中坚持以学生发展为主体，一切生态因子之间有机组合与协调运动，进而产生互相激发、共同参与、质疑探究的浓郁学习氛围，在不知不觉中实现师生共同发展、持续发展与和谐发展的课堂追求。课堂教学生态是和谐自然的，是人文情境与科学情境在完整意义上的和谐统一，是物质因素与人的因素的和谐共生。这样的课堂自由开放，学生在课堂上积极参与，在学习中带有强烈的兴趣和自我选择性，有丰富的情感体验，能主动地悦纳自己并悦纳他人；教师教学无功利色彩，能创造性地组织教学活动，以发展性的眼光、宽容的态度处理课堂上的每一件事，并从中得到自我价值实现的愉悦。

构建课堂生态，源自多方面的需要。首先是社会发展的需要。当前，运用科学发展观构建和谐社会已经成为社会发展的主流，在这样的宏观背景下，如何重新审视课堂，以和谐促科学发展，理应成为我们思考和聚焦的重点。其次是教育发展的需要。传统教育存在两大误区："唯科学"和"唯工具"。教育必须从这两大误区中走出来，从教学规律和学生身心发展的规律出发，理解生命的意义，研究生命的规律，挖掘生命的潜能，提升生命的价值。最后是学生发展的需要。课堂教学的使命在于使学生获得全面、持续、和谐的发展。然而受功利主义影响，有些教师在课堂中"见物不见人"，一切以知识为重，学生对于学习本身的兴趣和激情正一点点丧失，课堂沦落为知识的加工和传输场，全然没有了智慧的对话、精神的召唤和生命的会晤。

课堂生态的构建关键在于创设一个适宜的课堂教学情境，这可以从物与人这两个角度来分析。

从物的角度来看，作为隐性的课堂教育手段，物质因素对课堂教学往往起着背景暗示和心理调适的作用，影响着教学双方的关系及教学走向。从某种角度上讲，物质因素的转变给课堂教学带来的可能是深层次的变革。比如在教学的设施因素层面，课桌椅（凳）的排列形态近年来受到了一定关注，因应学生的特点及课堂教学实际的需要来设计课桌椅的排列方式，诸如"马蹄形""扇面形""U 形"等，这种简单变换，实际上转换调整了师生、生生的位置关系，暗示着一种理解与交流机制的形成，引起了学生心态的变化，促进了学生参与课堂交往的意识，为课堂教学提供了物质背景和心理环境。所以，不断改善学校教学环境，不只是要修建数幢高楼、铺设数条大道，更要加强对课堂教学微观生态的有效预设，特别是各学科专用教室的设置，以满足不同学科和不同课型的教学需求。

从人的因素来看，鉴于人是课堂教学的主体因素，课堂教学情境的创设最终要通过人的因素这一层面来实现，而且是人的精神这一层面。由人的因素而生成的精神因素包括课堂上的人际交往、心态、情感、评价、舆论、观念等。相对于其他因素来说，精神因素具有隐蔽性和不可测量性，是存在于课堂主体内部的生态因素。它产生于人，又作用于人，是课堂教学的动力源，体现在课堂上，主要指的班风、学风、心理状态以及评价氛围等。譬如，师生的心态和观念是课堂精神因素的体现，自由开放的心态和封闭压抑的心态，发展性的教学观或价值观与狭隘的教学观或价值观所产生的课堂激活状态是不一样的。所以，课堂教学情境创设的背后要有强大而持久的精神因素的支撑，这就需要注意良好班风、学风的营造和教育观念的改造更新。

三、激活学生发展潜能的课堂教学改革路径

科学主义教学观重视认知的、理性的、逻辑的教学活动，将科学知识、技能、智慧的生成作为主要目的，运用具有客观真理性的教材，把科学技术的新成果吸收到教学内容中，教学活动有章法，能使学生的逻辑思维能力得到良好的发展，但忽视了学生的人格、情感、主动精神等，势必造成教学见物不见人的偏颇，给人的发展带来严重缺陷。人文主义教学观重视人性关怀、个体交往、情感交流、艺术创造，以人的价值的实现、情感体验的满足、创造力的激发为宗旨，教材重视人文知识、审美价值和道德价值。科学精神和人文精神是人类在实践中创造出来的最为宝贵的两种精神，两者之间有着共生互补的关系。在人类社会的改造建设中，只有将两者并重，才能保证发展实践的正确取向和成功。因此，应坚持科学精神与人文精神相整合的课堂教学改革思路，确保学生的有效发展。我们坚持科学与人文有机统一的发展性教学的新体系，提倡文理兼修的通才教育。在文科教学中，要充分发挥人文气息浓厚的自身优势，开展好人文精神的教育。在理科教学中，应找准科学知识与人文知识的结合点，不失时机地贯穿人文精神。科学精神与人文精神相统一的课堂教学改革路径，体现于教学目标、教学内容、师生关系、教学策略、教学评价等各个方面。

（一）制定差异性的课堂教学目标

教学目标是师生通过教学活动预期达到的结果或标准，是对学习者通过教学以后将能做什么的一种明确的、具体的表述。它主要描述了学习者通过学习后预期产生的行为变化。随着当前教学论的研究主题由“工具论”向“发展论”的转换，课堂教学价值取向正在实现“从‘学会生存’‘学会关心’到‘学会发展’的跨世纪超越”①。学生发展的问题，事实上已成为当前教育的关键词。它包括三个方面，一是“谁的发展”，二是“发展什么”，三是“如何发展”。“谁的发展”涉及的是发展的主体问题，“发展什么”涉及的是发展的内容问题，“如何发展”涉及的是发展的机制问题。

课堂教学目标主要包括“谁的发展”和“发展什么”这两个问题。当前的课堂教学是群体发展基础之上的个体发展。伴随着人从“大写”走向“小写”，个体生命日益受到重视。群体发展是一个关涉国家的教育方针和政策，关涉教育伦理以及教育公平、公正的问题。一方面，从主观诉求而言，我们的确需要人人成功，也呼唤着群体的发展。但是另一方面，学生间的个体经验、家庭背景、生存环境、认知结构、学习习惯、思维方式等的差异，必然会导致学生的学习方式乃至学习结果的差异，最终实现的是一种差异的发展。正是具有差异性的不同个体，才构成一个现实的生存世界。为了实现差异性的课堂教学目标，课堂教学应对不同层次的学生作不同要求。

我们把教学内容和目标按“低起点、多层次”的原则加以精心设计，将知识能力、思想方法融为一体，对不同层次的学生从理解问题的速度、认识问题的角度和练习巩固的强度等方面，提出不同的要求，不强求全体学生共同达标。以B、C层学生达标为参照点，允许A层学生提前达标，允许D层学生延后达标。具体包括：①例题、习题的层次性；②设问、提问的层次性。此外，我们还采取了以下策略。

---

① 参见：裴娣娜. 对教育观念变革的理性思考［J］. 教育研究，2001（2）.

第一，作业设计等级化。必做题的设计要体现对学生最基本的要求，选做题要保证学生掌握“双基”和达到稍高的要求，也有部分综合性强或含有一定技巧的练习，让不同层次的学生都有所收获。

第二，测验考试多元化。基于学生成绩的多层次性，一份试卷的试题应具有层次化特点，设必做题、选做题、拔高题等不同层次和形式。必做题的命题以教学大纲的基本要求为依据，面向中等生和学困生；拔高题强调灵活、综合应用，主要面向尖子生；选做题的难度介于必做题与拔高题之间，供学生选做。选做题和拔高题都独立定分。这样的考试体现了多元的弹性功能，适应了全体学生的发展要求。

第三，课外辅导差异化。课外辅导是分层教学分类指导的重要环节之一。我们参照学生 A、B、C、D 四个层次划分来对他们进行辅导。对 A 层学生要让他们更上一层楼；对 B 层学生要让他们向 A 层转化；对 C 层学生，要使他们在学习表现与学习态度方面上档次；对 D 层学生，教师要扶持，多给他们一点“阳光”。最终实现“能飞的飞，能跑的跑，能走的走，不能走的推上一把”，使不同层次的学生都得到发展。

（二）走向开放性的课堂教学内容

课堂教学从日常生活中脱离出来而日益成为一个独立的系统，客观上造成了课堂教学作为一个书本符号世界与日常生活的巨大差异。然而从根本上说，课堂教学是一种特殊的生活，学生总是带着一定的生活经历走入课堂，最终也将回归到生活之中。如何在对学生而言较为陌生的书本符号世界与较为熟悉的日常生活世界之间建立有效的联系，以提高课堂教学效率，促进学生更好地发展？我们尝试在课堂教学内容上采取“开放”的策略，以吸纳生活性的课堂教学内容。其主要措施如下。

1. 开放学习空间，营造创新氛围

实现教师、学生、教材、教学环境等多方面的横向联系，发挥相互作用和影响。可带学生走出教室，到田野、工厂、博物馆等场所，充分利用社会环境本身蕴涵的巨大教育资源，创设开放性的学习空间，为学

生提供积极广阔的创新氛围。

2. 开放思维空间

“学起于思，思源于疑”，学生有了疑问才能进一步去思考，才能有所发展，有所创新。开放教学过程就是要创设质疑问难的情境，挖掘教材中利于激发学生创造性思维的因素，给予充分的时间，或独立思考，或互相质疑，或大胆想象，或相互争议。鼓励学生不断生疑，大胆发问，对新问题和新知识始终有好奇心与求知欲。培养对问题主动思考的质疑精神，让课堂上的时间闪烁着创造的火花。

3. 开放课堂练习

增强习题的开放性，主要从以下几方面入手：一是改教材中的封闭性习题为开放题，并从课外加以适当引申与深化；二是作业形式多样化，可由单一的笔做解答习题改为口答、操作、撰写小论文、制作模型、实践调查等多样式的作业；三是学科练习整合。

（三）选择多样性的课堂教学策略

在教学方式上，传统教学是教师本位，教学策略主要是“一言堂”，一讲到底，教学形式单一，课堂气氛沉闷。课堂教学成为了“训练”的代名词，学生获得的不是对整体世界的认识和体验，而是支离破碎的知识的堆积，以至于人的生活的价值与意义不可避免地被湮没，学生感受不到人生的充盈和生活的完美，感受不到课堂教学的生命意义。正因为如此，法国哲学家蒙田曾经激烈地抨击那种满是知识而无心灵的课堂教学的弊端，“草木因太潮湿疯长而郁闷，灯儿因油上得太满而窒塞；心灵的活动也胶滞于过多的智识与钻研，因为受这许多繁杂的事物所占据和羁绊，它必定失掉自由行动的能力。而这些事物的重量也必定使它弯曲伺偻起来……我们只孜孜不倦地去充塞我们的记性，任我们的悟性与良心空虚。正如有些鸟儿间或外出寻觅谷物，未经尝过便用嘴带回去哺喂小鸟儿。同样，我们的学究们到书里去拾取知识把它带在唇端，只为要吐出来使之散布于空中”，他们“至少应该带一颗丰盈的灵魂回来”。

现代课堂教学对学生独特个体、差异发展的肯定，对自主、合作、探究等学习方式的确立，决定了教师指导方式的多样性以及课堂教学策略的多样性选择。近年来，我们积极利用现代信息技术等手法，打破常规的课堂教学，实现了教师教学策略乃至学生学习方式的多元化。如基于网络环境下学生自主探究学习的教学模式（图5）等。

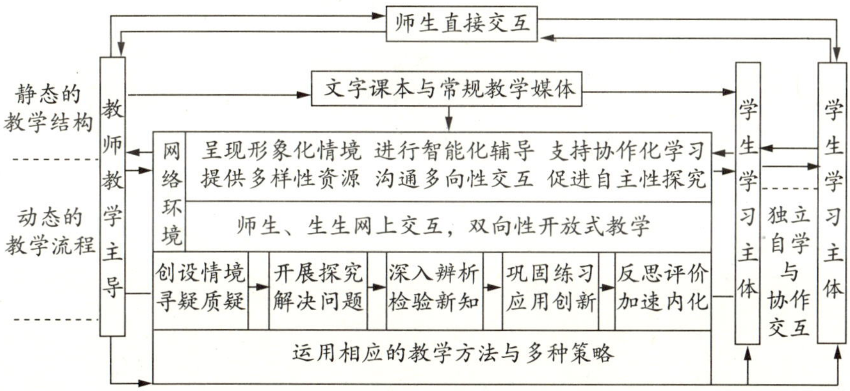

A 基于网络环境下学生自主探究学习（问题解决式）的教学模式

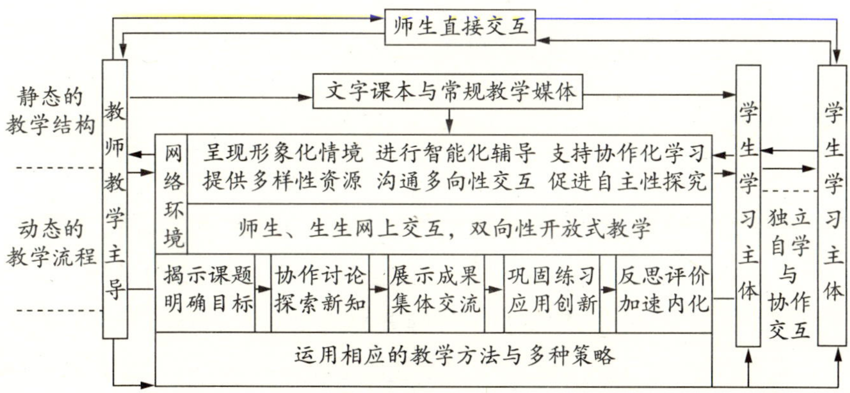

B 基于网络环境下学生自主探究学习（任务驱动式）的教学模式

图5　基于网络环境下学生自主探究学习的教学模式

(四) 追求民主性的师生关系

师生关系是学生学习生活中最主要的人际关系，是教师与学生在理智、情感和行为等诸多方面进行的动态的人际交往。我们主张建立民主的师生关系，即师生之间民主平等、相互理解、彼此信任、融洽相处。民主性的师生关系具有增效、激励、创造、教化甚至心理保健的功能。从教师的角度来说，民主性的师生关系能使学生尊敬、信赖并且喜爱教师，这对教师也是一种鼓励和鞭策。从学生的角度来讲，民主性的师生关系使学生把教师看做最信赖和仰慕的人，他们喜欢上这种精彩的课，把它当成一种享受，还可以提高学习效率。同时，他们懂得尊重教师就是要尊重他们的劳动，所以他们总会积极配合，专心听讲，勤于思考，努力学习，对教师所传递的知识信息会尽量吸收，这又提高了学的效果。在这种清新浓郁的民主气氛中，学生的思维更加敏捷，记忆更加清晰牢固，想象更加丰富广阔，从而有利于对学生创造性能力的培养。

构建民主性的师生关系的关键因素在教师，所以我们一直坚持教师对学生的热爱——“热爱是最好的老师”。把“有教无类”“诲人不倦”作为职业守则，就能以“养成教育”塑造人，“爱心教育”温暖人，“创新教育”培养人，“理想教育”鞭策人，“挫折教育”锻炼人，“赏识教育”激励人，“协作教育”团结人，“礼仪教育”亲和人，“责任教育”督促人。

真诚是打开学生心灵之门的钥匙。教师在教学活动中，每一句话、每一个举动都应该是发自内心的，应该是自己真实情感的流露，因为学生善于观察和体会教师的言谈举止，只要是教师发自内心的举动，学生都会记在心里，并且有所感悟。教师要真情付出，把爱洒向每一个学生。人与人之间，只有用真情才能达到心灵的沟通。教师与学生毕竟存在一定的年龄差距，年龄差距越大越不容易进行沟通，只有用真实的情感来淡化年龄的差距，才能与学生进行心与心的交流。现代课堂教学的突出特点是师生互动，这种互动不单指知识和教学环节的互动，更重要的是指师生在情感上的互动，这种真情在师生之间的传递突出了现代课堂以人为本这一重大特征，更表现了现代课堂教学以师生的真情传递为生命这一要旨。

我们正视学生的主体地位，强调“学生是学习的主人”。学生只有成为“学习的主人”，才能在教学活动中实现充分自由的发展，才会感受到尊重和责任，进而使师生关系更加和谐。

（五）构建发展性的课堂教学评价体系

评价是课堂教学的重要而薄弱的环节。近些年来，我们积极探索课堂教学评价方法的改革，努力从评价的选拔功能取向向发展性价值取向转变。为此，我校制定了一系列旨在促进学生发展的评价制度。在评价对象和范围上，突破学习结果评价的单一范畴；在评价的方法及技术上，从单一的定量评价发展到定量评价和定性分析评价相结合，鼓励个人参与评价，运用学生成长档案袋、小论文、答辩、各式各样的小制作等多元化的评价形式。我们在课堂教学评价方面重点进行了以下改革。

1. 改革考试方法

考试是教师了解情况、反馈信息、改进教学、提高质量的必要手段，也是对学生学习行为和效果进行检测的一种方法。遵循全面实施素质教育的基本原则，我们制定了《重庆一中关于加强考试管理、改革考试办法的意见》，对学生学业成绩实行分层次的评价。

（1）采取“100＋50”考试方法

“100＋50”的含义是：“100”分为考试的基本要求，以第一类教学目标为命题依据；“50”分为较高要求，以第二类教学目标为命题依据。评价标准是：学生以100分为基础成绩，60分为及格标准；评定优秀学生以150分为基准，120分以上为优秀。“100＋50”分制的及格下限（60分）有利于后进生了解自己掌握基本知识的程度，激励他们学习的信心；其上限（150分）则为中等及以上学生发挥自己的潜力提供了充分保证。针对现行考试制度、内容、方式的弊病，地理、生物等学科除笔试外，增加野外考查的内容。各学科试卷命题权重为基本要求

70%、发展要求20%、创新要求10%。“100+50”考试方法适应了不同层次的学生，是一种适应素质教育、引导学生全面发展的评价制度。

（2）加强实践操作考查

为了培养学生的动手能力，物理、化学学科在期中或期末考试时，增添实验考试；地理、生物学科除笔试外，增加野外考查的内容；英语学科除笔试以外增加听力和口试。

（3）开、闭卷考试结合

我们对非毕业年级历史、政治、地理等学科实行开卷考试。只要求学生掌握最基础的知识和最基本的原理，用正确的思想方法去观察、了解社会。采取开卷考试形式时，不能采用闭卷考试的评价方法和标准。闭卷考试采用标准答案逐点逐题评分，而开卷考试考查背景广阔，题目灵活，答案多样化，不能套用“标准答案”。评价中不能只看重结果，而应注重解决问题的思想方法和过程，要求对学生的理解水平、接受程度和应用能力给出相应的评价。

2. 改革“三好学生”评选办法

传统的“三好学生”评选是按德、智、体的标准量化进行，但实际上在多数时候都是只注重了学习成绩一个指标，一些有特长、有个性的学生可能就与“三好”无缘，致使“三好学生”的评选不能起到激励和促进学生更好地发展的作用。针对这一弊端，我们以“争章夺星”活动代替评“三好”活动，具体有“学习星”“纪律星”“孝敬星”“体育星”“智慧星”“礼仪标兵”等。学校学生处制订了相应的方案，在指标上除了原来的德、智、体之外，还加进了文明礼仪、人际交往、爱好特长等方面的个人素质。这样做不仅能照顾到学生的全面发展，而且能照顾到学生的个性特长，每个学生都可以从某一个方面得到认可，从而激励自己不断上进。

3. 改变学生评语的写法

多年来教师给学生写的评语往往是公式化、概念化、千篇一律、千人一面，先说该生思想表现，再说该生学习成绩等“八股”形式，不能从个性上反映出学生的特点，也不能从实际上指出学生努力的方向。我们提倡教师用情感交流式评语代替传统的评语形式。学生的思想行为是丰富多彩的，评语不可能面面俱到，否则就会空洞无物或不痛不痒，下评语抓住一两点，从某个侧面写上三言两语，轻轻点拨一下，会更实际、更有效。教师通过评语献给学生一颗爱心，和学生进行感情交流。教师站在朋友的立场上，不是威严可怕，而是和蔼可亲，充满人情味，富有亲和力。

4. 开展教学成果“展示性”评价

传统的教学质量评价主要是依靠试卷和分数这把尺子来衡量学生，往往是重书本，轻实践；重应试，轻应用；重结果，轻过程；重个别，轻全体。为了克服这一应试教育的弊端，我们开展了教学质量“展示性”评价活动。所谓“展示性”评价，是指把应该评价的对象一个不少地列入评价范围，把应该评价的内容尽可能多地摆放在桌面上，把学生带来的学习成果在现场展示出来。展示的内容丰富多彩，包括学生的自办手抄报、摄影作品、书法美术作品、军训日记、科技小制作、小设想、小发明、小论文，还包括各种类型的学生特长展示和体育、艺术类的汇报演出。我们还定期开展学生研究性学习课题研究成果展示。这些展示还引起了学校所在社区的广泛关注，产生了较大的社会影响。

多一把尺子衡量，就会多出一批好学生。“展示性”评价活动不是为了排队，而是为了学生的发展，鼓励学生创新，发挥个性特长。这就促使教师根据学生的个性特点和特长来培养学生，起到了良好的导向作用。“展示性”评价活动对师生教学过程和结果进行了全方位“扫描”，具有公开性、直观性、可比性。学生既是被评者，又是评价者，这种双重角色体验发挥了学生的主体作用。在“展示性”评价活动中，学生得到了表扬和鼓励，产生了成就感，激发了上进心，全面素质得到了很好的发展。

我校已经多次举办了全市性的现场观摩会，起到了很好的示范作用。

5. 培养学生自我评价能力

中学时期，学生进入了一个身心发展的新阶段，自我意识不断增强，开始逐渐地了解自己的个性特点，并能自觉地评价自己的行为。我们抓住有利时机，培养学生的自我评价能力。学校团委、学生会每学期都要组织同学开展自我评价分析活动，活动中，学生们开展批评与自我批评，先由学生自己进行全面总结，认真分析阐述自己的优缺点，然后再由其他同学根据其平时的表现，各抒己见，对其进行客观、公正的评价。通过这一活动，使学生能够更好地认识自己和发展自己。

我们还针对学生的情况研制出一份课堂教学评价量表（表1）。

表2 重庆一中课堂教学综合评价量表

评价项目	权重	评价指标	评价等级			项目得分
			A	B	C	
目标预设	10%	目标预设： 1. 目标的有效性（目标明确具体，定位准确） 2. 目标的发展性（体现新课程理念，立足于学生发展，挖掘出了对学生的认知、情感、思维或实践具有激活价值的切入点或操作点）	8至10分	4至7分	1至3分	
过程展示	20%	过程设计： 1. 内容的科学性（深广适度，容量得当；重难点突出分明；学科特性鲜明） 2. 过程的完整性（环节清晰、结构完整） 3. 流程的曲致性（不是一览无遗，有节奏和起伏，具有一定的曲美效果）	16至20分	11至15分	0至10分	

续表

评价项目	权重	评价指标	评价等级			项目得分
			A	B	C	
过程展示	20%	教师行为： 1. 状态的激情性（教师情绪饱满，有感染力和亲合力） 2. 情境的生成性（问题预设有思维深度，课堂中有新的问题情境生成） 3. 手段的有效性（能灵活且有效地选择和运用教学策略和教学资源） 4. 教学的机智性（课堂调控及时得当，能恰当处理突发问题）	16至20分	11至15分	0至10分	
	30%	学生行为： 1. 学生的参与状态（神情专注，全员参与） 2. 学生的合作状态（交流得体，合作积极） 3. 学生的情绪状态（能自我调控好学习情绪，有不同的情绪变化） 4. 学生的思维状态（能有条理地解释、表述所学知识，回答具有自己的思想或创意） 5. 学生的生成状态（善于多角度思考问题，能主动提出有价值的问题）	25至30分	15至24分	0至14分	
效果反馈	20%	效果反馈： 1. 过程体验（学生有满足、成功与喜悦等体验，参与、合作、情绪、思维和生成状态好。主要靠观察、课后问卷或问询获取） 2. 效果检测（学生对知识掌握牢固，能解决实际问题；主要靠观察分析获取）	16至20分	11至15分	0至10分	
总分						
希望与建议						

我们认为，一堂课成功与否的标准，不全在于教师讲得是否精彩，更在于学生学得是否主动、有效。务须确立以学生发展为中心的课堂教学观，课堂教学激活状态评价要从“评教”为主转移到“评学”为主。在表1中，“学生行为”一项的权重占到30%。它包括学生的参与状态、学生的合作状态、学生的情绪状态、学生的思维状态、学生的生成状态，而每一种状态都包括一定的外显行为。

总之，为了更好地实现学生的发展，从我校黎见明老师的“导读法”开始，直至当前在合理借鉴新课程理念的基础上所提出的激活学生发展潜能的课堂教学理念，以及围绕课堂教学这一学生发展的主渠道，我们在课堂教学目标、课堂教学内容、课堂教学策略、师生关系、课堂教学评价上进行的一系列改革，共同组成了我校发展性课堂教学的整体构架。当然，这一构架必须通过具体学科教学来实现。

（六）别开生面的活动作业——在活动中学习

1. 活动作业设计的理念

（1）发展的理念。遵循“发展性教育观”的要求，我们认为，学校的一切应为了学生的发展而存在。寒假作业不应是机械的训练，更应该成为学生发展的基石。通过寒假作业，一方面巩固他们在学校学到的知识，另一方面提高他们的学习兴趣，为下个学期的学习提供一个良好的开端，这是我校寒假作业的目的所在。

（2）激活的理念。以往的假期作业令学生苦不堪言，而我校作业抓住了学生的心理兴奋点，能够有效地激发他们的学习兴趣，点燃他们心灵的火花。

（3）学会合作的理念。合作交流是现代生活的趋势，也是引领时代的潮流。我校的一些作业除了学生相互间的交流和合作之外，更设计了家长和学生的合作。家长可以有选择地参与，既可以如小学阶段一样全程深入管理孩子的作业，解惑答疑，分享孩子的喜怒哀乐，也可以宏观调控，督促孩子按时完成，适当参与相关的活动，跟踪孩子成长的轨迹。

（4）知识与技能、过程与方法、情感态度与价值观三个维度并举的理念。我校作业有三个部分和多种形式。文化的继承、智慧的闪现、实践的精彩三个部分包括了所有文字科目的作业；亲情交流、实践探究、积累思考等形式体现了对新理念的诠释。具体来说，探究性学习、综合性实践活动正是三大维度的生动演绎。民俗文化的了解、生活常识的积累、名胜古迹的探访、旅游资源的融汇、学科知识的整合等作业的设计，显现出了我们对这一模式的理解与思考。

2. 我校活动作业设计的特色

下面以我校初中2009级学生寒假作业设计为例，呈现我校活动作业设计的特色。

（一）长风破浪会有时，直挂云帆济沧海——致家长的公开信

（二）说明

（三）第一部分：文化的继承

【内涵春节】

活动一：春节习俗面面观

活动二：春节寻根

【文化春节】

活动一：春联连连看

活动二：灯谜猜猜乐

【激情春节】

活动一：我给春晚打打分

活动二：春节二三事

【体验春节】

活动一：开心逛庙会

【书韵春节】

【活动总结】

（四）第二部分：智慧的闪现

（五）第三部分：实践的精彩

这份作业设计体现了以下特色。一是新颖的形式，让人眼前一亮。我校作业完全舍弃了以往的题海式作业设置，以一个综合性活动来统摄整个作业，将各学科融合在一起，形式上颇具新意。二是丰富的文化含量与民族特色。我校作业以春节这一民族文化的盛典为背景，包含了很多文化因子，如民间习俗、春联、灯谜……使学生感受到传统文化的魅力，增进他们对民族文化的热爱之情。三是家长的参与，在和自己的孩子一同参与寒假作业的过程中，家长获得的是与孩子同样的欢欣与快乐。

四、异彩纷呈的学科课堂教学风格践行

学科教学实践，一方面是对教学基本理念在教学实施层面上的体悟，另一方面又必须坚持本学科的独特性。然而这两方面在实践中又往往以“教什么”和“怎么教”的方式表现出不同层面上的冲突。从教师的角度来看，则体现为“经验型”教师与“专业型”教师的差异。正视这一点，长期以来，我校在坚持和不断创新发展性这一核心理念的前提下，将其与具体学科结合起来，倡导在不同的学科教学风格下实现学生不同的发展。

（一）语文：言语生命体的生成

很长一段时间以来，语文教学问题重重，集中表现在以下几个方面：教学质量不佳，学生学习兴趣不高，教学缺乏规律性，学生对母语缺乏情感。教育是“成人”之学，生命是教育的核心。这一思想体现在语文学科之内就是言语生命体的生成。言语生命体蕴涵着人文精神与科学精神相统一的理论背景，蕴涵着人文素养与言语素养相整合的价值取向，蕴涵着学生对语言正确、自由、合理地运用，蕴涵着语文学习的过程即是一个学生语言生成的过程。长期以来，我校坚持语文课堂教学

的科学性与艺术性的统一。

教学，是科学，也是艺术。优质的课堂教学，是以科学性为基调，以艺术性为旋律的美妙的交响乐章。语文课堂教学应具有科学性和艺术性，它应有议论文的严密、充实，记叙文的活泼、灵秀，说明文的平实、得体，诗歌的凝重、激情。语文课堂教学科学性的一面，体现为语文教学中教学理念的科学性、教学目标的明确性、教学质量的高效性、教学结构的严谨性、教学策略的合理性、知识的正确性、课堂教学的规范性。语文课堂教学的艺术性，体现在教学目标的生成、诗性的课堂教学情境的创设、独具特色的课堂魅力的展现、教师个性化教学风格的形成、教学模式的灵活多样、教学评价的多元化等方面。总的来说，语文课堂教学的科学性重“理”，语文课堂教学的艺术性重“情”。长期以来，我们坚持的是语文课堂教学情与理的统一：在教学目标上，坚持人文素养与言语能力的统一；在教学过程上，坚持预设与生成的统一；在师生关系上，坚持师生间的平等对话；在教学内容上，坚持书本世界与生活世界的统一；在教学评价上，坚持诊断性与发展性的统一。

以下这一将研究性学习应用于语文学科的案例，较好地体现了生成言语生命体的诉求。在阅读教学中，我们鼓励学生进行合理的个性化解读；在作文教学中，我们倡导学生写出自己的真实情感，努力向生活寻求源头活水。

［案例］

《项链》

一、发展目标

1. 能够进一步理解“结构”在文章中的功能，领会小说结构中的“落差效应”。（知识点）

2. 能够感受作品中人物形象身上的人性美，明确人生幸福的含义。

3. 会根据“落差效应”去鉴赏和构思文章情节，有设身处地地关照别人和自己生活的意识。

二、研究内容

1. 精巧构思造落差效应

2. 悲喜人生看人性美丑

三、教学材料

1. 教学典型材料：《项链》（高中第4册）

2. 延伸检测材料：欧·亨利的小说《警察与赞美诗》

四、教学时间

共两课时。课前阅读准备。第一课时，引出并细化课题，形成研究方案；第二课时，课题探讨，引申总结，并提供课后检测材料。

五、教学过程

（一）查阅背景资料，指导阅读文本

（教师导语：一部优秀的艺术作品总会在艺术形式和艺术内涵上给读者以独到的启发和思考，世界三大短篇小说大师之一的莫泊桑的《项链》也是如此。请同学们预先查阅一下与作者相关的背景资料，增加一些感性认识。）

学生利用课余时间上网或去图书馆查阅资料，做好阅读笔记。教师利用早自习时间让个别学生上台讲解交流，然后指导学生带着这些感性经验进行整体阅读，宏观把握文本。

（二）组织学生讨论，开展全脑风暴

（教师导语：套用1+1>2原理，我们可以说，当一种思想与另一种思想发生碰撞时，它们定会增生出新的思想。同学们，将你们阅读《项链》后获得的带有鉴赏性质的感想点拿出来，开展一场“全脑风暴”吧！前后四人一组，围绕文本展开讨论，每组提出1—3个小课题。限时5分钟。）

5分钟里，学生们进行了热烈的交流，有的还为某一课题的合理性展开了激烈的争论。这一阶段的讨论成果颇多，大小命题近20个，但较分散，而且大局观不强，有些未切中要害，显得落入俗套，如“细腻的肖像描写”等无多少探究价值的命题。

（三）提炼有效课题，细化课题操作

（教师导语：集体的智慧是惊人的，短短的5分钟时间竟产生出了近20个研究性命题，但我们不可能也没有必要面面俱到，因此，让我们一起来一次“民主后的集中”吧！试看哪些小组的命题能“中标”。限时10—15分钟。）

教师引导学生迅速将各组的命题集中起来，求同存异，并要求相关小组长对一些颇为异常的命题进行解释。最后，在教师的主持下进行筛选、拼合、改造、概括，提炼出具有一定综合性、深度或新意的有效命题。概括如下：

1. 精巧构思造落差效应

2. 悲喜人生看人性美丑

（教师导语：经过集中后，研究性命题明确了，但显得较为笼统，还难以成为我们的课堂这种特殊环境下的探究命题，有必要对它们进行集中之后的分解，而后方可分组进行研究探讨。限时10分钟。）

结合文本情节，通过剖析课题中的关键语素，教师把两大课题分解成了几个具有可操作性的小命题。

1. 落差往往体现为情节流程中的“位差”，特别是不时突现的“意外”。试析文中“落差”的具体表现。

2. 试析文中“落差”和“意外”产生的缘由。

3. 面对最后如此大的“意外”，玛蒂尔德会作出什么样的反应？试推测文后情节。

4. 优秀艺术作品中产生落差效应的“意外”除了给人以“突然”外，还需显得“自然”，试分析这“意外”中的“自然”。

5. 人性的美丑辨。试挖掘人物玛蒂尔德身上的“美”与“丑”。

6. 人生的幸福观。玛蒂尔德幸福吗？你认为人生的幸福应具有什么共同特点？

（四）展开课题探讨，及时引申总结

（教师导语：由于命题1影响着后面命题的探讨，所以命题1由大家来共同探讨。限时5分钟。）

经过讨论分析，大家积极发言，很快探讨出了文中“落差”的具体表现。

命题1：人物玛蒂尔德的美妙梦想与平凡现实间的落差；晚会中旋转的“幸福”与晚会后丢失项链的“落魄”间的落差；先前平静生活与10年辛酸经历间的落差；偿还了项链与得知项链是假的之间的落差。其中处处伴随有人物情绪上的巨大反差。

（教师导语：明确了命题1，现在请以同桌为单位任选命题2—6中的一个进行思考和探讨。要求分析有依有据，推断符合情理；先独自思考，再进行讨论；形成简要文字，备作发言提纲。10分钟之内探讨，25—30分钟成果展示、总结及引申。）

通过分组，学生明确了探究方向；5个命题中的第4个和第6个难度较大，而选择命题3、5、6的小组相对较多。学生探讨的热情很高，有的还举手要求教师与他们进行交流；最后多数同学分点写出了较为完整的结论性文字。

（教师导语：每桌同学对所探究的命题已有了一定的个性化思考。现在，请大家将各自的思维成果展示出来吧！）

5个命题逐一加以展示，以第一个同学发言为基础，其余命题组成员进行补充，很快就达成了共识。其中命题3、5、6争论性颇强，观点很多。

命题2：解析“意外”产生的缘由。

（1）人生定位上的“误差”：在玛蒂尔德看来，人生价值建立在对富贵生活的追求上，跻身于上流社会是人生追求的重要目标，美丽动人的外貌是获得“幸福”的唯一资本，而自己的不幸就在于嫁给了一位无多大社会地位的小职员。

（2）借项链时认赝品为真品的“误会”：认假为真让玛蒂尔德经历

了一系列的人生“意外”挫折。

命题3：面对最后如此大的“意外”，她会怎样？

(1) 难以承受这一次更重的打击，精神错乱而疯癫。

(2) 震惊于佛来思节夫人所说的“奇闻”的唐突，对生活、对命运感觉极度无奈，无言以对。

(3) 埋怨自己有眼无珠，更埋怨朋友借项链时未跟她说清楚，以至于迁怒他人，向对方索赔。

(4) 瞬间震惊之后，变得异常平静，从此带着对生活的深切感悟继续往后的人生之路。

(5) 为朋友的真诚感到高兴，更为朋友无意间给自己提供了一次感悟生活的绝好机会而感激不尽，悟到了生命的真谛和幸福的含义。

命题4：试析产生落差效应的“意外”中的“自然”。

(1) 人生定位“误差”上的“自然”：这是特定时代背景下的符合人性规律的认识“误差”。追求美，追求美好的人生梦想，这是人的正常心理；19世纪的法国，一个出身寒微但“美丽、丰韵、娇媚”的女人也可破例得到有钱人的青睐而过上豪华生活的社会风尚影响着每一个人，“小家碧玉”玛蒂尔德岂能例外？

(2) 认假为真的“自然”：就人而言，不敢想象那位“富有”得令人倾倒的朋友会收集假货，特别是显示身份的饰物。就物而言，这挂置放于缎盒、储藏于镜柜且光彩照人的项链会是赝品？就己而言，出身寒微，见识短浅，不可能一眼看出项链的真伪。就理而言，借物于人，怎好就项链的真伪启齿相问？

(3) 伏笔显示的“自然”：借项链时朋友不假思索的爽快、买项链时店主否定式的说明和还项链时朋友不在意的举动，这三处伏笔暗示了文中“意外”出现的“自然”。

命题5：人性的美丑辨。人性是一种介于兽性与神性的生命状态，其层次高低常体现为两者间的成分比重关系。

（1）和当时很多人一样，玛蒂尔德对物质的无限占有、对虚荣的无限追求，体现了人性中极丑的一面，而这往往影响着一个人的生命质量。

（2）从玛蒂尔德身上体现出来的对“美”（美的形象、美的生活）的追求、对生活的忍耐和坚持、对命运的抗争以及诚实勇敢等，让我们看到了人性中光辉的一面，我们有理由相信，玛蒂尔德往后的生活会很幸福。

命题6：从玛蒂尔德的身上探讨人生的幸福观。

（1）幸福在于自足，在于自足地欣赏现实的自我。

（2）幸福在于平淡，平静地享受生活，因为那里蕴藏着生命的真谛。

（3）幸福在于心灵的“自由”，特别是建立在人生挫折之上的“自由”。

所谓“自由”，就是对必然的一种把握；就人生而言，就是对阻碍人发展的各种因素的规律性的把握和超越。玛蒂尔德挺过了人生磨难，认识到了生活的真正含义，只要她继续勇敢地走下去，她定会是“自由”而幸福的。鲁迅先生所说的“真理在胸笔在手，无私无畏曰‘自由’”，道出了“自由”即幸福的三大要素及真正内涵。

（教师导语：通过两节课的探究性学习，我不得不承认同学们认知潜能的无穷。透过本文，我们至少收获了两点：一是作文情节设置上要做到“意外”且“自然”；二是大家明确了什么才是真正的“幸福”。最后，每位同学写一句赠言，给玛蒂尔德，也给我们自己！）

整个过程学生颇为动情，所以很多学生怀着激情写出了赠言。摘选如下。

1. 任何不切实际的奢求都有可能化为泡影，人生的行走还得靠自己的双足。

2. 那些空无边际的浪漫就像布满鲜花的沼泽，陷阱的诱惑总是以光艳的外表去掩饰它底下的龌龊。

3. 承认一种不切实际的伟大，不过是承认自己的无限卑劣。

4. 像蜡烛一样，站着不端正的，必然泪多命短。

5. 十年的磨炼使你拥有了面对一切的勇气。破除眼前虚伪的事物，洗去那些包装的金粉，留下的是真正自由的未来。

6. 美貌如盛夏的水果，是容易腐烂而难保存的。真正可以长存的只有美德和才智。

7. 生命的路啊，难道只有坎坷、荆棘、额头的汗水和心灵的痛苦而没有早晨和鲜花？好好体会和珍惜身边的幸福吧！

8. 与其站在山脚仰望不可触及的虚幻世界，不如静自享受周围平淡却美丽可人的景色。

9. 拥有上帝给予的西瓜，却去追寻世人喜好的芝麻，你，本就是一个幸福的公主，却因为芝麻而成了那只愚笨的猴子。丢掉西瓜去寻芝麻，你，最终也丢掉了宝贵的自由。

10. 获取是一种美丽，放弃更是一种别样的幸福。珍惜现在是人生中最大的一笔财富。光阴的浪涛抚去了你青春的棱角，却磨不去你青春的内核。

11. 幸福就是我们脚下的那片泥土。低头看一看，闻一闻，你会发现原来幸福是那样的近，那样的简单。

12. 时间早已带走了你心里的污迹，苦难化做天使，赐予了你难得的从容和崇高的善良。

13. 不幸的你其实是很幸运的。你的幸运在于你曾面对不幸。

14. 九十九摄氏度的水，再加一把火，可能欢腾，也可能蒸腾，欲望也是如此。

15. 美丽的外表是父母给的，犹如一本书，只是存放在你这里，总有一天是要归还的；高尚的品质是你自己的，犹如一本书的内容，永远留在你生命的记忆之中。

16. 放弃表象，品味真实。

17. 纯洁美丽的姑娘，遥远的幻想谁都有。你若知足安分，便是淤池中清秀的水莲；你若贪婪肆意，则是花卉园角落里的野花。

18. 一条腿的凳子能坐吗？没有根基的理想能不缥缈吗？

（五）提供问题实例，进行延伸检测

阅读世界短篇小说大师——美国的欧·亨利的小说《警察与赞美诗》，三人合作，选取你认为最具特色的点进行探讨，完成一篇简单的评价性文章。

评点：将研究性学习纳入语文学科中，正视了语文学科的母语特点，体现了学生学习母语的社会性和实践活动性。研究性学习的引入，引发了语文课堂的教学策略和学习方式的深刻变革，有力地纠正了以往在纯工具理性指导下，将丰富的语言学习窄化为一种纯认识活动的不良倾向。正是在对母语学习的主动参与之中，学生实现了言语能力的自我发展和个体言语生活的差异性建构。

（二）数学：在课堂生活情境中体验

传统的数学观将数学看成一套已完成的严密的逻辑体系，而教师的任务又大都停留在忠实执行“数学（教科书）”上，最终导致数学严重脱离实际，脱离学生生活。在建构主义者看来，数学是一个活的、动态的、开放的数学活动。教师的主要工作是为学生的学习活动提供一个合适的环境，促进学生投入到教学活动中去，促进学生主动地建构知识。

构建智慧的重要基础是人们已有的生活、学习经验。为此，建构主义教学论把“通过自己的经验主动建构”当做自己的“灵魂”。还有学者认为，对中学生来说，中学数学知识并不是“新知识”，在一定程度上是一种“旧知识”，在他们的生活中已经有许多关于数学知识的体验，学校数学学习是他们生活中有关数学的现象经验的总结与升华，每一个学生都从他们的现实数学世界出发与教材内容发生交互作用，构建自己的数学知识。鉴于学生并不是一张“白纸”，教学时，我们应充分利用其已有的学习、生活经验促使其主动建构。荷兰数学家弗赖登塔尔在其著作《作为教育任务的数学》中阐明：数学来源于现实，也必须扎根于现实，并且应用于现实。数学学习的最终目的还是看学生能否运用所学的知识去解决问题，尤其是一些简单的实际问题。所以，我们给学生及时提供把课堂上所学的知识应用到实践中去的机会，让学生在应用中更深刻地理解和掌握数学知识，在应用中更深刻地感受数学的魅力，并通过应用促使学生更主动地观察生活中的数学，在学习和生活中更主动地运用数学。

生活数学是以学生的存在方式、生存与发展的需要为基点，根据学生的生活目的、生活内容、生活方式和生活空间，构建中学数学教学的整体框架，拓展教学的思路，转变不利于学生生存与发展的教育、教学理念，改革和调整脱离学生生活实际的教学内容、教学方式和评价目标，使学生在数学学习的活动过程中学会学习、学会生活、促进发展，有效地实施国家数学课程标准所确定的总体目标。生活数学的实验与研究坚持以人为本，根据学生生活的需要，确定数学教学的目标，组织数学学习的内容，选择数学教学方法，扩展数学学习的空间，建立数学学习的评价内容。在尊重数学学科自身特点的同时，更加关注学生学习数学的特点和规律。强调从学生已有的知识和生活经验出发，把学生生活与学校、教室、家庭、社会和自然界整合成一个有机的整体，以数学学习为联系，形成人与生活、生活与信息、问题与策略、人与人等各种关系，通过自我的认知、理解、体验和感悟，建构数学学习的自我意义，领会数学学习的价值，培养学习数学的信心，发挥主体作用。使数学面向全体学生，使数学成为人人学有价值的数学、人人都能学习的数学，使不同的人在数学上得到不同的发展。从学生生活的意义出发提高数学教学的质量。

数学离不开生活，生活中处处有数学。在教学中，我们以教材为蓝本，注重密切数学与现实生活的联系，创设轻松愉快的数学情境。生活是数学的大课堂，回归生活学数学既使数学自身的魅力得到了充分的展现，又让学生积极主动地学到了富有真情实感的、能动的、有活力的知识。但需要注意的是，回归生活学数学绝非回到生活中放任自流地学数学，而应充分发挥课堂的“主阵地”作用，使数学与生活有机结合。

唯有这样，才能将国家数学课程标准的有关精神落到实处，通过数学课程的学习来更好地促进学生的发展。

以此为出发点，我们在设计数学课堂教学时，注重加强数学与学生生活和社会现实的联系，将数学与学生熟悉或感兴趣的问题有机结合起来，让学生真切感受到他们所学的数学是与当代社会生活密切相关的。譬如，初二年级“确定位置”这一知识点，可以巧妙地利用我们每天的上课问好环节来引入。

师：第3排同学起立！（第3排的同学有的已经起来，有的在张望……但最终都起来了）

师：请坐！第2列的同学起立！（这次比较快）

师：很好，请坐，现在请第3排第2列的同学起立！（起来，觉得很奇怪，笑！课堂很安静，大家都不知道老师要做什么，好奇）

师：第5排第3列的同学起立！（很迅速，大家笑）

师：你能告诉我们某某同学的位置吗？

生：第2排第4列。（学生议论这就像看电影一样，对号入座）

师：（回到课本，从日常看电影的事例中发现一种确定位置的方法）那么在电影院我们怎么确定位置呢？

又如初一年级“一定能摸到红球吗？”这节课。

临近圣诞节——这是同学们比较感兴趣的节日，利用圣诞节给同学们送礼物的形式，抽取幸运者，顺利引出摸球游戏。首先让同学摸装有红白双色球的透明盒子，让同学们事先设想结果，引出课题，再利用人人都想得到礼物的心理和得不到礼物的失落，激发同学们去思考怎么样人人都能获奖等，使课程顺利进行下去。这样使得摸球游戏的开展不是空穴来风，而是在生活中我们常常遇见的，在节日或假日我们生活中有很多的抽奖游戏，我们应该正确地对待，合理、公平地玩游戏等，让学生感觉到数学在生活中的应用，提高学习数学的兴趣，在游戏中学习，在学习中游戏。

评点： 人总是带着一定的生活印记走入课堂教学之中，在进入课堂之前人并非是一张白纸，而是带着丰富的数学经验。如何合理地利用这些经验？我们无数次地发现，一些在课堂当中颇为棘手的难题，在生活当中却被学生轻而易举甚至是毫无知觉地解决了。与此同时，我们又不能将数学课堂庸俗地等同于日常生活，因为这将导致数学课堂失去安身立命之基。在很长一段时间内，这些都将是数学课堂教学值得探索的问题。

（三）英语：培养全球文化视野的主体

语言和文化是密不可分的。语言不仅仅是一套符号系统，人们的语言表现形式要受语言赖以存在的社会/社团（community）的习俗、生活方式、行为方式、价值观念、思维方式、宗教信仰、民族心理与性格等的制约与影响①。长期以来，在英语教学中语言和文化的这种关系一直未得到足够的重视。

1. 中西文化的偶合现象与文化差异

不同民族的文化有可能存在某些相同或相似的地方，这被称为文化的偶合现象。这种现象的产生，主要是由于不同的民族在与大自然作斗争的过程中会有相同或相似的生活体验和经历。这种相似性必然会反映到语言中来。因而在英语和汉语中，我们不难发现许多相同或相似的表达。例如："披着羊皮的狼"，英语为 wolf in sheep's clothing；"同舟共济"，英语为 in the same boat；"破土动工"，英语为 break earth；"三思而后行"，英语为 think twice before you act；"蓝图"，英语为 blue print；等等，这样的偶合现象不胜枚举。文化的这种偶合现象，可以促进英语

① 参见：胡文仲．文化与交际［G］．北京：外语研究与教育出版社，1994.

学习者在目的语学习中的“正迁移”（positive transfer）。

但是，不同的民族所处的地理环境和历史环境不同，因而对不同的事物和经历有着不同的编码、分类；不同的民族因不同的宗教信仰而形成了自己独特的笃信、崇尚和忌讳心态；不同的民族因其发展的特殊历史过程也产生了本民族自己的历史典故、传说轶事。如汉语中的“龙”“八卦”“气功”等，对不了解中国文化的外国人来说必然是云里雾里，不知何物。同样，当我们看到英语中“He is a wolf.”这个句子时，可能会以为是“这个人很凶”的意思，实为“他是个好色之徒”。中西两种文化的差异，还可以从动物的“文化附加义”的差异中窥见一斑。

请看下列两组词语，让我们试着将不同动物与各自的不同习性搭配起来。

A	B
1. Turtle	a. wise
2. Lamb	b. huge
3. Lion	c. quiet
4. Owl	d. stubborn
5. Mouse	e. slow
6. Pig	f. gentle
7. Deer	g. sly
8. Whale	h. brave
9. Fox	i. swift
10. Mule	j. greedy

对于狮子的勇猛（brave）、绵羊的温顺（gentle）、狐狸的狡猾（sly）、乌龟的迟缓（slow）、猪的贪婪（greedy），英语和汉语的文化附加义基本相同。但在老鼠、骡子和猫头鹰的习性上，英语和汉语的文化附加义则大相径庭。在汉语中有“贼眉鼠眼”“鼠目寸光”等成语，用以形容鬼鬼祟祟和目光短浅。而老鼠在英语俚语中可指女人、害羞的

人。自迪斯尼先生创造了米老鼠（Mickey Mouse）这个卡通形象后，老鼠的形象在西方更是大放异彩，成为千家万户所喜爱的动物，尤其在儿童心目中更是机智、智慧的象征。至于骡子，在汉语中“寿命长、体力大”是它的特征，而英语中骡子是“顽固”（stubborn）的代名词。汉语中人们认为猫头鹰是不祥之兆，如“猫头鹰进宅，无事不来”，而英语中的猫头鹰则是智慧之鸟。

此外，中西文化的差异还有很多，例如：熟人、朋友间见面打招呼时的差异（中国人见面多问“你吃了没有?”“你到哪里去?”，而外国人则说“Hello”）；人们接受礼物时表达自己态度的差异（一般中国人不会当着送礼物人的面看礼物，而外国人往往会当面拆开礼物并高兴地向人家连声称谢：“Thank you. I really appreciate it.”）；运用体态语的差异（如中国人召唤他人走近时常用手心向下、手指向内连续弯曲的手势，这种手势在英语中是在召唤小动物走近时用的；召唤他人走近时外国人使用四指弯曲食指向内勾动的手势，而这种手势在汉语中则是极富挑衅性的）。

2. 注重文化知识的传授

文化知识有助于加深学生对语言的了解，语言则因被赋予了文化内涵而更易于理解和掌握。语言教学和文化教学同步，可以在传授语音、词汇、语法等语言知识时进行。如 freeze 这个词的基本含义是“冰冻”“结冰”，在允许私人拥有枪支的美国社会中，一位留学生因听不懂美国人的口语“Freeze!”（“站住”“不许动”）而被枪杀。在美国社会中，“Freeze!”是人人皆知的日常用语。假如这位留学生知道这一文化知识，他就不至于付出生命的代价了。

除了语言本身所承载的文化含义外，西方国家的风俗习惯，人们的生活方式、宗教信仰、思维方式等都有着深厚的文化背景和底蕴。因此，在英语教学中还要适时地向学生介绍文化背景知识。

首先是干扰语言交际的文化因素，包括招呼、问候、致谢、致歉、告别、打电话、请求、邀请等用语的规范作用，话题的选择，禁忌语、委婉语，社交习俗和礼仪等。

汉语中的亲属称谓有泛化使用的倾向，常用于非亲属之间：年轻人对长辈称“叔叔”“阿姨”；对平辈称“大哥”“大姐”。但在英语中，亲属称谓并不被广泛地用于社交。如果我们对母语是英语的长辈称“Uncle Smith”“Auntie Brown”，对方听了会觉得不太顺耳。英语文化中只有关系十分密切的情况下，才使用此类亲属称谓，且后面不带姓，只带名，如“Uncle Tom”。

又如学生知道teacher的含义是“老师”，也就相应地把“王老师”称为“Teacher Wang”。其实，英语中teacher只是一种职业。汉语有尊师的传统，“教师”已不仅仅是一种职业，而成为一种对人的尊称。这种文化上的差异，容易导致学生的简单理解：王老师 = Teacher Wang。此外，还有人把汉语中的“唐秘书”“张护士”称为“Secretary Tang”“Nurse Zhang”，英语国家的人听起来感觉不可思议。英语中称呼人一般用“Mr.”“Miss”“Mrs.”等。

当别人问是否要吃点或喝点什么时（Would you like something to eat/ drink?），我们通常会习惯性地客气一番，回答“不用了”“别麻烦了”等。按照英语国家的习惯，你若想要，就不必推辞，说声“Yes, please.”即可；若不想要，只要说“No, thanks.”就行了。这也充分体现了中国人含蓄和西方人坦荡直率的不同风格。

在英语国家，赞美也常被用来作为交谈的引子。赞美的内容主要有个人的外貌和外表、新买的东西、个人财物、个人在某方面的出色工作等。通常称赞别人的外表时只称赞她努力（打扮）的结果，而不是她的天生丽质。因此赞美别人发型的很多，赞美别人头发漂亮的很少。对别人的赞美，最普通的回答是：“Thank you.”

中国人初次见面问及年龄、婚姻、收入是表示关心，而西方人却对此比较反感，认为这些都涉及个人隐私。西方人大都希望自己在对方眼中显得精力充沛，青春永驻，对自己的实际年龄秘而不宣，妇女更是如此。再如中国人表示关心的“你去哪儿?”（Where are you going?）和“你在干什么?”（What are you doing?）在英语中就成为刺探别人隐私的、审问监视别人的话语而不受欢迎。西方人打招呼通常以天气、健康状况、交通、体育以及兴趣爱好为话题。

其次是非语言交际的表达方式，如手势、体态、衣饰、对时间和空间的不同观念等。

中国和英语国家的文化差异还显著地表现在节日方面。除中国和英语国家共同的节日（如元旦/New Year's Day）外，双方还各有自己独特的节日，中国有春节（Spring Festival）、端午节（Dragon Festival）、中秋节（Mid-Autumn Day）等；英语国家有 Valentine's Day（情人节）、Easter（复活节）、April Fool's Day（愚人节）、Mother's Day（母亲节）、Thanks Giving Day（感恩节）和 Christmas Day（圣诞节）等。中西方节日的风俗习惯也很不相同。在节日里，对于别人送来的礼物，中国人和西方人也表现出不同的态度。中国人往往要推辞一番，表现得无可奈何地接受，接受后一般也不当面打开。如果当面打开并喜形于色，可能招致“贪财”的嫌疑。而在英语文化中，人们对别人送的礼品一般都要当面打开称赞一番，并且欣然道谢。

再次是词语的文化内涵，包括词语的指代范畴、情感色彩和联想意义，某些具有文化背景的成语、谚语和惯用语的运用。

词汇空缺现象是指由于文化和语言的差异，一种语言中有的词在另一种语言中也许没有对应或契合的词。这些词语有的源于对客观世界认识的不同，有的源于社会生活的不同。例如，英语中的 American Dream（美国梦），指美国所标榜的立国精神——人人自由和机会均等；Pink Lady（红妆女人），指一种鸡尾酒名；等等。还有些词语则源于宗教、神话、传说、风俗习惯等。英语中有些动物名称的文化内涵在汉语中是没有的。英语中 swan（天鹅）可用来指才华横溢的诗人。根据希腊传说，音乐之神阿波罗的灵魂进入了一只天鹅体内，由此产生了毕达哥拉斯寓言：所有杰出诗人的灵魂都进入天鹅体内。oyster（牡蛎）指沉默寡言的人。据说英国肯特郡产的牡蛎最好，而最好的牡蛎总是口闭得紧紧的。beaver（河狸）指为讨好上司而做事过于卖力的人。河狸主要产于北美洲，活动积极，在啮树筑巢方面有很高的技艺和独创性，因此有

“eager beaver”（卖力的河狸）之称，常用来喻指“急于做成某事而特别卖力，但有点急躁的人”，略带有贬义。汉语中的一些词语在英语中也属词汇空缺。例如粽子、观音、土地庙、绿色人生等，这些具有中国独特文化内涵的词汇，在英语中也很难找到对应的词汇。

让我们再看看数词。西方人往往认为单数吉利，例如，在表示更深程度时，常在整百整千的偶数后再加上“一”：one hundred and one thanks（十分感谢、千恩万谢），have one thousand one things to do（日理万机）等。基督教文化的“三位一体”（the trinity）确定了“三”的神秘文化内涵，人们习惯于把事物存在的量或其发展过程一分为三，以图吉利。然而“13”却被视为凶数，人们对其是避之唯恐不及：楼房的第13层，常用“12A”代替，飞机、火车、剧院等没有第13排，每月的第13天都不宜进行庆典等喜庆活动。中国传统文化则认为双数是吉利的数字。人们喜欢双数的偶合意义，追求“好事成双”，渴望“双喜临门”，形容处世有方是“四平八稳”，形容交通便利为“四通八达”，百事顺心为“六六大顺”，美不可言为“十全十美”。

复次是通过课文学习，接触和了解相关的英语国家的政治、经济、史地、文学及当代社会概况。

最后是了解和体会中西方价值观念与思维习惯上的差异，包括人生观、宇宙观、人际关系、道德准则以及语言的表达方式等。

3. 文化教育的教学方法

文化教育的成败很大程度上取决于其是否能与语言教学，特别是课堂教学有机地结合起来。应采用灵活多变的方法提高学生对文化的敏感性，培养其文化意识，使他们能主动地、自觉地吸收并融入新的文化环境中。

（1）揭示词汇的文化内涵

词汇教学的难点是某些词语的文化内涵。困扰学生的并不是如何准确发音和正确拼写，而是如何得体运用。词语的文化内涵包括词语的指代范畴、情感色彩和联想意义，以及某些具有一定文化背景的成语、谚语和惯用语的运用。对于这一类词语，教师应着重介绍或补充与之相关的文化背景知识，必要时进行汉语文化比较，使学生不但知道它们的表层词义，更能了解其文化内涵。

例如，“农民”这个词在汉语里是统一的概念（泛指“农业劳动者”），英语中却根据对象经济状况、文化教育的不同，分别用 farmer 和 peasant 来表示。上述词汇指代范畴上的差别，表现了中西方民族在人际关系上不同的传统观念和社会风俗。

又如“狗”这个词在汉英两种语言里的表意都是一样的，但中国人常用“狗眼看人”“狼心狗肺”之类的贬义词语，而英语中的习语“a lucky dog”（幸运儿）却表明了狗在西方国家的身价百倍。透过同一个词的不同联想意义，可窥见汉英两个民族各自的心态和习惯。

此外，《圣经》中的 Garden of Eden（伊甸园）类似于汉语中的“世外桃源”，以 Shylock（夏洛克）来比喻“狡诈者”“守财奴”，以 strong as a horse 来表示“气壮如牛”，after tea 的意思是“喝过午时茶”，诸如此类的成语、典故和短语，都是英语民族生产、生活、宗教、文艺的反映，只有将它们放在社会文化背景中进行教学，学生才易于理解和掌握。

（2）创设对话的文化语境

在日常对话中，学生最容易出现语用错误。这不仅是因为对话涉及交际用语的规范使用以及礼仪习俗，更是由于在具体的言语交际中，语言形式的选用总是受到时间、地点、话题，以及交际双方的情感、个性、社会角色及其文化背景等语境因素的制约。因此，成功的对话课除了要让学生记住相关的交际用语，传授必要的文化背景知识，还应该设置特定的交际语境，灵活选用适当的训练方法，鼓励学生进行口头或笔头、双边或多边的言语实践活动。

譬如角色表演，可以开展这样几个环节的交际活动：“假设性交际”，指在课内围绕教学内容展开的各种操练，包括机械操练和教师讲解等；“教学性交际”，指课堂内进行的再表达练习，学生掌握语言知识后，根据教师提供的语境开展模仿性对话或书面练习；“针对性交际”，指学生根据情景和语用考虑作出反应；“谈论性真实交际”，指学生不受限制地自由交谈，语言具有真实性和社会性，言语符合语用及文化规范。

（3）吸收和体验异国文化

收集一些英语国家的物品和图片，让学生了解外国艺术、历史和风土人情；运用英语电影、电视、幻灯、录像等资料给学生以直观的感受，使学生对英语的实际使用有具体、生动的体验。向学生推荐阅读体现外国文化的简易读本，以增加对英语文化的了解；邀请中外“英语通”作中外文化差异方面的专题报告；组织英语角、英语晚会等。总之，教师应创设形式多样的语言环境，以加深学生对文化知识的理解，提升他们实际运用的能力。

（4）挖掘语篇的文化信息

现行的中学英语教材选材广泛，大部分语篇涉及英语国家典型的文化背景知识，特别是其中的文学作品，为学生了解外面世界提供了生动鲜活的材料。在语篇教学中，我们不但要让学生把握文章的内容主旨，学习语言知识，提高语言技能，还要引导他们随时随地挖掘其中的文化信息，使学生在习得语言的同时拓宽自己的文化视野。

例如，高中英语新教材第 2 册的补充资料 5（SEFC，Book 2B，Supplementary material 5）“Pianist”，该短剧中写到身为富豪子的 Gary，在父亲 Mr. Braint 不给予任何经济资助的情况下，只身到巴黎打工，以体验“earn living by a painter”的滋味，尽管是寄人篱下，借贷度日，Gary 却乐此不疲。针对这一情节，教师提问：“Why was Gary willing to go to Paris to earn living by a painter?”在学生讨论之后，教师指出，这里表现了 Gary“独立自主、体现自我”的精神，这种精神已成为当代美国的社会时尚，也是其民族价值观的重要组成部分。

（5）让学生体会文化对语法的影响

语法是语言表达方式的小结，它揭示了连字成词、组词成句、句合成篇的基本规律。文化背景不同，语言的表达方式各异。英语注重运用各种连接手段达到句子结构和逻辑上的完美，汉语则未必如此。“打得赢就打，打不赢就走，还怕没办法?”毛泽东这句脍炙人口的名言，看上去像是一连串动词的堆砌，几个短句之间无连接词语，但其上下文的语意使它们自然地融为一体。我们常说的英语重形合，汉语重意合，西方人重理性和逻辑思维，汉民族重悟性和辩证思维，就体现了这种差异。让学生了解这种思维习惯上的文化差异，体会其对语言表达方式的影响，对于学习英语语法，减少 Chinglish（中国式英语）的错误是有帮助的。

（四）物理：培养学生的科学素养

科学素养是指人们在认识自然和应用科学知识的过程中表现出来的内禀特质。它既包含人们对知识的识记、了解、理解和掌握，也包含人们应用科学知识的能力，以及发现新的自然规律的能力，因而科学素养包括科学知识、科学技能、科学方法、科学精神。物理学科是培养科学素养的主要渠道之一。长期以来，我们主要是通过在课堂教学当中创设一定的教学情境，来达到培养学生科学素养的目的。

我们认为最佳的物理情境教学应满足三个条件：一要有适当的难度，让学生跳一跳够得到，形成问题情境的层次性、阶梯性；二要在教和学两方面均有现实的探索性，学生在探索过程中才能兴趣盎然，富有激情；三要能激发学生的好奇心和创造欲，在解决问题中体会到成就感，一次小小的成功能够激活一个人潜在的巨大自信，可一次刻骨铭心的失败也往往可以摧毁一个人仅有的一点自信。现实情境问题主要以自然现象、生产生活实际、现代科技为素材，因此，物理教学应大力倡导“在生活中学习，让生活走入课堂，让物理现象进入课堂，将生产生活中的实际现象转化为物理问题”，增强“人与自然、人与社会、人与自我”的意识。像柯受良飞黄河、蹦极跳、观日出、估算心脏功率、百货商场中的电动扶梯等，都可为课堂教学所用。

1. 在课题引入时创设情境

以“特写镜头”撷取问题中最精彩的片段，展现出最具典型性和最有启发性的部分。物理问题的提出，思维的启动，应尽量应用问题情境，引导学生进行体悟、思考和猜想。

例如在引入“电流的磁场”时，先让学生猜测：“航海船上的罗盘指针在一次雷击时发生了偏转，是什么原因?”再设计一个验证性实验来加以证明。又如在“物质由分子构成”教学中，向学生巧设问题，以设置悬念，形成对比。首先提问：(1) 如何知道教室中学生的人数?(2) 如何知道学生的质量?(3) 如何知道学生的身高?这时教室中会掀起一片涟漪，学生被教师的问题逗乐了，他们会不约而同地说，通过数、称、量就可以知道。接着，教师不失时机地提出以下问题：(1) 如何知道教室中空气分子的数目? (2) 如何知道教室中空气分子的质量?(3) 如何知道教室中空气分子的大小?这时教室中寂静无声，学生陷入了强烈的矛盾冲突之中。教师让学生进行充分的思考，使学生进入“不愤不启，不悱不发”的心理状态，激发“求通达，欲能言”的求知欲望。

2. 在知识探究过程中创设情境

开拓学生实践活动的内容和形式，搭建活动平台，让学生在活动中增加感悟，在实践中得到认知体验，让思维在活动中得到锻炼，让情境信息的把握能力得以形成。如在进行“平面镜成像特点”教学时，并不是直接给出结论，或者急于让学生按书本上的要求作实验，而是让学生把手放在平面镜前移动，观察手和手在平面镜中像的大小关系与位置关系如何，提出自己的看法或猜想，然后利用教师提供的器材设计一个实验来证明自己的想法。学生特别投入，观察仔细，思维活跃，纷纷提出自己的猜想，这一过程实质就是一个直觉过程。这一过程的设计，使学生由被动接受变为了主动探索。再如，千分尺读数原理分析过程的动态化，将旋转运动变为螺杆的直线运动，类似于笔套在笔杆中的旋转，使学生在原有认知结构的基础上重构认知结构，同时指导学生观察螺杆旋转一圈时，恰好前进或后退一个螺距（即 0.5 毫米）。在此基础上，让学生思考可动刻度旋转一小格，螺杆前进或后退的距离，使学生了解至螺杆的直接移动量与旋钮的旋转角具有正比关系，从而把测量信息放大。在“密度”教学时，大多数教师让学生连续测量铁块1、铁块2和木块3、4、5、6、7、8的体积与质量，然后分析归纳它们的质量与体积的关系，学生往往感到茫然且被动，不知道教师、教材为什么要求他们测量这些。但是，教师如果在学生测量铁块1、铁块2的质量与体积并且分析发现“铁块的质量与体积成正比”后，让学生提出初步的实验结论，接着设置问题情境，提出“是不是所有物质的质量与其体积都成正比?”的问题，再让学生自行设计安排实验，测量木块的质量和体积，这样一来，学生才能真正成为学习的主人，才能带着强烈的求知欲，发挥逻辑思维与直觉思维去尝试创新，才能心情舒畅，充满信心。

2008年9月25日21时10分，神舟七号飞船成功发射，进行载人航天飞行。这一次，乘神舟七号飞天的3名航天员所完成的不仅仅是中华民族的又一次飞天之旅——在载人航天工程的首次出舱活动中，中国航天员第一次把中国人的足迹印在飞船舱外的茫茫太空之中。高中物理教材第1册第6章——《万有引力定律》中就有一节是关于人造卫星和宇宙速度的，那么怎样利用人造卫星的发射过程帮助学生们掌握一定的科学素养呢？以下是我们围绕上述目标所作的一个尝试。

[案例]

神舟七号与高中物理

一、卫星的发射

2008年9月25日21时9分许，火箭点火；21时10分，神舟七号飞船升空。我们在高中物理第八章《动量》一章学习了反冲运动，其实火箭的发射就用到了反冲运动。物体向某一方向高速喷射出大量的液体、气体或弹射出一个小物体，从而使物体本身获得一反向速度的现象，叫反冲运动。

在火箭发射过程中，由于内力远大于外力，所以动量守恒。发射前的总动量为零，发射后的总动量为

$$(M-m)\ v=mv_1$$

（以火箭的速度方向为正方向，M 为火箭开始飞行时的质量，m 为液体燃料质量。）

则

$$(M-m)\ v-mv_1=0$$

$$v=\frac{m}{M-m}v_1$$

由上述结论分析得到：燃料燃尽时火箭获得的最终速度 v 由喷气速度 v_1 及质量比 $\frac{M}{M-m}$ 所决定。由此可见，m 越大，最终速度 v 越大。神舟七号使用长征 2F 火箭，起飞重量为 479t：火箭加上飞船重量约 44t，其他的都是液体推进剂。因此，火箭的 90% 都是液体，比人体含水量还大。水通常占人体的 60%—70%。

长征二号 F 运载火箭（CZ-2F）是在长征二号捆绑运载火箭的基础上，按照发射载人飞船的要求，以提高可靠性和确保安全性为目标研制的运载火箭。火箭由四个液体助推器、芯一级火箭、芯二级火箭、整流罩和逃逸塔组成，是目前我国所有运载火箭中起飞质量最大、长度最长的火箭。为什么要用多级火箭呢？目前最好的单级火箭，最大速度也只能达到 5—6 km/s，远远达不到第一宇宙速度的目标。由上述结果可知，要提高最终速度，一是提高火箭发动机的喷气速度，二是提高火箭的质量比（火箭起飞时的质量与火箭发动机熄火时质量的比值），即“火箭列车”的思路。为此，科学家想到了把火箭串联或并联起来，火箭在发射过程中，质量一级一级地减少，速度一级一级地增大，最后使装在最前一级火箭上的卫星或飞船达到 7.9 km/ s 以上的速度，从而进入太空。

二、卫星的变轨

9 月 26 日神舟七号飞船成功变轨。“神七”上升段飞行时间 583.828s，把飞船送入近地点 200km 到远地点 347Km 的椭圆轨道，飞船在椭圆轨道飞行 1 至 5 圈，由于大气阻力的影响，每圈轨道降低近

1km，飞船远地点高度从 347km 降为 343km，第 5 圈，飞船远地点点火变轨，抬升近地点，轨道由椭圆轨道变成高度 343km 圆轨道。在高度 343km 圆轨道下飞船运行周期约为 90min。那么卫星在变轨过程中是怎么实现的呢？速率发生了什么变化？把神舟七号的运动近似地看成匀速圆周运动时，其向心力由万有引力提供，即

$$F_{向} = F_{引}$$

$$m\frac{v^2}{r} = G\cdot\frac{mM}{r^2}$$

若 $F_{向} = F_{引}$，则卫星做匀速圆周运动，若速度瞬间增加，出现所需要的向心力大于引力，就会做离心运动，引起圆周运动到椭圆运动的变化，在椭圆轨道的远地点让发动机瞬间点火给卫星加速，使卫星又变为大轨道的圆周运动。变轨运动时，轨道半径发生变化，又会引起速率 v、周期 T 的变化。

我们举一个例子来帮助理解飞船的变轨。

如图所示，飞船在椭圆轨道 1 上运行，Q 为近地点，P 为远地点，当飞船运动到 P 点时点火，使飞船沿圆轨道 2 运行，以下说法正确的是：

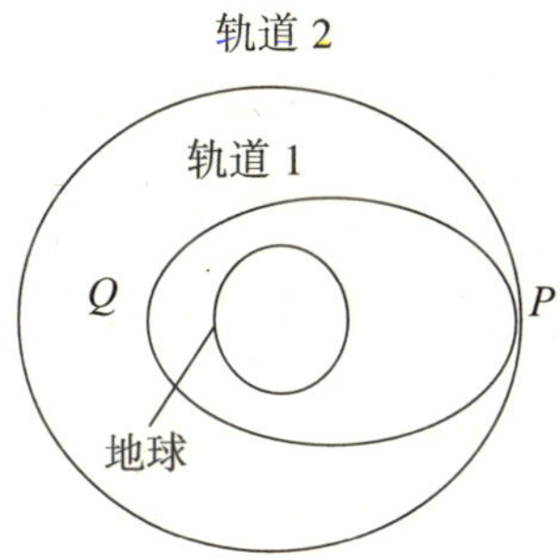

A. 飞船在轨道 1 上 Q 点的万有引力大于该点所需的向心力

B. 飞船在轨道 1 上 P 点的万有引力大于该点所需的向心力

C. 飞船在轨道 1 上 P 点的速度小于在轨道 2 上 P 点的速度

D. 飞船在轨道 1 上 P 点的加速度大于在轨道 2 上 P 点的加速度

解析：飞船在轨道1上运行，在近地点Q处飞船速度较大，相对于以近地点到地球球心的距离为半径的轨道做离心运动，说明飞船在该点所受的万有引力小于在该点所需的向心力；在远地点P处飞船的速度较小，相对于以远地点到地球球心的距离为半径的轨道飞船做向心运动，说明飞船在该点所受的万有引力大于在该点所需的向心力；当飞船在轨道1上运动到P点时，飞船向后喷气使飞船加速，万有引力提供给飞船绕地球做圆周运动的向心力不足，飞船将沿椭圆轨道做离心运动，运行到轨道2上，反之亦然，当飞船在轨道2上的P点向前喷气使飞船减速时，万有引力提供向心力有余，飞船将做向心运动回到轨道1上，所以飞船在轨道1上P点的速度小于在轨道2上P点的速度；飞船运行到P点，不论在轨道1还是在轨道2上，所受的万有引力大小相等，且方向均与线速度垂直，故飞船在两轨道上的点加速度等大。

答案：BC

三、卫星的稳定运行

把神舟七号的稳定运行运动近似地看成匀速圆周运动，卫星绕地球运转的向心力由卫星所受地球的万有引力来提供，即

$$m\frac{v^2}{r}=G\cdot\frac{mM}{r^2}$$

由此得出卫星做稳定的圆周运动时的速度

$$v=\sqrt{\frac{GM}{r}}$$

显然，离地球越远的高轨道卫星，其稳定运行的速率越小。卫星做圆周运动的线速度与轨道半径是一一对应的，所以确定的圆轨道上运行的卫星其动能和引（重）力势能是确定的，不同的圆轨道上运行的卫星的机械能是不同的。轨道半径增大，引力势能增大，动能减小，但引力势能增加比动能减小得多，因此机械能随半径增大而增大。所以，卫星运转半径越大，发射所需能量越大，发射就越困难。因此，卫星转换轨道，一定是在外力作用下完成的。例如，高空运行的卫星受稀薄空气的影响，将损失一些机械能，如果不及时补充和校正，将会从高轨道逐

渐移向低轨道，如果要使轨道的半径增大，就得通过外力克服引力做功，使卫星机械能增加才能达到目的。所以，卫星运行的轨道半径改变了，其机械能一定改变。如果卫星速度减小了，将因动能减小引起机械能减小而落入对应的低轨道运行，绝不可能自行移到高轨道上去，因此判断卫星轨道的变化情况不能单纯以

$$v=\sqrt{\frac{GM}{r}}$$

为依据，而应同时考虑能量情况。例如，在某一轨道上做圆周飞行的航天飞机，要想追上另一高轨道上圆周运行的航天器（如空间站），就需在低轨道加速，再向高轨道飞行，飞行过程中因加速增加的动能再逐渐转化成引力势能，使速度最终减小到对应高轨道上所需的数值。

当卫星在地球表面飞行时，$r=R_{地}$

$$m=\frac{v^2}{R_{地}}=G\cdot\frac{mM}{R_{地}^{\ 2}}=mg$$

$$v=\sqrt{\frac{GM}{R_{地}}}=\sqrt{gR_{地}}=7.9\ \mathrm{km/s}$$

这个速度称为第一宇宙速度。第一宇宙速度是发射一个物体，使其成为地球卫星的最小速度。若以第一宇宙速度发射一个物体，物体将在贴着地球表面的轨道上做匀速圆周运动。若发射速度大于第一宇宙速度，物体将在离地面远些的轨道上做圆周运动。

从电视媒体上我们得知，神舟七号每90min绕地球一圈。神舟七号飞船成功变轨后，由入轨时的椭圆轨道进入距地球表面约343km的近圆轨道。我们也知道，地球的赤道半径为6378km、极半径为6357km、平均半径为6371km，这里我们取平均半径6371km，加上神舟七号343km的飞行高度，可以得出神舟七号的飞行轨迹为一个十分近似圆形的轨道，其半径为6371+343=6714km，由圆周运动公式

$$v=wr=\left(\frac{2\pi}{T}\right)r$$

算得神舟七号运行速度$v=7.812\mathrm{km/s}$，是比第一宇宙速度小的一个速度，原因是前面的结论：离地球越远的高轨道卫星，其稳定运行的速率

越小，离地球越近的低轨道卫星，其稳定运行的速率越大。第一宇宙速度是绕地球圆周运动的卫星能达到的最大速度。

四、飞船的返回

9 月 28 日下午 17 点 37 分，神舟七号返回舱成功着陆，安全返回。

安全返回是载人航天的最后一个环节，它也不容易，对于神舟七号飞船来讲，返回时要闯过四道“鬼门关”。

一是调姿关：使飞船从运行姿态调整到返回姿态，其中包括让轨道舱与返回舱和推进舱分离。

二是过载关：飞船高速进入大气层时会产生巨大的冲击过载，就像飞机撞山一般，所以必须使过载限制在人的耐受范围内。其方法是通过开动推进舱的火箭发动机产生制动来降低飞船的速度。

三是火焰关：飞船返回时与大气层的剧烈摩擦会产生几千度的高温，因此必须有先进的防热措施，否则钢筋铁骨也要化成灰烬。返回舱在进入大气层时，要使其用特制防热材料做的舱底保持向前，从而保证在它与空气剧烈摩擦所产生的高温高压下，舱内温度正常。

四是着陆关：返回舱下降到稠密大气层后，回收、控制系统开始工作，打开降落伞，进一步减速；着地前，着陆缓冲装置开始工作，使返回舱以很低的速度（2—3 m/s 以下）实现软着陆，保证航天员安全无恙。这最后一关极为重要，稍有闪失则功亏一篑，前功尽弃。另外，要保证其落点精度，以便及时发现营救。

下面我们从运动学角度来分析一下神舟七号返回过程中的一些数据。神舟七号飞船在返回时先要进行姿态调整，飞船的返回舱与轨道舱分离，返回舱以近 8km/s 的速度进入大气层，当返回舱距地面 30km 时，返回舱上的回收发动机启动，相继完成拉出天线、抛掉底盖等动作。当返回舱距地面高度为 20km 以下时，速度减为 200m/s 而匀速下降，当返回舱距地面高度为 10km 时，打开降落伞，直到速度达到 8.0m/s 后匀速下落。为实现软着陆，当返回舱离地面 1.2m 时反冲发动机点火，若使返回舱落地的速度减为零，返回舱此时的质量为 2.7 ×

10^3kg 。我们可以计算出反冲发动机的平均反推力的大小。

由牛顿第二定律得

$$F - mg = ma$$

由运动学公式得

$$v^2 = 2as$$

联立可得

$$F = 9.9 \times 10^4 \text{N}$$

评点：物理是一门历史悠久的自然学科。随着科技的发展，社会的进步，物理已渗入人类生活的各个领域。在现代科技发展和科技教育中，增强学生的科技意识，提高学生对科学技术是第一生产力的认识，物理起着至关重要的作用。如何在物理教学中，利用现代科技巩固学生的知识，培养学生的科技意识？将学习和生活实际相结合，适时地把现代技术的发展渗透到日常生活中去不失为一条有效的教学策略。学习和生活实际结合，不仅提高了学生学习物理的兴趣和效率，而且使人文精神与科学精神有效地结合起来，使学生更好地发展。

（五）历史：在感悟中传承民族文化

历史学科的价值取向之一在于培养学生的历史意识、传承民族优秀文化，然而，学生往往因时代原因与历史隔离太远而难以理解历史。以往的历史教学往往采取纯记忆的方式，收效甚微。在建构主义知识观看来，知识是个体基于其自身基础之上的建构过程，它具有生成性、情境性、建构性等特征。所以，学生的理解和感悟应是传承民族优秀文化的有效策略。从这点出发，我们进行了以下探索。

1. 讲故事的策略

（1）讲述历史故事

——教师讲述，引发感性兴趣，引导理性思维

如在讲“广度”时，给学生讲述古希腊神话故事中的一段：“潘多拉是如何作为世间第一个女人而出现的?”普罗米修斯捉弄神灵，盗窃天火，惹怒了众神之王宙斯，宙斯让匠神赫淮斯托斯打造美女，后来各路神灵给予这美女一样自己的本领，并给这个女人取名“潘多拉”，意为“被给予一切者”。宙斯将潘多拉嫁给了普罗米修斯的弟弟，同时潘多拉也带着一个神秘的盒子。普罗米修斯的弟弟打开盒子，随之飞出了灾难、痛苦、绝望、洪水、瘟疫……世间所有的苦难和消极的东西都飞出来了，未等“希望”飞出，潘多拉就将盒子盖上了，从此世间就没有了希望！然后告诉学生们：历史包括中国历史也包括古代历史，所以历史是一种广度！然后问学生：从这段神话故事中想到了什么？学生开始思考，并且就此展开讨论，譬如：宙斯以权压人；中国神灵比希腊神灵好，因为中国的神只做好事；普罗米修斯为人类带来了灾难，他不诚实；是女人给这个世界带来了灾难；古希腊人很勇敢，敢于和神灵相抗衡等。

这则故事实际上反映了女人给这个世界带来了灾难和痛苦这一观点，但是我们没有将约定俗成的结论告诉学生。这一神话故事引发了学生的思考，而他们之所以思考是因为他们对此感兴趣，在感兴趣的基础上学生通过故事表面去探寻故事背后的东西。

——学生讲述，补充课外知识，滋补情感历史

我们在每堂历史课上课之前，都会让一位学生到台前演讲自己所了解的历史人物、历史事件或历史故事。学生曾经讲到武则天、文天祥、诸葛亮、梁启超等。这一举措大大丰富了学生的历史知识，开阔了学生的眼界。

一次，学生讲到了“戊戌六君子”，并且着重讲了谭嗣同。于是教师补充了谭嗣同在临刑前的绝命诗：“望门投止思张俭，忍死须臾待杜根。我自横刀向天笑，去留肝胆两昆仑。”又有绝命句：“有心杀贼，无力回天。死得其所，快哉，快哉！”学生由此便产生了一种情感共鸣，在一种悲壮豪情的滋补下感受中华文明的源远流长与惊涛骇浪。

有学生讲到司马迁在汉武帝时期因为李陵案而被迫入狱，并且遭宫刑，但是司马迁却能够在狱中写出被鲁迅誉为“史家之绝唱，无韵之离骚”的《史记》。《史记》“究天人之际，通古今之变”，是司马迁在人生低谷中演奏出的生命之歌的最强音！可见，讲历史故事是在摆事实，而事实强于雄辩！所以在进行情感态度价值观的教学时不能生搬硬套。

（2）演绎历史故事

演绎历史故事适合学生活泼开朗的性格，符合学生喜欢表现的心理特点。比如，在讲《春秋争霸》一课时，学生表演了晋楚争霸时的城濮之战，并且把重头戏放在了晋文公退避三舍上。这说明学生认识到在这场战争中退避三舍是使晋军取胜，使晋文公称霸春秋的关键所在。在讲《商鞅变法》时，学生演绎了商鞅“徙木立信”从而得到人民信任的故事。在讲《战国争雄》时，学生演绎了“张仪说楚”，并且分成了三幕来表演：第一幕，秦派张仪说楚；第二幕，张仪说楚；第三幕，楚国向秦国索要土地。这一点也体现了学生能够把历史故事的前因后果梳理清楚，而且能够自觉做到。

（3）续、编历史故事

在讲完夏商周的历史后，教师让学生写一个古代帝王聚会的故事。聚会的主人公分为两大派：一、夏桀、商纣、周幽王；二、夏禹、商汤、周武王。刚开始的时候学生们都感到无从下手，经过一番观察他们发现两大派人物各有特点：第一派是亡国之君，第二派是开国之君。学生们巧妙且精细地设计了六人见面的场景，连各个人物的神态、衣着都刻画得栩栩如生。他们的交谈围绕着帝王的丰功伟绩或千秋骂名而展开，既包含了要求学生掌握的历史知识，也扩展了学生的思维空间。很多学生都得出结论：“得民心者得天下，失民心者失天下。”或者是：“得道者多助，失道者寡助。”还有便是：“古今兴亡多少事，成由勤俭败由奢。”

又如，我们曾经让学生编写，如果晋文公退避三舍时的一位晋国士兵，遇到了商鞅“徙木立信”时的一位秦国民众，他们会就晋文公和商鞅谈些什么？学生基本都写到了“诚信”，并且有学生引用了课堂中曾经记下的王安石的《商鞅》中的一句话：“自古驱民在信诚，一言为重百金轻”。还有同学引用了古文“知无不言，言无不信”。这些都说明学生认识到了讲究“诚信”在晋文公和商鞅各自事业成功上的巨大作用。如此这般，学生融入了历史中，历史浸透到了学生的思维里。

2. 情境创设的策略

以下通过我校教师的一个案例来加以说明。

[案例]

《国民经济的恢复与初步发展》教学设计

一、教学目标

（一）知识与能力

1. 掌握新中国成立之初面临的经济形势，并分析形成这一形势的原因。

2. 掌握党和人民政府在巩固政权和恢复发展国民经济方面所采取的具体措施及其意义。

3. 了解国民经济恢复和发展过程中出现的先进人物及事迹。

（二）过程与方法

1. 通过分析总结新中国成立后恢复国民经济与巩固人民民主政权之间的辩证关系，培养学生用辩证的观点分析问题的能力。

2. 通过分析新中国成立后巩固政权的斗争与国民经济恢复和发展等史实，培养学生初步确立经济基础与上层建筑、生产力与生产关系相互作用的观点。

3. 运用中国共产党恢复和发展国民经济所取得的成果，论证中国共产党的伟大，提高学生分析论证历史问题的能力。

（三）情感态度与价值观

1. 面对新中国成立之初严峻的经济形势，中国共产党采取了一系列恢复和发展国民经济的措施，而且取得了一系列伟大的成就，充分说明中国共产党是伟大的党，她不仅能使中国人民在政治上站起来，而且在经济上也能带领人民走向富强。

2. 在国民经济恢复和发展过程中，涌现出许多劳动模范和先进工作者，他们舍己为国的英雄模范事迹，值得我们每一个青年学生学习和铭记。

二、教学重难点

重点：中国共产党恢复和发展国民经济的措施。

难点：1. 分析论证巩固政权与发展经济之间的关系。

2. 理解中国共产党允许私营工商业发展的原因。

三、教学方法

本节课的主要教学方法可采用启发式教学法，活跃课堂气氛，充分调动学生的思维。主要有以下几种形式。

1. 直观启发，培养学生思维的敏捷性。主要是指在教学过程中让学生看图表、幻灯片等，启发学生积极思维、深刻认识历史现象和规律。

2. 比较启发，培养学生思维的灵活性。有比较才有鉴别，比较启发是通过比较揭示历史知识的差异，发现问题，引导学生积极思考和主动学习的方法。

3. 设疑启发，培养学生思维的深刻性。教师在教学过程中，有意识地创设问题情境，激发学生质疑，使学生努力开动脑筋去思考，以求得解决问题的方法。

4. 情境启发，培养学生思维的广阔性。教师教学中通过图画展示、文字叙述等手段创设历史情境，提高学生思维的开阔性。

四、课时安排

一课时

五、课堂构思

本节课的内容主要讲述新中国成立后，中国共产党所采取的恢复和发展国民经济的措施及取得的重大成果，以激活学生、激活知识、激活课堂为指导思想，讲课思路如下。

1. 讲课过程中要充分运用有关数据资料，联系史实，分析论证相关问题。如1949年国民经济情况简表、1952年国民经济情况简表。

2. 教学过程中要充分采用启发式教学方法，创设课堂情境，激发学生思维活力，活跃课堂气氛。

3. 在讲第一个问题的过程中，要采用对比法，分析论证共产党和国民党的本质区别。

4. “中国共产党恢复和发展国民经济的措施”是本节课的重点问题，教师讲述时应重点分析归纳。

5. 通过1952年国民经济恢复和发展的成果，对中国共产党的经济政策予以综合讲述。

六、教学过程

导入：在上新课之前，我们先来认识一个人。此人离我们很近，因为她是从我们身边走出去的；此人又离我们很远，因为她现在已经是一位青春偶像——她就是李宇春。当李宇春的画像登上美国《时代周刊》的封面时，中国的“玉米”们沸腾了，仿佛大洋彼岸都听到了中国草根的力量在生长。而你们知道新中国成立后，第一个登上《时代周刊》的中国人是谁吗？他就是毛泽东。毛泽东给我们的印象一直都是豪迈、热情，充满着革命浪漫主义的激情。即使在长征那样艰苦的环境中，他也能写出“五岭逶迤腾细浪，乌蒙磅礴走泥丸”的壮丽诗篇。但是，据我发现，毛泽东从1950—1954年有三年多没有写一句诗词，那么他在做什么呢？满脸愁云的他在忧虑什么呢？下面，我们将进入第一幕——苍茫大地，谁主沉浮，去感受一下新中国成立之初严峻的经济形势。请同学们阅读课本，穿越历史的隧道，一起分担毛泽东的忧思。

第一幕：苍茫大地，谁主沉浮

师：严峻的经济形势表现在哪些方面呢？

生：工农业生产下降，交通阻塞，通货膨胀，人民生活困苦。

师：我们不禁要问——是什么原因使得泱泱中华如此困顿不堪？

生：帝国主义的长期掠夺、官僚资本的搜刮、长期战争的创伤。

师：哀鸿遍野、困顿不堪，国民经济在秋风中飘零，不由得毛泽东不为之忧虑。如果你是万千名饥民中的一员，你最想得到的是什么？（衣食温饱）如果你是新中国的领导人，听到人民的呼声，你最需要做的是什么？（恢复和发展经济，解决温饱问题）那么新中国成立后，政府是如何解决这些问题的呢？接下来，我们将进入第二幕——中流击水，浪遏飞舟。

第二幕：中流击水，浪遏飞舟

师：请同学们阅读课本第二、第三子目，领略一下新中国的人民政府为了恢复和发展经济，是如何"亮剑"的，亮了几把剑？

生：亮了四把剑——没收官僚资本，建立社会主义国营经济；稳定物价，统一财经；合理调整工商业；恢复和发展生产。

师：首先，我们来看第一把剑——没收官僚资本，建立社会主义国营经济。

虽然旧中国的政权——国民政府被涤荡出大陆，但是旧的经济形态——官僚资本主义依然存在，而且在国民经济中占据重要地位。那么我们应采取什么措施处理官僚资本呢？

生：没收官僚资本和企业，将其转化为社会主义性质。

师：革命不是请客吃饭，不是做文章，需要剧烈的行动，没收官僚资本和官僚企业后，人民政府把握住了国民经济的命脉，从而建立起了社会主义的国营经济。如果说建立社会主义国营经济为经济的恢复与发展奠定了基础的话，那么老百姓最关心的是什么呢？恐怕更多的是与之生活密切相关的柴米油盐，而此时老百姓的生活处于什么样的状况呢？

生：物价飞涨，老百姓生活困苦。

师：为什么会出现这种状况？

生：由于长期通货膨胀，老百姓对纸币失去信心，投机资本家乘机兴风作浪，进行黑市交易，拒用人民币，从中牟利。

师：面对投机商的嚣张气焰，人民政府采取的是什么行动？

生：进行了“银元之战”。果断出击，抓捕首要分子，封锁大本营，从而遏止了黑市交易。

师：一波还未平息，一波又来侵袭。“银元之战”后，投机商们不甘心，又在兴风作浪。这一次，他们的目标是什么？

生：控制“两白一黑”，哄抬物价，从中牟利。

师：此时，人民政府与投机商们又展开了“米棉之战”。为了真切地感受那段历史，我们现场再现“米棉之战”，进行一场博弈。一组同学代表投机商，你们手上掌握着钱，目的就是运用手中的资本哄抬物价，从中牟利；另一组同学代表政府，利用国家权力，打击资本家，稳定物价。现在先用一分钟的时间进行讨论，然后派代表发言，分别用何种计策制服对方。

生：（激烈讨论）

师：同学们讨论得很激烈，可见当时的斗争更加激烈。通过这两场斗争，政府稳定了市场，稳定了物价，并赢得了人民的信任，同时为了增强国家对经济的调控能力，又统一了财经。

虽然一方面打击了投机资本家，但另一方面又挫伤了普通商人的积极性，使得他们畏缩不前，生产停滞。正如主管中央财经工作的陈云同志所说，“现在政府挑的是‘两筐鸡蛋’，不要碰破一头”，如何能够做到既打击投机商，又调动普通资本家的生产积极性，政府采取了什么措施？

生：合理调整工商业，调整劳资关系和公私关系。

师：简单地说就是鼓励和保护合法私营工商业者的生产，为什么要对私营工商业者进行保护呢？这是因为私营工商业占国民经济的重要部分，尤其是在关乎民生的领域中占据重要地位，所以调动起私营工商业者的积极性，对于解决民生问题、恢复和发展生产有着重要意义。

在建立社会主义国营经济的基础上，在稳定物价、统一财经的背景下，恢复和发展生产成为了稳定与发展的关键所在，于是人民政府亮出了第四把剑——大力恢复和发展生产。那么此时人民政府具体是怎么做的呢?

生:在农村,进行土地改革、开展农村生产合作运动;在城市,在工矿企业中开展民主改革和生产技术革新,倡导增产节约。

师:达到了什么效果?

生:使得人民在政治和经济上翻了身,生产积极性提高,促进了生产的发展,同时涌现出很多劳动模范。

师:正是在这四项措施的作用下,国民经济于 1952 年年底得到了根本恢复与初步发展。

师:(习题演练)

今天我们学习了《国民经济的恢复与初步发展》一课,了解了在国民经济困顿的背景下,人民政府采取四项措施,使得国民经济得到恢复和发展。历史留给了我们哪些启示?我们从中又可以领略到哪些历史的余味?下面,我们将进入第三幕——人间正道,沧桑巨变。

第三幕:人间正道,沧桑巨变

经济得到恢复之后,主管中央财经工作的陈云笑了,毛泽东主席的信心也增强了,正如他所说,“我们的目标一定要实现,我们的目标一定能够实现”。自从盘古开天地,三皇五帝到如今,历史上有谁能像中国共产党这样在短短三年就医治好中国百年的积弊?没有,从来就没有!那么是什么原因使得国民经济能够很快得到恢复和发展呢?

生:党的领导,措施得当;人民的拥护,涌现出很多英雄人物。

师:正如温家宝总理在前不久召开的“两会”上所说,共产党是站在人民的立场,一切依靠人民,一切为了人民,只有这样我们的事业才能取得成功。

新中国成立以来三年多没有写诗的毛泽东面对着形势的好转,也开始写诗了,他写下了名篇《浪淘沙·北戴河》,让我们一起来感受一下毛泽东的喜悦心情与豪迈情怀。(与学生齐声朗诵)

评点:本堂课较充分地创设了课堂教学情境,在学生的日常生活及其经验与历史之间建构起有效的联系，充分调动了学生的情感与认识因素，实现了对历史的多重认识和个体感悟。

（六）化学：基于问题的引导教学

问题是教师促进学生思维、评价教学效果以及推动学生实现预期目标的有效途径之一，是教师调动学生学习积极性、了解学生学习状态的一种工具和策略。在教学过程中，问题是连接教师“主导”和学生“主体”的纽带，对推进课堂教学具有举足轻重的作用。因此，为了挖掘学生的潜能，我们对基于问题的化学课堂进行了探索。主要思路如下。

1. 设计问题，组成题目①

在实施问题式教学时，教师应精心设计问题，然后将设计好的问题组合成题，以题目的形式展现给学生。设计问题时应注意以下几点。

（1）设计关键问题，突出重点知识

任何一个化学实验，都有一些重点知识是学生必须掌握的，如反应原理、仪器药品、实验装置、主要现象等。对于这些知识，教师可通过设计一些关键问题来让学生加深理解、熟练掌握。这些问题的设计，应根据实验教学的目的和要求，设在节骨眼上，真正起到提纲挈领、牵一发而动全局的作用。下面以乙酸乙酯的制取实验为例，简要介绍关键问题的设计方法。

例 1. 某学生在实验室制取乙酸乙酯的主要步骤如下：

a. 在 30 mL 的大试管 A 中按体积比 1 ∶ 4 ∶ 4 的比例配制浓硫酸、乙醇和乙酸的混合

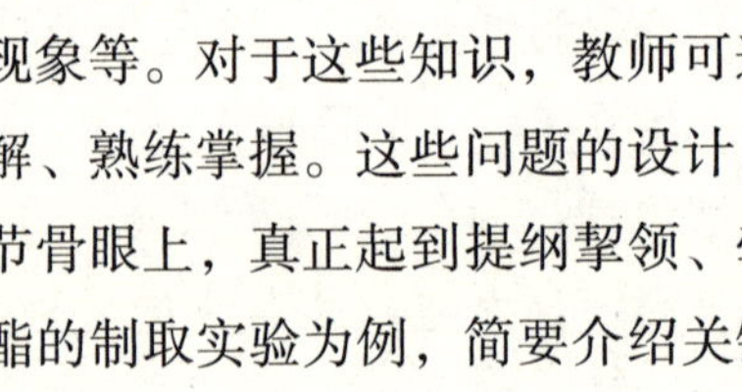

图（1）实验装置

① 本部分参考了以下资料：鲁善坤．注重发展 追求卓越：重庆一中发展性教育的实践探索［M］．重庆：重庆出版社，2008：112－115.

溶液。

b. 按图（1）所示连接好装置（装置气密性良好），用小火均匀地加热装有混合溶液的大试管 5—10 min。

c. 待试管 B 收集到一定产物后停止加热，撤去试管 B 并用力振荡，然后静置。

d. 分离出乙酸乙酯层、洗涤、干燥。

请根据题目要求回答下列问题：

① 配制该混合溶液的主要操作步骤为____________________，制取乙酸乙酯的化学方程式是____________________，浓硫酸的作用是____________________。

② 上述实验中饱和碳酸钠溶液的作用是（选填字母）（　　）。

A. 中和乙酸和乙醇

B. 中和乙酸并吸收部分乙醇

C. 乙酸乙酯在饱和碳酸钠溶液中的溶解度比在水中更小，有利于分层

D. 加速乙酸乙酯的生成

③ 步骤 c 中所观察到的实验现象是____________________。

评点：这里所设计的三个问题，把乙酸乙酯制取实验的反应原理、主要实验现象及其他一些学生应掌握的重点知识明确、清晰地呈现出来，便于学生思考、理解和记忆。

（2）设计细节问题，对学生容易忽略的内容加以强调

学生在学习化学实验的过程中，常常会忽略一些细节性的问题，如仪器的安装位置、加入溶液的先后顺序、操作过程中的注意事项等，而这些问题恰好又是高考化学试题所经常涉及的。如 2004 年全国理科综合试题有这样一问：“引发铝热反应的实验操作是____________________。”对于这样的问题，教师在平常的教学中会给予提醒，但学生不易引起重视。针对这种情况，教师在进行实验教学时可通过设计一些细节问题，

让学生在思考、解题的过程中加深对这些易忽视内容的印象，从而保持比较长久的记忆。

如在上述例1中，可增设这样三个细节问题：

① 导气管不伸入碳酸钠溶液中的原因是______________________。

② 步骤b中需要小火均匀加热，其主要理由是________________。

③ 分离出乙酸乙酯层后，一般用饱和食盐水和饱和氯化钙溶液洗涤，通过洗涤可除去碳酸钠和乙醇等杂质。为了干燥乙酸乙酯可选用的干燥剂为（选填字母）（　　）。

A. P_2O_5　　B. 无水 Na_2SO_4

C. 碱石灰　　D. NaOH 固体

评点：这里的三个细节问题分别涉及仪器的位置、温度的控制、干燥剂的选择。教师如果在学生学习化学实验时多向他们提出类似的细节问题，加深他们的印象，那么在高考时解答这样的题目对学生而言是轻而易举的。否则，学生在回忆相关知识时就可能只有一个模糊的印象，而不能作出完整的解答。

又如，在对银镜反应实验进行教学时，教师可设计如下细节问题："配制银氨溶液的实验操作是______________"。

（3）设计拓展问题，培养学生灵活运用知识解决问题的能力

学生仅仅具备知识是不够的，还应具备将知识加以灵活运用、举一反三、由此及彼的能力。运用知识解决问题是学生学习知识的真正目标。所以，教师在实验教学的过程中，应有意识地设计一些拓展问题来深化学生对化学实验知识的理解，使他们不是单纯地记住某道题或某一类型题的解法，而是真正掌握知识的本质和规律，从而抓住解决各种问题的方法。只有这样，他们才会具有运用知识去解决问题的能力，哪怕这些问题是他们从未遇到过的。

如在例 1 中，可增设这样一个拓展问题：

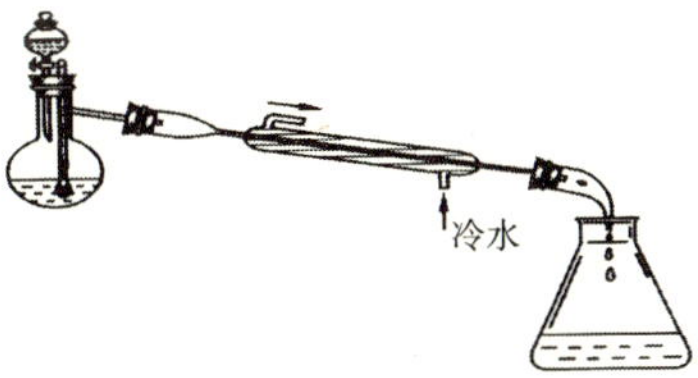

图（2）实验装置

某化学课外小组设计了如图（2）所示的制取乙酸乙酯的装置（图中的铁架台、铁夹、加热装置已略去）。

与图（1）装置相比，图（2）装置的主要优点有______________________。

评点：这是一个开放式问题，要求学生对比图（1）和图（2），仔细观察，并充分展开联想作答。它考查的并不是一个确切的知识点，而是学生在平常的学习中所积累起来的基本实验素养和灵活运用知识的能力。

2. 把握提问策略

其一，应在教学过程的最佳处设疑。因为适当的目标设置能够唤起对象的多种需要如成就需要等，并促使对象产生相应的动机。选择好的设疑时机可以有效地提高教学效果，及时反馈学生信息。教学的最佳处可以是以下几种情况：当学生的思想囿于一个小天地无法“突围”时；当学生疑惑不解，厌倦困顿时；当学生各执己见，莫衷一是时；当学生受旧知识影响无法顺利实现知识迁移时。

其二，应在重点、难点处设疑。教学内容能否成功地传授给学生，很大程度上取决于教师对教学内容重点、难点的把握。在重点、难点的教学上，恰当的设疑能起到事半功倍之效。例如，《摩尔》一节的教学重点之一是“物质的量”这一概念，教师可以在讲授了这一概念后提出如下问题让学生思考：物质的量和物质的质量的区别与联系是什么？又如“电子云”的教学是《核外电子运动状态》一节中的一个难点，学生往往难以理解，教师应在此不断对学生提出问题，耐心讲解问题，以加深学生的印象。对教材中的重点、难点问题的释疑，教师可以充分运用启发诱导的方式进行：可以从联系旧知识入手进行启发；可以增设同类，通过对比进行启发；可以指导读书，让学生进一步深入思考；可以利用直观进行启发。同时，仔细把握教材内在逻辑关系，逐步提问引导也是重要的一环。教学实践已充分证明，启发诱导的教学方法可以有效激活学生思维，发展学生智力。

其三，应在关键处设疑。在关键处设疑不仅能起到对教学内容承上启下的作用，而且能激发并维持学生良好的学习状态。重点、难点是关键处，内容与内容之间的过渡是关键处，一节课上学生最疲劳的时候也是关键处，由于学习内容的抽象性而使学生感到乏味时更是关键处。教师应该在教学过程中用自己敏锐的眼光捕捉学生心灵的信息，巧妙设疑、及时设疑，有效地提高学生的学习兴趣，并在质疑中提高学生分析问题、探究问题、解决问题的能力。

其四，教师在设疑时应注意恰当地组织问题，人为增加问题的不一致性，从而起到激发学生的学习动机的作用。

关于课堂教学中的提问，还应该注意以下几个方面：提问要面向全体，切忌针对个别学生或部分学生；提问要有梯度和深度，切忌问题过大；提问后要留思考时间；提问要因人而异，切忌不切实际；提问时要面带微笑，切忌态度生硬。

（七）地理：审美之径与人文素养的培养

审美化教学理论是以赵伶俐教授为首的西南大学美育研究中心的专家们，历经“七五”“八五”“九五”三个阶段的国家级美育研究课题所提炼总结出的美育研究的最新成果。审美化教学以“以人为本”“和谐为美”为根本指导，其基本要义是“将教学的所有因素（内容、方法、手段、评价等）转化为审美对象，使教学过程转化为美的欣赏、美的表现和美的创造活动，使整个教学成为内在逻辑美和外在形式美高度和谐统一，静态和动态和谐统一的整体，从而大幅度提高教学效率，减轻学习负担，使师生都充分获得身心愉悦及素质全面和谐发展”。审美化教学既是一种崭新的教学思想，也是一种富有创意的教学模式，它为地理素质教育开拓了新视野。

地理学是一门研究人类赖以生存和发展的地理环境以及人类与地理环境的关系的科学。地理教育与提高境界、陶冶情操、规范行为、协调关系等人的发展需求紧密联系在一起。加强地理素质教育，致力于培养人们对美好世界的热爱，对大自然的向往，树立战胜自然、改造自然的信心和决心，致力于发展人的特性、力量和潜能，注重对人生存处境的关注和保护，使人们自信、自尊和理智地对待生存环境，是时代的强烈呼唤。审美化地理教学将在地理素质教育中展示出强大的生命力。

实施审美化地理教学，让知识与技能、过程与方法、情感态度与价值观有机融合，促进学生全面和谐发展。把地理教学的内在逻辑美与外在形式美统一起来，把地理教学的科学美与艺术美统一起来，将原本呆板、枯燥、杂乱、繁杂的各种教学因素与大小过程，转化为有序、简洁、生动、有趣的对象和活动，使师生共同沉浸在教学欣赏、教学表现和教学创造中，获得充分的美感享受及和谐发展进步。把地理课堂呈现的美与千姿百态、鲜活生动的地理世界之美紧密联系起来，让学习者在地理环境美与人地和谐美的追求、探索、创造中获得更多的发展自由。唯有如此，地理才能真正成为“有活力、有作用和有兴趣”的学科，受教育者才能真正成为“活跃而又负责任”的公民，地理课程才能“在政治、社会、道德、人道、审美、环境教育上发挥实质性作用”。

我校教师以参加全国教育科学“十五”规划重点课题“高师地理教育学课程教材审美化设计理论与实验研究”中学段一级子课题“审美化地理教学对学生素质发展影响的实验研究”为契机，在我校试验和推行审美化地理教学，创造性地应用审美化地理教学基本模式，率先在以下几方面进行了探索（图6）。

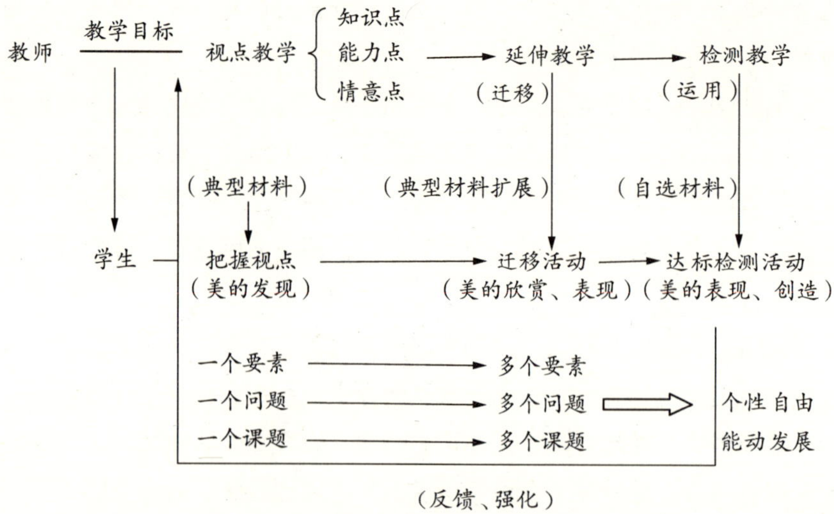

图6　审美化地理教学的基本模式

1. 教学逻辑清晰开阔——逻辑美探索

我们根据地理教学目标和教学内容的知识点、审美点及知识间的逻辑结构来设计和调整每一个教学环节，“使教师的教学推进符合教学内容的内在组织性（顺序、层次、系统）”和“学生接受知识的思维规律”，使我校地理教学呈现出简洁、缜密、雅致和适当自由度等美学特质，从而使教学过程具有清晰、开阔的内在逻辑，体现逻辑美。教师大多具有深厚、系统的地理知识功底，能站在地理教材整体的高度把握各部分知识，揭示各地理要素的内在联系，使教学体现出科学性。

如“我国的水资源”，其知识点为水资源的特点及其利用，知识结构为：

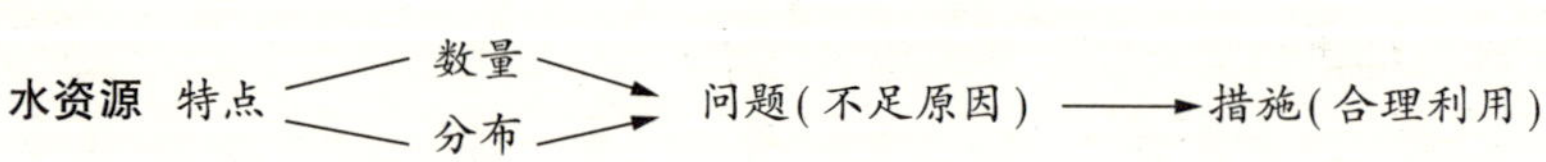

具体教学过程如下。第一，出示一杯水问学生“水有什么用?”（学生从生命、生产、生活等方面谈论），用诗一般的语言（可配精美

图片或视频）小结水资源的重要性，引出知识点。第二，通过引用典型材料（“水的供给”图、“缺水的华北”文、“我国河流流量分布示意图”“中国地形”挂图、“对不稳定的径流进行改造示意图”“节水徽记”“就地取材”漫画、“水资源”录像资料等），创设问题情境并分析我国水资源的特点——数量（绝对量、相对量）和分布（时空分布），提出存在的问题，讨论不足原因和主要措施等，以分析知识点、强化知识点，由点到线、面。第三，通过从学生的实际行动出发［身边（家庭、校园），国内外节约或浪费水资源现象举例，批驳错误论调，谈自己为节水防污染作了哪些贡献等］和适当引用延伸材料（国内外节水防污染等方面的技术改革新动向）来延伸知识点，由面到体。第四，用检测材料（判断题、选择题等）检测知识点。第五，以一段发人深省的话语归纳点拨学生，使师生达成“珍惜水，节约用水，防治水污染，综合利用水资源”的共识，从而培养学生惜水节水防污染的美德，增强保护水资源的责任感，使师生在实践中坚持用“人地协调”的观点去创造美，以回归知识点。还可启发学生联想别的资源状况来扩展知识点。

这样，富含科学探索美、社会美的教学紧紧围绕知识点及由点构成线、面、体等进行，引导学生层层推进、步步提高，从感性认识上升到理性认识，直至达到教学目标。由于教师提高了知识结构化程度，在教学过程中给学生搭好了适合攀登的阶梯，教学成为逻辑美的审美表达或表现，师生共同在轻松愉悦中有效地传授与获得真知，形成逻辑思维能力和逻辑审美能力，使思维得到发展和创造，从而提高了教学质量。

2. 教学节奏富于韵律——节奏美探索

第一，教学的“快节奏”与“慢镜头”交替。“快节奏”，就是在组织教学、复习提问和授课中的背景知识，只需学生了解的内容，以及复习巩固时教学速度宜快，以培养学生快看、快说、快做、快思的习惯，从而加快教学进度，扩大知识容量，加大难度，发展智力，提高学生能力；而在突出教学重点、突破教学难点、把握教学关键处宜采用

"慢镜头"，让学生有时间去梳理输入的信息，以利于大脑的有效储存。

例如，"中国的人口"一节，主要谈了两个大问题，即基本国情（人口数量、分布、比重、华侨华人、增长）和基本国策（实行计划生育），其教学重点是我国人口数量、人口增长过快及带来的问题、"计划生育"的基本国策，教学难点是基本国策中的我国人口政策的基本内容和具体要求。因此，在教学过程中，当谈到我国的人口分布、比重、华侨华人等话题和检测知识点时，可施行快节奏：教师显示直观形象的"我国人口密度图""我国城乡人口比重表"和杨振宁教授的照片，分别快速设问，学生快看，快速思考"我国人口分布特点""城乡人口比重变化及其原因""杨振宁是否为华侨及其原因"等问题并快速回答，教师简单明了地小结，从而加快教学节奏。而谈论我国人口数量、人口增长和基本国策时，教师需要通过各种方法和手段实施教学，施行慢节奏，以突出教学重点、突破教学难点。例如，针对"我国人口增长"，首先，教师显示"我国人口增长图"和播放录像"中国人口史话"，组织学生讨论"我国人口增长特点及其原因"，用激励性语言对学生的回答给予恰当评价并作小结，培养学生独立分析能力。其次，联系实际设问："如果按新中国成立后人口的平均增长速度（约净增 28 人/分钟），上一节课会净增多少人？像我们这样的教学班会增加多少个？"用形象化的数字来说明问题，使学生感受到我国人口增长的势头逼人，并小结我国人口的突出特点（人口基数大、人口增长快）。再次，分组讨论、代表发言："从加快我国现代化建设进程，提高人民生活水平的角度，分析我国人口众多，增长迅速是好事还是坏事？为什么？"教师显示系列照片（附文字说明）并进行分析、讲解、小结，使学生认识到人口的两重性及其对社会经济发展所产生的影响。最后，让学生计算"如果年净增人口约 1200 万人，那么我国哪年人口将达到极限人口数（约 16 亿人）"，让他们明白"一道简单的算术题，却是中华民族的一道难题"，并顺势设问："既然我国人口形势非常严峻，那么如何解决我国的人口问题？"这时可要求学生快速回答，既训练学生直觉思维，又过渡到下一个重点、难点话题"基本国策"。通过科学的快慢节奏掌握，使学、教活动张弛有度，保持良好的学习气氛，达到愉悦中掌握知识、训练技能、树立科学的人口观的目的。

第二，一堂课需有多个不同程度的高潮。高潮指教学中学生的思维与情绪等较为活跃和最为活跃的状态，它就像是往一潭平静的湖水中投进一块石头，激起层层涟漪，使课堂跌宕起伏，便于集中学生的注意力，提高教学效果。心理学指出，中学生注意的稳定时间不长，一般约20 分钟。因此教师在教学中应抓住每一个良好机会，创设教学高潮。形成教学高潮的良机一般有五处，分别是开始处、疑问处、过渡处、重难点处、结尾处。

3. 教学环境舒畅和谐——环境美探索

教学环境指围绕在师生周围的一切现象或因素的总和，包括教学物质（教室大小、布置和教学材料置放等）和教学心理两大环境。这里侧重讨论教学心理环境。

教学心理环境是指在教学过程中影响学生认知效率的师生心理互动（思维、情感、人格、需要、兴趣的相互传递、接受、共鸣等）环境，它是由教师教的心理环境（教学思想和态度、教学信心和风格等）和学生学的心理环境（学习态度、行为规范、组织纪律性、团结协作、尊敬师长、自学互励等方面的表现）构成的，其中，教师教的心理环境是影响学生的认识发展和品行形成的决定因素。舒畅和谐的教学环境有显著的暗示功能，能使学生在自觉不自觉中获得信息支持，感知体验到它的存在，受到它的影响，从而使想象力和创造力得到充分发挥，学习自觉性和坚持性得到增强，学生会乐意接受教师传输的信息，也乐于主动参与到教学活动中。这就要求教师热爱、尊重、信任学生，理解学生的内心世界，以激发学生的自尊心和自信心，在教学过程中以自己的良好威信、丰富知识和积极情感感染学生，以有情有趣的教学活动唤起学生的积极情感，激发学生的学习兴趣，以难易适度的教学内容、循序渐进的问题情境、富有激励性的评价语言，使学生体验到“跳一跳，够得着”和获得成功的喜悦心情，形成情感互动、沟通交流的融洽关系，最终形成舒畅和谐的教学心理环境。

[案例]

可持续发展

一、教学目标

（一）学科目标

1. 知识目标

（1）能说出环境问题与人地关系思想发展的历史演变。

（2）能理解可持续发展的概念、原则，理解可持续发展是解决环境问题的根本途径。

（3）能结合实例，理解可持续发展目标的实现途径。

2. 能力目标

（1）能通过阅读教材，培养提取重点知识、分析知识内在联系的能力。

（2）能读图和分析材料，提高认识图、分析图、灵活用图以及分析问题和解决问题的能力。

（3）能举例说明如何实现人类与环境的可持续发展，培养联系实际进行综合分析的能力。

3. 情感态度与价值观目标

培养、树立科学的可持续发展观以及全球合作意识、国际意识和参与意识，培养人文精神，能努力规范自己的行为，培养对环境负责的行为。

（二）同步目标

能主动地用可持续发展的观点审视美的地理事物，能运用所学地理知识解释美的地理事物的内在成因、联系和规律，并用语言、图示正确表达，给人以美的感受，能在实践中坚持用可持续发展的观点去创造美。

二、教学内容

视点：可持续发展

可持续发展：既满足当代人的需求又不损害子孙后代满足其需求能力的发展

关键词：满足　当代需求　后代需求

三、重点难点

教学重点：可持续发展的概念、原则，可持续发展是解决环境问题的根本途径

教学难点：可持续发展的基本原则和可持续发展复合系统

四、教学材料

典型材料："长寿湖养鱼事件""春回莱茵河"……

延伸材料："一个人和一条法规"录像、实物（如自制布袋等）……

五、教学过程

［**引出视点**］

首先，教师利用软件播放环保歌曲（配上表现环境问题的移动插图），并设问："歌中唱到'能不能把碧绿还给大地，把蔚蓝还给海洋，把透明还给天空'，为什么要这样唱呢?"使学生在欣赏美的歌曲、感受铁的事实的同时联想到地球上出现的一系列环境问题。其次，教师小结并深化问题，引出视点："关于'环境问题的表现与分布'，其'产生的主要原因'是什么？我们已经学习和探讨了……从这节课起，我们共同来探讨一下，我们到底能不能实现歌中所唱的愿望？怎样才能解决全球性的环境和发展问题？其根本途径是什么？……"（软件显示："可持续发展"）给学生创设一个艺术氛围、问题情境，激发他们的思想情感世界，披情以入课。

［**分析视点**］

活动："捕鱼"

规则：

(1) 每五人为一个大组，其中一人为计时、计分员，每大组分为两个小组（每小组两人)，两个小组在同一片“海域”捕鱼，每片“海域”共有12条鱼。

(2) 捕鱼比赛共进行三轮，每轮比赛时间为10秒钟。

(3) 每轮赛后，“海域”中剩下多少鱼就补充多少鱼。但是最多一次只能补充12条。

(4) 每捕获一条鱼计1分；每轮赛后“海域”中剩下的鱼和补充的鱼每条计1分，为两组共有。

(5) 下一轮“海域”的鱼数为：上一轮剩下的鱼和补充的鱼之和，不高于12条，如其和超过12条，也只能为12条。

(6) 比赛结束时，按大组统计，以总分高者为获胜队。

工具：花生（鱼)

记录：(以上课记录的数据作为参考)

	A组		B组		C组		D组		E组	
	1	2	1	2	1	2	1	2	1	2
第一轮	5+3	4+3	0+6	0+6	3+6	3+6	2+6	4+6	5+0	7+0
第二轮	2+0	4+0	0+6	0+6	3+6	3+6	1+6	5+6	0+0	0+0
第三轮	0+0	0+0	0+6	0+6	3+6	3+6	4+6	2+6	0+0	0+0
总分	21		36		54		54		12	

思考并回答问题：参与活动的哪个小组得分最高?（请其介绍捕鱼经验）为什么要在每轮活动之后新增补与所剩下的鱼数量一致的鱼？这与自然条件中的什么现象比较相似?

各小组讨论后回答：你认为最好的捕鱼策略是什么？如果你所在的海域里的鱼被捕完了，你希望你的下一代靠什么去生活?

引申问题：什么是可持续发展?

1. 可持续发展的概念

学生齐读可持续发展的概念，并以本市长寿湖养鱼事件为例展开分析，让学生领悟其核心和目标等，以加深印象、突出重点。

2. 可持续发展的由来（环境问题与人地关系思想发展的历史演变）

(1) 引导发现：由复习“环境问题的产生”提出问题——“环境问题的历史演变过程是怎样的?”“人类对人地关系的认识与环境问题有关吗?”等，引入话题。

(2) 指导探究与评价方案：展示“人类文明的演进”图（软件显示）及“可能对环境造成破坏的人类活动”，引导学生观察、想象，分析归纳四个文明时期人口增长的速度及其原因、人地关系特点、人类对人地关系的认识和环境问题的程度，并将有关内容依次投影在表格中(表格内容见板书设计)，以培养学生的读图能力、分析归纳能力等。

然后启发设问：人与自然关系失调的根源在哪儿? 环境问题如何解决，取决于谁? 怎么办? 以引导学生进一步发现问题、分析问题、提出方案，认识到人类应该把大自然看做人类生命的源泉和价值的源泉，尊重自然、善待自然，与自然和谐发展、协调共生……从而使教学形成一个高潮。

(3) 总结优化：教师点评学生提出的方案并加以小结。例如：“……环境问题产生于人类的生产和生活活动，与人地关系一样，随着社会生产力的发展而发展，发展是人类永恒的主题。一部人类史，就是人类不断适应自然、认识自然、利用自然、改造自然、协调自然的演变史。人类在不同岗位、从不同角度提出了闪烁智慧光辉的真知灼见，对人地关系的研究逐步走向系统化和科学化，提出了可持续发展理论。”从而使学生认识到走可持续发展道路的必然性和紧迫性，可持续发展思想来之不易，值得珍惜并应贯彻实施。

3. 可持续发展的基本原则

通过学生阅读课文，指导学生分析“捕鱼”活动的结果（以上表数据为例）和案例——“春回莱茵河”，思考问题“人类行为是否遵循了实现可持续发展的基本原则”，并说明理由来理解基本原则。教师抓住每个原则的本质内容进行补充，使学生从感性认识上升到理性认识，加深对基本原则的理解。例如：公平性原则的核心内容是共享资源和环境；持续性原则指的是资源和环境的永续利用，其前提是必须保持在资源和环境的承载能力之内；共同性原则的核心内容是解决全球性环境问题要实现全球整体的协调，进行国际合作，以及为尊重各国主权和利益，可制定各国都可以接受的全球性目标和政策。然后通过练习（软件显示）培养学生发现问题、解决问题的能力，从而形成又一个教学高潮。

练习如下："判断以下行为、主张和观点，哪些符合可持续发展的基本原则：①发达国家的大量工业垃圾和生活垃圾向发展中国家转移；②竭泽而渔，岂不得鱼，而明年无鱼；③发达国家与发展中国家在保护全球环境中具有相同的责任和义务；④美国放弃实施《京都议定书》所规定的义务；⑤盛世滋丁，永不加赋；⑥解决全球性气候变暖、酸雨蔓延等跨国界问题必须进行国际合作；⑦建立野生动植物保护区；⑧子孙后代共享资源与环境。"

师生共同重点分析第③、第④两个易错问题，明确发达国家在保护全球环境中应承担主要责任和义务，强调目前国际合作已取得了成就，但存在的问题具有复杂性，以引导学生关注国际合作的动态和发展。

4. 可持续发展的三个方面

可持续发展包括生态、经济、社会系统的可持续发展三个方面，它们相互联系、相互制约，共同组成复合系统。"可持续发展复合系统"是教学难点。首先以钢铁工业生产系统的可持续发展模式为例，引导学生分析生态、经济、社会三大系统的可持续发展的关系（软件动态显示），其次通过学生讨论、代表发言和教师补充来启发学生理解生态可持续发展是基础、经济可持续发展是条件、社会可持续发展是目的，并说明各自强调的作用，以使学生从感性认识上升到理性认识，突破教学难点。另外，关于各个领域的可持续发展，在教学中可根据实际情况请学生谈，以训练学生的发散思维。

〈承转〉"在可持续发展复合系统中，谁处于核心地位？我们怎样才能实现可持续发展的目标？"

［**强化视点**］

可持续发展由观念走向实践

这部分内容，师生可通过例举发生在身边的真人真事，谈感想，大胆设想和讨论等，发现问题、分析问题、解决问题，以激活学生的思维，培养他们的能力、创新精神和参与意识，促使他们完成由知识到观念、能力和行为的转化。

1. 引导发现

展示一组材料，创设情境。①“包装”（录像）；②“重庆沙坪坝凉风垭垃圾填埋场”（这是一个高中地理研究性学习课题的考查点），边显示图片边介绍情况；③“一个人和一条法规——吴登明”（录像），让学生谈感想，发现问题，引出“由观念走向实践”的话题，使学生认识到实现可持续发展的目标意味着一场深刻的变革，是思想观念和行为方式的变革。而实施这些变革的必要条件就是公众认识、愿意接受并积极参与。

2. 指导探究与评价方案

（1）角色扮演并分组讨论：结合课文和刚才展示的那组材料讨论，“假如我是一个厂长，假如我是……我会如何使可持续发展得以实现”。

通过学生的角色扮演、讨论、代表发言和教师点评，引入对“清洁生产”的探讨。清洁生产是工业生产发展的主要方向，积极推行清洁生产是实现可持续发展战略的必然选择。关于清洁生产，只要讲清以下两点即可，即清洁生产是一种可持续的生产，清洁生产的概念具有相对性，是与现行的技术和产品相比较而言的，推行清洁生产本身就是一个不断完善的过程。

教师可利用“清洁生产产品生命周期示意图”（软件显示）让学生看出“评估产品对环境的影响，传统方法与现代方法的不同点，并根据此图概括出清洁生产产品的全过程，即原料开采—生产制造—消费使用—废物处理”。以本市火电厂等如何搞好清洁生产为例加以说明，并强调推行清洁生产的重要意义，以加深认识与理解，培养学生的观察能力、归纳能力和理解能力。

（2）议论：作为中学生，在日常生活中如何把可持续发展落到实处？反思自己的哪些主张、行为不符合可持续发展？个人、班级等可作出哪些努力？还存在哪些不利因素需学校、政府采取哪些措施？……以此来培养学生的综合思维、综合判断能力及创新精神和参与意识，形成对环境负责的自觉行动，从而再次形成教学高潮。其间，教师可展示实物让学生登台选购，并说明理由，以引导学生自己选购或向别人宣传带环境标志的产品，从我做起，从现在做起，从点滴小事做起。

3. 总结优化

例如，“我们只有建立起实现可持续发展的世界观，进而用符合可持续发展的方法来改变我们的生产、生活方式，才能使可持续发展从观念走向实践！而在座的各位是未来的建设者，没有你们的参与，实现可持续发展是不可能的。因此，掌握可持续发展的理论，并能用理论解决实际问题以适应未来发展的需要，是摆在同学们面前的神圣的责任。”以此来提醒学生明确自己的职责，培养他们的责任心和使命感。

［**回归视点**］

用软件播放音乐，深情地说：“总之，解决全球环境问题的根本途径是什么？（走可持续发展道路）实施可持续发展战略是人类的明智之举。尽管人类发展经济、保护环境的道路还很漫长，还会遇到种种一时无法解决的难题，但是我们相信，坚定不移地走可持续发展道路会功在当代利在千秋。未来世界将人地和谐，子孙后代的生活会更加美好。”

［**作业设计**］

请每位同学做三件以上符合可持续发展思想的实事。

［**板书设计**］

可持续发展

一、历史渊源（环境问题与人地关系思想发展的历史演变）

人类文明时期	**采猎文明时期**	**农业文明时期**	**工业文明时期**	**新技术文明时期**
人口增长	缓慢———————————————————→迅速			
生产力发展	极低———————————————————→空前提高			
不同的认识	崇拜自然——→	改造自然——→	征服自然——→	协调自然
人地关系特点	恐惧依赖——→	对抗性增强——→	矛盾激化——→	谋求协调
环境问题	轻微——————→	严重——————→		日益突出

二、概念·原则

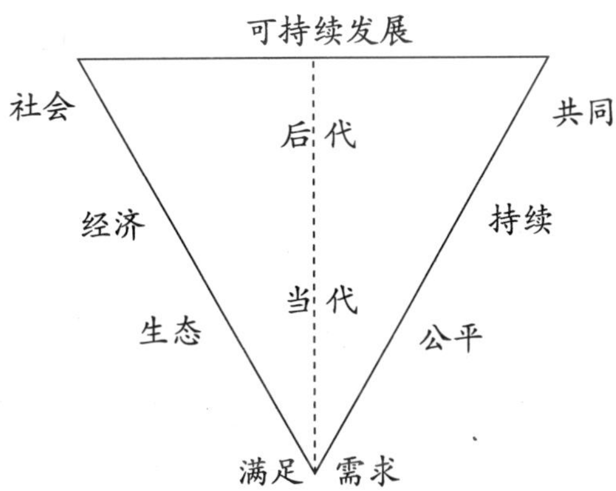

三、观念 ——————→	实践
思想观念、行为方式的变革	公众参与　清洁生产
（世界观、价值观、道德观）	选购带环境标志的产品
	（生产、生活方式）

评点：本案例以审美为立足点切入地理课堂，开启了利用非智力因素进一步保障与激发学生智力因素发展的教学新阶段，更为深层的是，非智力因素本身就是学生这一生命体不可缺少的组成部分之一，所以非

智力因素本身便构成了发展的范畴。从这一点来分析，在地理课堂上重视审美，不仅仅有教学方法论层面的创新意义，还有本体论的意义。教学艺术化的追求是永无止境的，审美化地理教学是对教学艺术化卓有成效的探索之一。美是人类的高层次需求，课堂教学审美化既实现了既定教学目标，又拓宽了教学的境界与视野，使教学过程不单纯是知识和智力的掌握与训练，还体现了美的艺术价值，对学生的情感、态度产生积极的影响，有利于学生形成科学的价值观以及促进学生积极行动起来，从而培养学生的人文素养，使学生不再将学习当做一件苦差事。教学的美化将大大提高学生学习的兴趣和激发学生的热情，使学习过程更加愉快和美妙，其学习效率和效果都是令人信服的。

第五章 塑造学生主体性人格的德育系统

主体性人格，是指人作为主体所表现出来的本质特征和独特的个性品质。其基本品质表现为独立性、能动性、选择性、自主性和创造性。

我校自1931年建校以来，经历了民族的动荡，改革的契机，重庆直辖的机遇，我校的德育工作与时代同呼吸。但无论是在哪一个时代，我们都努力将“人”的培育放在第一位。我校自建校以来，一直致力于把学生培养成具有自主、自律、能动和创新等品质的优秀的社会主体。

近年来，在发展性教育的指导下，针对中学教育中普遍存在的重“考分”忽视学生全面发展、重课堂教学忽视社会实践以及重知识灌输忽视能力培养的问题，重庆一中通过多种多样的德育手段，大力实施德育素质培育和年段目标管理，开展序列化的德育活动，塑造学生主体性人格。

一、走向塑造学生主体性人格的德育工作历程

（一）民族动荡时期，爱国思想、民主意识和社会责任感的培养

重庆一中的前身重庆市市立中学校1931年建立时，是一所以招收平民家庭子女为主的学校。在那个动乱的年代，处于社会底层的普通平民深受各种反动势力的压迫和剥削，他们对国家破碎、民族危亡、社会黑暗、官僚腐败、百姓苦难深有体会，因而他们具有强烈的改变社会与自己命运的愿望和朴素的革命精神。在抗日战争时期，许多沦陷区的难民子女也在重庆一中就读。中国传统文化中关于“国家兴亡，匹夫有责”的思想对他们有着巨大的影响，爱国意识和社会责任感在师生身上表现得尤为突出。在上述诸多因素影响下，学校逐渐形成了革命主义和民主主义的风气。

新中国成立前，重庆一中的德育受陶行知先生的“生活教育”思想影响，提出“我们深信，教育即生活，生活是教育的中心”，规定了

训育的目标，即尊重、信实、忠诚、互助、友爱、谦恭、快乐、节俭、勇敢等。训育的主要内容包括实施导师制、实施童军训练、实施新生活教育和课外活动四大部分。其中，导师制规定，每级设级导师一人，由任课教员担任，注重个别谈话及团体活动。童军训练规定：高中实施军训，每周上课三小时，并实施军事管理；初中实施童训，每周上课两小时，并实施童军管理。新生活方面，切实督导学生注意整、洁、简等，并于日常生活中充分表现礼义廉耻之精神。课外活动方面，注重课外运动、歌咏、器乐之训练，鼓励学生发行壁报，举行各种学艺竞赛，指导学生利用假期从事社会服务。

建校时，学校就注意广纳各方贤才，学校的校长、许多教师和职员都是毕业于当时中国为数不多的几所正规大学或留洋归来的学生，受“五四”新文化运动民主、科学思想的影响，学校教师在教学中不光传授文化知识，还介绍西方先进文化和现代进步思想，开阔了学生的眼界。1937 年，抗日战争爆发，作为战时首都的重庆，云集了大量来自北京、上海等文化发达地区的左翼进步知识分子和社会知名人士。许多著名民主人士都曾到校作讲演。当时在中国共产党南方局和八路军驻渝办事处工作的周恩来、叶剑英等都曾到校给师生介绍抗战形势，宣传共产党的敌后抗日工作，使大家了解到抗日根据地和民主政府的情况，促进了马列主义革命思想的传播，促进了师生对未来新的民主社会的理解。

重庆一中有着不可磨灭的光荣校史，在中国革命战争年代的反抗斗争中留下了浓墨重彩的一笔。抗日战争和解放战争时期，重庆一中作为重庆市中等学校爱国主义学生运动的领头人，作为学生运动的策源地，学生关注国家的前途和命运，自发组成许多学生政治社团，其中著名的如“六一社”等就是中共地下党领导的革命外围组织，在重庆历次学潮运动中起到了先锋模范作用。当时师生中的地下党员和新青社（新民主主义青年社）员较多，师生的爱国主义和革命精神非常强烈，学校涌现出了像李承林、胡作霖等反抗压迫、不畏牺牲的革命烈士。

特别是在 1949 年“四·二一”反饥饿、反独裁、争民主、争自由的学生运动中，重庆一中成为重庆市学生运动的先锋和旗帜，因而学校被反动政府解散。学校校长与200余名师生被抓进监狱，在这场斗争中充分展示了师生的革命精神、牺牲精神和爱国精神。新中国成立以后，为了继承和发扬这种精神，学校把每年的4月21日定为校庆日，把爱国主义教育作为革命传统教育和政治思想教育的主题，把培养学生的爱国思想、民主意识和社会责任感，以及敢于创新、勇于牺牲，坚持真理和乐于奉献的精神作为德育的重点。

（二）全面建设社会主义时期，培养学生的劳动习惯和对劳动人民的感情

1950年，原有的重庆市市立一中与市立二中合并，在沙坪坝择址重建。重庆市人民政府提出将新的重庆一中办成劳苦大众和工农子弟自己的学校，办成重庆市最好的学校的奋斗目标。

刚结束战乱的祖国到处满目疮痍，百废待兴，国家建设财力紧张，师生生活清苦，但他们仍然积极响应党和国家的号召，一边努力学习，一边积极参加建校劳动。每天课后搬运砖瓦，植树铺路，填挖操场，学校把建校劳动作为师生向工农学习，培养学生的劳动习惯和对劳动人民感情的形式。学校还组织学生参加各种管理活动，如成立学校文明监督岗，开展高中班级与初中班级结对互帮活动，学生干部参加学校食堂监厨等。

团委会和学生会组织了各种科技、文化、艺体社团，其中著名的有鲁迅文学社、米丘林园艺小组、布谷鸟合唱团等，坚持每周开展兴趣小组活动。同时学校每年还要组织春季田径运动会、“四·二一”纪念活动、红五月歌咏比赛、元旦主题班会、工农业战线上的英模和毕业校友报告会等活动，逐渐形成了学校的传统文化特色，学生干部的能力和学生的综合素质也得到了锻炼。

20世纪60年代中期到70年代中期，国家陷入动乱。重庆一中在这种特殊的环境下艰难办学，依然坚持履行自己的社会责任，坚持对未成年学生的教育管理，坚持开展正面思想教育，让学生分清是非善恶，坚

持开展建校劳动，坚持开展积极健康的艺体活动等。当时学校在歌乐山建立了分校，组织学生参加学农劳动，学校文艺宣传队和篮球队等学生组织在重庆市的学生中有较大影响。学校注重促进学生成长发展，在维护社会稳定，传续人类文明薪火方面发挥了积极作用。

（三）改革发展时期，大力实施德育素质培育和年段目标管理

粉碎“四人帮”以后，国家在包括教育战线在内的各个领域开始了全面的拨乱反正。尤其是改革开放以后，国家对知识分子的需求达到了空前的程度。面对人才的断档，国家对教育提出了多出人才、快出人才、出好人才的呼唤，邓小平提出“知识分子是工人阶级的一部分”，为广大知识分子正了名，使教师青春焕发。他们迫切希望通过努力学习和工作，弥补十年“文革”给国家和自己带来的损失。

为满足社会的需要，学校班级数量由原来一个年级 4 个班的编制逐步扩大为 6 个班、8 个班，进而增加到 10 个班，同一年级的班级数量变化带来了学校管理模式的改变。加之重庆一中又是以高中寄宿制为主的学校，学生每周有 6 天时间主要是与老师和同学朝夕相处，因此，让学生学会生活自立和自理，学会与人相处和交往，学会求知与自学显得尤其重要。怎样加强和改进学校德育工作成为学校思考的主要问题。面对新的德育形势和问题的挑战，重庆一中开始积极探索新时期德育创新之路。

在时任校长滕志成的领导下，重庆一中结合《中学生守则》《中学生日常行为规范》和《中学德育大纲》，提出“德育为首，教学为主，全面育人”的要求，通过开展“中学生德育素质培育和年段目标管理”的教育研究，探索落实《中学生守则》《中学生日常行为规范》和《中学德育大纲》提出的德育目标的方法和途径。学校为此制定了实验方案，按照全面、定向、有序、有格的德育原则，设计了年段素质的总目标和各年级段的德育分目标，并按照相关要求制定子目标。将学生的全面素质发展评价细化为思想、行为、学习、劳动、纪律、个性心理等多个方面的内容，同时制定对年级、班级以及学生素质发展水平评价的

16 个标准，使素质目标的实施能够通过量化标准来体现。做到导有格可依，学有格可循，考有格可据。按照这些评价标准，对学生个人、班级进行发展评价并使之量化，保证了方案的贯彻实施。

重庆一中的德育工作在建立完善的学习制度，营造和谐的学习氛围方面，在促进学生非智力因素的发展方面，在帮助学生树立明确的学习目标，发扬勤奋刻苦的奋斗精神，培养百折不挠的意志品质方面，都发挥了积极的促进和整合作用。20 世纪 80 年代，学校提出了“为中华崛起而努力读书”和“勤奋学习，报效祖国”的口号，激励大家拼搏进取。

除此以外，学校还建立起“年级组与教研组并重，管理上以年级组为主，实行年段目标管理”的管理体制，以保证这些评价标准能够在日常工作中得以有效实施。同时按既定目标和素质培养的序列，组织学生进行循序渐进的日常行为规范训练。学生素质培养及年段管理的关键在于增强学生的自我管理意识，培养学生的主动参与意识，提高学生的自主发展能力，发挥学生干部的制约作用与平衡作用。

（四）21 世纪以来，勇于走在时代的前列，呼唤主体性人格

步入 21 世纪，主体教育的思想越来越受到教育界的重视，也成为我国实施素质教育的核心问题。主体教育尊重学生主体地位的思想、促进学生个性自由充分发展的思想，使素质有了一个较高的目标定位。

2001 年，结合对恢复高考以来重庆一中教育教学工作的重新审视，结合主体教育的思想，我们第一次明确地提出发展性的教育理念。我们认为：人的发展是教育基本的出发点和归属，实现人的价值是教育的最高境界，促进人的全面、协调和可持续发展是教育的最终目标；一切教育活动都是基于人、为了人、服务人、发展人；培育和完善学生的主体性，使之成为时代需要的社会活动的主体，应该是教育的根本目的。

随着发展性教育思想的深入人心，教职员工对发展性教育思想的理解进一步加深，在继承与发扬传统德育优势的基础上，学习和借鉴国外现代德育好的做法，重庆一中的德育工作呈现出多元化、立体化、多样

化的特点，逐渐形成了新的德育风格。学校着力加强德育的研究和创新。坚持德育要工作适应青少年特点，增强吸引力和感染力。根据未成年人的身心特点、成长规律和接受能力，坚持贴近实际、贴近生活、贴近未成年人的原则，采取深入浅出、寓教于乐、喜闻乐见、循序渐进的形式，多用疏导、参与、讨论的方法，提高德育工作的主动性、针对性和实效性。

学校在德育的要求上更加注重从全员、全程、全面三方面落实德育工作。即：让学校全体教职员工都明确自己是教育工作者，通过自己的教书育人、服务育人、管理育人活动，去促进学生的发展；德育要研究学生在不同发展过程中的进退变化，及时采取措施给予积极引导；对学生的思想、行为、作风、安全等方面的问题都承担着教育、保护、帮助的责任。

学校在德育的途径上更加注重文化育人，通过如下三个方面打造健康、和谐、温馨的校园生态环境。即：通过建设校园，绿化、美化、净化校园的自然环境；通过建设尊师亭、烈士墓、校史陈列室等景点，布置古今中外名人的画像、雕塑、标语等，营造德育的人文环境；通过科学严明的制度管理，建立师生间彼此关爱、尊重、理解、支持的氛围，营造积极向上的学风、教风和学风，形成良好的尊师爱生的人际环境。

学校在德育的内容上更加注重教材资源开发，深入发掘、发现、发展活动和课程中的德育资源。即：在学科教学中，积极发挥教学用书的德育功能，充分用好国家教材、地方教材、校本教材等文字教材；精心设计和组织各种教育活动，让学生在校园生活中自主学习，用好德育的生活教材；利用家庭、社会德育资源组织教育活动，特别是近年来开展的初中综合实践课程与高中的研究性学习，通过阅读“无字之书”，学习体会鲜活的实践教材。

学校在德育的手段上更加注重现代技术的使用，通过如下三种方式提高德育的效能。即：充分利用现代化计算机，建设德育信息资源库；利用现代化宽带信息网络和网络技术，搭建进行“德育延伸”的教育平台；利用计算机处理技术和多媒体整合技术进行信息加工，编制出各种内容丰富、形象直观、真实可信的德育课程材料，提高德育的效果。

学校在德育的方法上更加注重教育者的人文精神、民主思想和科学方法提升。即：以自己在工作、学习、生活中的行为为学生树立榜样，展示优良的师德风范和以身作则、言传身教的榜样示范艺术；善于紧扣生活、联系社会、结合实际开展德育，通过捕捉契机、创设情境、启思激趣、寓教于乐等形式的实践感悟艺术；从“以人为本”的思想出发，关爱、亲近和尊重每一个学生，建立民主、和谐、平等的师生关系；通过情感教育、愉快教育、希望教育、主体教育、成功教育等方法，掌握德育的心理对话和沟通艺术。

学校在德育的架构上更加注重教育网络的构建和三支队伍建设。即：以学校党政工团为核心，建设特别能战斗、特别能奉献、特别能吃苦的班主任队伍；建设以家长委员会为核心，由关心学校建设和子女发展的学生家长组成的德育同盟军队伍；建设以关心下一代工作委员会为核心，吸收社会各界和毕业校友中的有志之士、有识之士、有能之士、有为之士以及“五老”（老干部、老战士、老专家、老教师、老模范）担任学校的编外教师，组成德育的后备军队伍。

学校在德育的目标上更加注重学生心理性格、思想品德、行为能力三方面的综合素质的发展。即：通过引入生命教育、成功教育、和谐教育、生存教育、磨难教育等教育形式，促进学生知、情、行、意协调发展，形成健全的人格；通过是非辨析、生活感悟、行为训练、实践锻炼等教育方式，提升学生的公民素质；通过组织德育序列教育活动、兴趣特长活动、学生社团活动、生活反思体验活动等，培养学生“民主之思想，自由之精神”，使之形成自我学习、自我教育、自我发展的能力。

二、追求主体性人格成长的德育价值取向

教育过程中，教育者是教育的主导力量，是教育活动的先行者与设计者，而学生则是学习的主体，学生的品质和能力的发展是一切教育活动的出发点与归宿，有了学生的参与和活动，才算真正实现了教育的目

的。因此在教育活动中，使学生具有主体的思想意识，提高学生的主体能力，培养学生的主体精神，是促进学生品质和能力发展的重要一环。

（一）人人参与，激发学生的主体意识

主体意识是一个人走向独立、接触社会时逐渐形成的重要的自我意识。从中学生的心理特点来看，他们一般喜欢模仿、学习成人世界的社会生活方式。中学生希望独立面对身边的事物，渴望参加社会活动，而模仿成人处理问题是主体意识萌芽的标志。因而引导和鼓励学生主动参与、组织班级活动，是激发与培养学生的主体意识、锻炼学生的主体能力的重要手段。通过班集体、社团活动、主题教育活动激发学生的主体意识并促进中学生主体意识的成长，是道德教育的重要目标和任务。教师应将重心放在引导和关注上，让学生通过自主寻找、自主选择的过程，接受自主实践的磨炼，从而激发潜能，增强自主发展能力。

例如，班干部的培养就是促进学生主体意识发展的重要途径。班集体是全班学生的组织，班干部是班级内学生中的领导核心。新生入学之初新班级刚建立时，班主任就要求所有的学生思考："我能为集体做些什么?"在临时组建的班级的管理工作中，每个学生都要参加服务与管理工作。班干部队伍相对稳定又不断变化，即临时安排的班长、科代表、寝室长相对固定，便于学校管理部门和任课教师联系工作，而值日班长（每天一换）、值周组长（每周一换）由全班学生按学号轮流担任，班级宣传、劳动、文体委员（每事一换）则是自荐上岗。他们按要求分别负责组织当天的班级活动，安排当天的清洁扫除，组织当天的"两操"检查和课外活动，完成当天学校或老师布置的各项工作，并对当天的班级学习生活情况进行总结。这种巧妙的班级工作安排方式，使每个学生都有了表现自我、锻炼能力的机会。每个学生都开始认识自身的价值，找到自己在集体中的位置，在管理与被管理的过程中学生们加强了彼此的联系、理解与沟通。同时，全班学生也有了观察、了解彼此的思想水平和工作能力的机会。这期间，班主任教师不断地宣传现代青年应有的主体意识、参与意识、竞争意识，进一步强化学生的主人翁责

任感。

在经过两个月以上的“试用期”之后，班级再进行由学生自行组织的民主选举，候选人自荐报名，自己公布竞选资料，介绍个人特长与班级工作机会，然后组织班级内的竞选讲演与公开的投票选举。班级内干部选拔时，鼓励每个学生上台竞选，展示自己的风采，激发学生主动参与的主体意识。全班学生都有机会参加竞选，公开、平等地竞争，班上所有的学生都具有同等的机会。以后每一学年都要进行一次干部自荐选举，给更多的学生锻炼发展的机会。正是在这种民主、自主的传统中，每年的学生干部民主自荐选举都能成功进行。到期末时，学生干部要接受同学们公开的考核，看是否能得到大多数同学的认可，考核时避免教师个人的主观偏见。班干部民主选举产生的方式，一方面增强了学生建设班集体的热情，增强了学生关心热爱集体，学会承担社会责任，发现自身价值，挖掘自身潜能的意识，另一方面，通过竞选的方式，学生们也增强了对自我主体性的认识，强化了在社会生活中的竞争、参与、民主等现代观念。

（二）规范管理，塑造学生的主体行为

学校每年都会开展以中学生良好行为习惯的养成为中心的文明礼仪教育，目的是把学生培养成道德文明、行为习惯良好的“四有”新人。校团委、学生处等教育行政部门从规范学生的行为习惯入手，培养学生良好的道德品质和文明行为，引导学生主动遵守“爱国守法、明礼诚信、团结友善、勤俭自强、敬业奉献”的基本道德规范，学会做人，处理好人与人之间的关系，具有文明生活的基本素养。学校开展了不留长发、不穿奇装异服、不戴耳环项链的教育，进一步净化了校风；通过教室布置设计、寝室日常纪律与卫生检查、校园公共区清洁扫除评比等形式，培养学生良好的行为习惯，创造良好的学习生活环境。

习惯磨砺性格，性格决定命运。好习惯可以成就一生，坏习惯可以毁掉一生。对于学生行为的养成，首先是生活习惯的养成——仪表、着装、作息规律、寝室规范等，教师要天天检查。要求寝室实行“六个

一”，即毛巾、口杯、碗筷、桶盆、被子、鞋子摆放成一条线。其次是学习习惯的养成——课前准备、预习；课堂专心听讲，做到耳听、眼看、脑想、嘴答、手写；课后整理笔记、复习、独立完成作业。尤其是初一年级，这是养成良好习惯的关键阶段，“细节决定成败”。一方面要培养学生的学习兴趣，另一方面要培养学习、生活习惯，在学到知识的同时学会做人的道理。寝室管理中，坚持班主任每周至少查两次寝室的管理制度，加强学生安全教育，应对突发事件，建设和谐校园。通过新生入学军训，结合学校“五要五不要”等规定的学习，制定各班相应的规章制度。开展日常文明、礼貌用语和良好行为训练，让学生达到行知统一，实现从认知到行为的转化。下面是学校一系列学生日常行为规范中的一个例子。

重庆一中学生自我教育一日常规

一、按时起床，认真打扫宿舍（房间）卫生，整理内务，穿戴整洁，仪表端庄，准时上学。

二、明确新的一天的要求和打算，振作精神，投入学习和生活。

三、遵守公共次序，乘车主动让座，不争抢座位。

四、爱惜和节约粮食，不抛撒饭菜；食堂用餐，自觉排队，不插队拥挤。

五、遵守课堂纪律，同学有违纪行为，真诚劝阻。独立完成各科作业，不抄袭他人作业。

六、关心时事政治，坚持读报，听广播，了解国际国内大事，学习英雄模范人物事迹，积极参加学校的各项教育活动。

七、和同学友好相处，主动关心帮助同学；同学间发生矛盾纠纷，主动劝解；自己有错，多作自我批评，不文过饰非。自觉向身边的好人好事学习，积极完成集体交给的工作任务。

八、认真接受老师的批评教育，努力改正老师、同学指出的缺点，有思想问题，主动找老师交换意见。

九、严格遵守学校各项规章制度，按时就寝，保持宿舍安静。特别注意爱护学校环境，爱护公共财物，不抽烟、喝酒，不进“三室”“两厅”。

十、及时总结一天收获，反省自己的不足，养成写日记、周记的习惯。

只有在自我意识控制下实施的自觉行为才是真正的主体行为。引导学生的主体行为的一个重要举措，就是让学生参与班级制度的制定过程。在制定班规制度之前，班主任老师首先组织全班学生认真学习、讨论《中学生守则》《中学生日常行为规范》和学校的奖惩条例与规章制度，促使学生深入了解和思考社会规范对个人的行为要求，增强学生的主体观念。具体制定班级制度时，由班委领头先确定班规的范围，如学习、纪律、清洁、活动等。然后要求同学们提出相应的意见和建议，包括哪些该做、哪些不该做、应该怎么做以及奖惩性（做了以后的结果）等内容。班主任、班干部、学生代表共同组成“立法小组”，全班分成几个小组，由小组长收集、汇总同学们的修改意见，然后由“立法小组”归纳整理，写出草案。草案先试行一周或半个月，让全体学生充分酝酿研究，再经“立法小组”修订后，交班级大会通过后正式执行。让学生自己讨论、制定班规的活动形式，一方面能够更好地让学生了解国家立法的原则和过程，加强学生对制度的理解和思考，加强学生的自律观念，另一方面可以增强学生的民主法纪意识，加深对社会规范的理解，学会对自己进行自我约束、自我教育、自我管理，引导学生的主体行为。

培养学生的主体行为关键是要发挥学生的自我教育作用，培养学生强烈的参与意识。有了制度就要敢于放手让学生进行自我管理，班主任只需要引导和关注学生的自主管理工作。除了由班干部每天行使正常管理职责外，还应由各小组选出的代表轮流担任班级监督岗工作，其主要职责是对每位同学在学习、纪律、清洁、“两操”等方面遵守制度的情况进行检查、纠正、评价、考核。学校主要采取评价打分的方式，将每个学生每天的主要行为指标得分公布上墙，做得不好的方面将被扣分。

通过扣分的项目，班主任就能发现近期班级的主要问题，开展针对性的教育，引导学生的行为。

（三）活动陶冶，巩固学生的主体导向

2004年中共中央、国务院颁布了《关于进一步加强和改进未成年人思想道德建设的若干意见》，要求各级教育部门“深入进行爱国主义、集体主义、社会主义和中华民族精神教育，大力加强公民道德教育，切实改进学校德育工作，广泛开展精神文明创建活动和形式多样的社会实践、道德实践活动”。对未成年人进行思想道德教育要坚持贴近实际、贴近生活、贴近未成年人的原则。重庆一中根据中学生身心成长的特点和思想道德发展水平，从学生的思想、生活实际出发，用生动典型的案例、喜闻乐见的方式，让学生参与讨论、辩论的方法，开展了一系列有针对性和时效性的，富有吸引力和感染力的德育活动，引导学生形成正确的人生观、价值观和世界观。

校园内开展的一系列德育活动构成了校园文化的一大特色，例如，1月的新年文艺会演和书画展，3月的春游和风筝放飞比赛，4月的田径运动会，5月的歌咏比赛，6月的戏剧、艺术汇报演出，9月的军训和壁报展，10月的秋游和声乐、管乐艺术汇报演出，11月的冬季百日长跑，12月的艺术节、科技活动月。同时，学校抓好了“四室、两报、一廊”的教育辐射作用，发扬光荣的校史文化精神，积淀校园文化，形成了积极向上、进取务实的校园文化精神。

1. 爱国主义教育

重庆一中有着光荣的校史和优良的革命传统，学校历来重视学生的爱国主义教育。特别是自解放战争以来，学校形成了以“红岩精神”“四·二一精神”为核心的伟大的爱国主义精神和革命精神。增强学生的爱国情感，培育学生的民族精神，一直是学校德育工作的主题。学校每年深入开展中国革命传统教育、中国近代史教育，尤其是“红岩精神”“四·二一精神”的教育，让学生深刻认识近现代中华民族面对侵

略和压迫时顽强斗争的革命精神，树立民族自尊心和自信心。

为了强化学生的德育意识，学校每年结合德育工作的中心任务和重大节日及纪念日开展内容丰富、形式多样、卓有成效的主题活动。挖掘历史事件和人物所蕴涵的宝贵思想道德教育资源，在建党、红军长征等重大历史事件纪念日以及“九·一八事变”“南京大屠杀”纪念日开展爱国主义教育和理想信念教育；在学生的入团、入党和成人宣誓等有特殊意义的日子，抓住时机，集中开展思想道德主题教育活动。每年10月，学校都要开展“弘扬和培育民族精神教育月”系列教育活动，举办“红岩精神助我成长”演讲比赛等活动。学校也很重视学生先进分子队伍建设，在学生中成立了少年团校、青年党校，鼓励学生向党组织靠拢。学校还通过组织各种富有教育意义的活动，对学生进行国家意识教育。如利用“四·二一”校庆日，组织学生到学校烈士墓地扫墓，缅怀革命先烈，同时，在“四·二一”广场组织少先队宣誓仪式，组织刚进校的高一年级新学生参观毛家山少管所，对学生进行法制教育。

学校在校庆日召开“四·二一”庆祝大会，邀请老校友回忆当年的战斗故事，讲述战士们高度的爱国主义精神和顽强的战斗精神。先辈们一个个感人的故事深深地感动了在场的每一个学生，学生们强烈地感受到历史的呼唤、现实的责任和对未来的展望。老一辈革命家鼓励学生继承和发扬“四·二一精神”，把学校优良的校风和光荣的革命传统发扬光大，努力实现人生的价值，努力建设好有中国特色的社会主义。校友们的殷切期望深深地鼓舞了每一位重庆一中人。

学校也通过校园环境和文化的建设，在潜移默化中对学生进行教育。1985年学校建成了重庆一中烈士纪念碑，并开展党团活动，组织学生缅怀革命先烈。后来在校友的捐助下，建成了尊师亭、润物阁，形成了良好的校园文化，让学生在耳濡目染的熏陶中把爱国、爱校、尊师的光荣传统发扬光大。学校筹办了重庆一中校史陈列馆，展出重庆一中师生们爱国家、爱民主的光荣历史和校友烈士为民族独立而英勇牺牲的英雄事迹。重庆一中的光荣校史和烈士的英雄形象被编成校友纪念画册，图文并茂，在师生中宣扬“四·二一精神”。充分运用每年的“四·二一”校庆日宣传学校的“四·二一广场”“四·二一路”“红领巾林”“名人厅”“地理园”“植物园”“迎霞湖”等，启发引导学生走爱国成才之路。在爱国主义和民族精神的教育中，引导学生树立远大的志向，坚定正确的理想信念，把个人的发展进步与中国特色社会主义事业紧密结合起来，为全面建设小康社会贡献力量作准备。

2. 中华传统美德教育

学校历来重视各种传统节日、法定节日的德育意义，在学生中广泛开展中华民族优良传统教育。在多年的德育实践中，形成了以中华民族传统美德为内容的现代意识教育体系。

学校结合民族传统节日、纪念日向学生进行有关中华民族美德的教育，每年都要组织学生开展“学雷锋活动月”活动、春季田径运动会、“四·二一”校庆纪念以及“五四”“六一”歌咏比赛、国庆壁报展、艺术节文艺会演、元旦书画展、元旦主题班会等全校性的大型活动。同时各年级还组织如“黄玲杯”篮球、足球、乒乓球等体育比赛。在初中运动会上，各个班级开展设计班旗、班徽、班歌的比赛，为学生们提供了表现自我、展示才华的机会，丰富了学生们的课余文化生活。加强劳动教育和社会实践环节，建立“两厂一校一所”的社会实践基地，学校团委、学生会倡导各班以主题班会、团队会、故事会、讲演会、知识竞赛、辩论赛等形式进行传统美德教育。此外，学校还大力开展“手拉手，献爱心”活动、青年志愿者行动以及组织学生参加公益活动等。这些活动都有助于学生逐渐形成良好的行为习惯和崇高的美德。

学校在党的领导下，紧跟时代步伐，开展了“迎奥运、创三星”“八荣八耻”“重庆直辖十年”“弘扬中华美德构建和谐校园”“众志成城，抗震救灾”等主题教育活动。各个年级开展了主题队会、主题班会、演讲比赛、征文比赛、专题黑板报比赛等活动。学校注重组织学生开展“国旗下讲话”的教育活动，增加德育主任一分钟的国旗下讲话，使升旗仪式的教育效果更加有效。活动中不仅传承了中国文化，而且增强了学生对祖国的热爱之情。在德育活动中，学生的社会责任感不断增强，情系他人，爱及天下。例如，高2001级二班、三班的全体团员到重庆市儿童福利院献爱心，两个支部各自领养了几名孤儿。团员们给孤儿捐款、捐物并负担孤儿的学费。1998年高中1999级学生杜俊患尿毒症需要换肾，全校学生自发捐款88000元，同年为长江中下游地区洪水赈灾捐款28356.85元；1999年为巫山高望小学捐款6000余元，为城口贫困地区学校捐书2000余册，为南开中学高中1999级遭受意外伤害的陈昕同学捐款6600元；2000年为贫困地区的石柱县马武中学捐款20余万元，捐书12000余册，衣物6000余件；2001年为荣昌县捐书13500册。

学校开展的“弘扬中华美德构建和谐校园”的教育活动，培养了学生的诚实守信品德，培养了学生把握人生方向的选择能力、自我完善的终身学习能力。让学生在自我教育、自我发展中发展自己的品格，自立、自强、自觉、自律，做自我的主人。在增强学生自强、关爱、合作的责任意识，培养学生健全的人格基础上，使学生树立科学、发展的和谐观念，把学生锤炼成具有民族精神、世界眼光的现代公民。

（四）目标引领，培养学生的主体精神

20世纪80—90年代，重庆一中在探索适应教育教学改革的学校管理模式时，开展了年级管理理论与实践的研究，在全面培养学生素质的年段管理方面进行了有效的探索。在此基础上，学校提出了“年级组与教研组并存，管理上以年级组为主”的管理体制。我们在对这一管理体制的运作进行总结反思的基础上，提出了发展性教育的思想，在德育中实行年级段目标管理模式，开展发展性德育的育人实践。

中共中央、国务院颁布的《关于深化教育改革全面推进素质教育的决定》是指导中学德育工作的指导性文件，其中对中学德育工作的阶段性、层次性提出了具体的要求。根据文件精神和中学生身心发展的规律性，学校制定了年级段管理的德育目标。首先，从总目标来看，主要从学生的理想、道德品质、学习目的、社会活动能力、身心发展等方面对学生的发展提出了要求。具体说来，初中和高中的不同阶段有不同的德

育目标。

初中教育阶段学生德育素质培养的重点是集体主义教育和心理品德教育、民主法制教育、社会发展史教育以及爱国主义与职业理想等教育，目的是把学生培养成为合格公民。初中阶段是学生由少年向青年过渡的关键的转折期，是一个半幼稚、半成熟的发展阶段。这个阶段的学生身心发生着重大变化，处于一个复杂而不稳定的过渡时期。初一新生刚进入中学时一方面具有强烈的好奇心，另一方面往往还没有形成良好的学习、生活习惯。因而，对初一学生要着重抓好入学教育、《中学生守则》和《中学生日常行为规范》教育以及集体主义教育。在日常行为习惯的养成教育中，促使他们较快地适应中学的学习和生活，建设良好的班集体，为以后的发展打好基础。初二学生的生理处在青春萌动期，要使他们顺利度过品德发展过程中的“危险期”，就要创造条件让他们积极地参加体育锻炼和社会活动，发展个性特长，就要引导他们积极加入共青团组织和参加学校组织的各种集体活动，加强思想修养，提高自我约束能力。初三学生面临升学或就业的选择，开始接触和思考个人与社会、理想与现实等问题，处于人生观、世界观开始形成的重要时期。因此，这个时期要重点对他们进行升学和职业指导教育，帮助学生树立崇高的社会理想，增强社会责任感，立志做社会主义事业的建设者和接班人。

表 3 重庆一中初中各年级素质培养目标

素质项	初一	初二	初三
德育	培养学生良好的行为习惯，做合格的中学生	培养学生爱班级、爱学校的思想感情，培养自觉遵守校规校纪的习惯	培养学生心中有集体、有他人的思想感情，树立立志成才的思想

续表

素质项		初一	初二	初三
智育	思维能力	提高思维品质	培养逻辑思维	培养创造性思维
	学习能力	记忆能力 判断能力 会表达	想象能力 概括能力 会动手	综合能力 迁移能力 会实验
	学习行为	掌握中学学习方法，作业规范，字迹端正，课前预习，课后复习	养成良好自学习惯，上课积极思考，课后归纳整理	养成勤奋学习的习惯，上课善于观察质疑，课后主动扩展知识
	劳动技能	自理能力	美化环境能力	从事职业所需的技术
美育		接受的熏陶	鉴赏艺术美、自然美	鉴赏社会美
体育		中学体育锻炼标准，体育基本素质训练	中学体育锻炼标准，体育卫生知识	中学体育锻炼标准，体育保健知识

高中教育阶段的德育培养目标是：在培养合格公民教育的基础上，“引导青年学生逐步树立科学的人生观、世界观，并不断提高他们的社会主义思想觉悟，使他们中的优秀分子将来能够成长为共产主义者”。高中阶段学生的身心发展接近成熟，是奠定与形成人生观和世界观的最佳时期。在了解和掌握高中阶段的中学生生理、心理特点的基础上，根据高中阶段不同年级学生的具体情况，有选择、有针对、有重点地对学生进行道德品质教育。对于高一年级学生来说，各科目学习的深度和难度进一步加大，应着重对他们进行勤奋学习、立志成才、树立社会责任感的教育，同时结合政治课的教学，使学生理解社会主义的本质和根本任务，认识社会主义市场经济的基本特征，并依据国家法律自觉规范自己在经济生活中的行为，逐步树立为社会主义现代化建设作贡献的志向。对于高二年级学生，重点是对他们进行唯物主义和科学思想方法的训练，进行科学世界观、人生观和价值观教育，逐步提高他们适应时代

发展、社会进步和参与社会实践的能力，从而确定正确的人生目标。对于高三年级学生，应培养他们运用马克思主义的立场、观点和方法分析社会政治现象，提高他们参与政治生活的能力。同时，对他们进行职业道德教育、环境道德教育和人口问题教育，从而为他们今后继续深造和投身社会主义现代化建设奠定基础。

表 4　重庆一中高中各年级素质培养目标

<table>
<tr><th colspan="2">素质项</th><th>高一</th><th>高二</th><th>高三</th></tr>
<tr><td colspan="2">德育</td><td>树立继承革命传统的思想，形成良好的集体风尚</td><td>培养爱党、爱人民的思想，养成文明礼貌行为</td><td>树立并坚定社会主义的理想，培养社会主义公民道德</td></tr>
<tr><td rowspan="4">智育</td><td>思维能力</td><td>培养逻辑思维</td><td>培养辩证思维</td><td>培养创造性思维</td></tr>
<tr><td>学习能力</td><td>比较能力
论辩能力</td><td>批判能力
推理能力</td><td>处理信息能力
创造能力</td></tr>
<tr><td>学习行为</td><td>掌握高中学习方法，正确评价自己的知识和能力</td><td>发展个性特点，培养科学的学习方法</td><td>学会知识纵向、横向迁移，培养创造性学习方法</td></tr>
<tr><td>劳动技能</td><td>掌握现代工具</td><td>学习一般生产劳动技能</td><td>学会现代化电器原理及维修</td></tr>
<tr><td colspan="2">美育</td><td>科学美</td><td>美的评价能力</td><td>美的欣赏能力</td></tr>
<tr><td colspan="2">体育</td><td>中学生体育锻炼标准，艺术体育</td><td>中学生体育锻炼标准，竞技体育</td><td>中学生体育锻炼标准，健身体育</td></tr>
</table>

各年级的德育目标确立之后，落实各项德育素质目标是关键性的一环。为了使德育目标最终落实到德育主体——学生身上，要尽量做到有要求就去落实，并且采取度量的方式，制定与基本素质要求相对应的一系列评价标准。评价标准包括对集体评定的标准和对学生评定的标准，如《先进班级评分标准》《校运会精神文明集体评分标准》《学生日常行为考核评分标准》和《三好学生评分标准》等。通过评价标准的制定和评价过程的实施，教师们在教育活动中有了更加明确的方向，可以

选择更好的教育教学方法来引导学生良好素质的发展，学生能在评价过程中进一步认识自己、了解自己，发展自己的个性，形成自己的人生观，逐步找到自己发展的方向。

实行“以年级为主”的管理模式，有利于教育工作针对各年级学生生理、心理的不同特点，根据德、智、体诸方面对各年级段学生的不同要求，分段制订教育教学计划，分段实施教育管理，从而提高教学工作的实效性和教育质量，有利于学校分年级进行政治思想教育，制定常规要求和贯彻“德育大纲”，使德育工作科学化、规范化、系统化和网络化，使各年级分别落实德育目标。各项素质目标规定了各年级的教育教学工作的主要任务，与培养目标相对应的年级、班级评价标准规范了学生的行为，年级段目标管理为学生全面发展创造了条件。同时，年级段目标管理也有利于提高教师的工作积极性，增强教师的责任感，改进教育教学的效果。

三、推动主体性人格成长的多元立体式德育实践活动

（一）班级建设

班级是学校进行教育和教学工作的基层组织，是学生获得知识、发展智力、增强体力、形成思想品德的主要场所。一个具有民主的管理制度、良好的班风和学风以及能促进学生学习的班级文化的班集体，往往是一个活跃的、凝聚力强的优秀班集体。因而，德育与班级建设的成功开展有着重要的联系。

1. 班级自主管理模式

人的个性发展是一个从被动到主动、从依赖到独立、从缺乏自觉性到自觉和自控的发展过程。人都不是天生的“能人”，每个人的社会生活能力都是通过后天的学习锻炼出来的。我国老一辈教育工作者曾把教

育过程比喻为教小孩学走路的过程。小学阶段学生对教师的依赖性比较强，这时的教育是抱着走。初中阶段学生的自我意识迅猛发展，独立性提高，这时的教育是牵着走。高中阶段的学生自主、自理、自律、自学能力增强，这时的教育应是放手让学生走，但要适当地给予提醒。大学阶段的学生自由行走，主要是依靠自我管理。班级管理的目标是促进学生的成长，班级自主管理模式就是让学生在管理活动中由“他律”发展到“自律”的水平。

发展性德育观认为，学生本身具有积极的道德因素，教师不能以道德权威的形象去训斥、约束学生。德育的过程实质上是互动的过程，师生双方应打开心底的那扇门，进行角色互换。教师通过自己的人生经历和道德观感化、引导学生并促进其内在道德精神的生长；学生的率真、质朴、新观念也将影响教师的人格发展。在师生双方平等对话、相互欣赏、相互补充中，促进情感的理解、认同、道德的生长和师生德性的共同进步。开放的班级是在班主任的指导、引导、辅导下的学生自主教育和自我教育，让全体学生当家做主，在实践中成长、成人、成才。在主体教育思想下，重庆一中开展了以法制教育入手，指导学生学习以法治班，体验社会管理，通过学校生活学会做人、学会生存、学会交际、学会办事，掌握社会生存发展的本领的教育探索。

班级自主管理，就是在引导学生开展日常工作的过程中，让每个学生都能体验管理他人与被他人管理、建设班集体的过程，从而增强学生主人翁的责任感和班级荣誉感。学校形成了以班级制度为法，学生干部为龙头，学生为主体的班级自主管理体制。实行“六·五”制干部轮换制。高中三年六学期中，组成五届年级、班级工作班子，最后一届由年级、班级历届中最优秀的干部组成。这样的制度安排，一方面减轻了学生干部的长期社会工作负担，另一方面又使更多的学生有参与社会活动的锻炼机会。全体学生以主人翁的姿态共同参与管理，是年级各类评分标准得以全面执行并逐步发展完善的重要基础，活动中也培养了学生的独立自主能力。在班级、团支部实行了全体学生、全体团员轮流值周管理制度，使学生们在教育和被教育的过程中体察管理他人的艰辛，在管理与被管理的过程中更好地实现心灵的互动，去感知社会和理解别人。在每天的管理活动中，学生逐渐认识到自己的优势和不足，既协调了负责管理的学生和被管理的学生之间的关系，又增强了每个学生的自我约束力。

例如，在班规制定方面，班级每一个学生都能参与，每个人都有发言权，这就激发了学生参与班级建设的积极性和主动性。有的班级做得更加出色，班主任先开展“假如我是班主任”“假如我当市长”等讲演活动，让学生谈自己对管理的设想。然后学生再轮流当几天“见习班主任”或“一日班主任”，处理班级的日常事务，履行班主任的某些职责，如找同学谈话、批阅周记、家访、处理偶发事件、回答同学咨询等。任务完成后还要向全班总结，征求意见，畅谈体会，让同学批评打分，并记录在案，通过实践促进学生反思。在初中运动会上，学校开展的设计班旗、班徽、班歌的比赛，不仅为学生们提供了表现自我、展示才华的机会，而且极大地增强了班级的凝聚力。在班级自主管理中激发学生的自尊心和荣誉感，让每个学生在集体中接受教育，也让集体发挥教育作用。班级将个人的评价扣分与每个小组、每个寝室的集体评价相联系，个人的得分影响集体的进退，使每个小组关心自己成员的行为发展。同时在班级开展争创优秀小组的竞赛，倡导和开展“不让一个同学掉队”“请让我来帮助你”等多种形式的互帮互助活动。

班级自主管理制度为学生的全面发展搭建了展示自己的活动平台。在活动中，每一个学生都锻炼了能力，都思考问题，都能在角色互换中去发现自身的潜能。同时，班级自主管理制度也调动了学生们的积极性，从而做到了班级内事事有人管，人人有事干。班级自主管理活动的开展，逐步培养了学生的自觉行为，推动了良好班风的建设。

2. 班级文化建设有声有色

（1）班级特色突出

在优良的校园文化和年级文化的熏陶下，重庆一中班级文化更是特色凸显。首先每个班级都有一个或高雅别致，或志存高远的个性班名，都提炼出一套体现班级特色管理和制度体系的班训。比如“碧菡轩”“清心小筑”“繁星舍”“半亩方塘”等班名，无不体现出班级浓郁的文化氛围。教室墙面上或贴或挂的墙饰，都体现出学生的文化素养和动手、动脑的能力。班级还建设了“图书角”，老师和同学都会向全班同学推荐一些好书，用传统文化的博大精深激发大家的求知欲，在“国学”的文化氛围中不断完善自己的人格。教师们还专门编写了《传统诗词选》和校本教材《淡墨留香》，让学生诵读经典，在书香中感受文化的气息。每个班级都创办了班报和班刊，鼓励学生进行文学创作，激发学生的创造力。在班级文化建设中还进行了一项常规的文明礼仪教育活动，开设了专门的“文明礼仪课”，培养学生的文明礼仪行为。

（2）班会活动主题鲜明

德育让学生感到乏味、没有兴趣的原因之一就在于其主题往往脱离现实，过于理想化、成人化。德育与学生现实的生活、学习缺乏结合点，学生们感受不到生活的丰富和乐趣，活动的开展不能引起学生的共鸣。现代德育发展的趋势是强调教师引导学生学会处理日常生活中的道德关系，即生活德育，然后逐步体验更高的道德境界，成为品德高尚的现代公民。

重庆一中主题班会活动的开展贴近学生学习、生活的实际，针对现实问题，启发学生思考社会热点问题。为了让学生们更好地认识我国目前的教育制度和教育观念，高中2006级（7）班开展了题为“中学教育制度”的主题班会，引导学生正确理解素质教育，分析并认识中国与国外教育制度的差异，正确看待我国现有的教育体制，引导学生明确目前面对的最重要的任务。为了增强学生的责任意识，改正学生中的一些不良行为习惯，高中2005级（5）班举办了“责任感将伴随我一生”的主题班会活动。主题班会以苏联著名宇航员弗拉迪米尔·科马洛夫在生命最后的两小时出色完成自己的使命的感人故事引发学生对责任的思考。学生们围绕日常的学习与生活以及发生在自己身上和身边有关责任的事件进行了热烈的讨论。学生们畅谈自己对责任的理解，通过反思自己的责任感进一步加深了对责任的含义的理解，认识到个人责任与集体利益之间的关系，并进一步认识到每个人应该对自己的言行负责，从自身做起，从小事做起，用责任感约束自己的言行，从而形成“心中有他人、心中有集体”的良好品质。

主题班会紧密联系国家发展、社会现实，通过主题班会对学生进行爱国主义教育，是培养学生爱国主义精神的一个重要途径。2003 年举办的“我与申奥”主题班会，调动了学生们参与社会活动的积极性，让学生走上街头向市民宣传北京申奥，开展支持申奥的签名活动。活动组织得非常好，在社会上产生了重要的影响。这次主题活动，一方面培养了学生的组织能力和宣传能力，另一方面让学生理解奥运精神，并在学习、生活中发扬“更快、更高、更强”的精神。

（3）加强班主任队伍建设，开展“魅力德育”

班主任是班集体的组织者、领导者和教育者，是学校教育计划的实施者，也是班级任课教师集体的协调者，更是学校、家庭、社会教育的沟通者。班级的良好运行和浓郁的文化氛围离不开班主任的引导与管理，班主任队伍是开展德育工作的主力军。从这个意义上来说，班主任是班集体的灵魂。学校领导班子非常重视班主任工作，选派思想素质好、业务水平高、奉献精神强、工作能力强的优秀教师担任班主任。学校按照“精选、重用、严育、厚待”的班主任队伍建设八字方针，把最优秀的教师派到班主任岗位上，打造了特别能战斗的德育骨干队伍，不断完善班主任制度。“精选”即按照科学发展观思想和系统论原理，科学地挑选、恰当地组织、合理地配置德育人力资源要素，确保班主任队伍整体结构的优化。“重用”即在加强班主任队伍建设时，按照“实践理论”的要求，特别重视使用和培养年轻教师，启用年轻人，将他们放到一些重要的岗位上接受培养锻炼。“严育”也就是按照终身学习理论的要求，将班主任队伍建设成为与时俱进的学习型组织，通过培训和规范管理形式，整体上提高班主任队伍的素质能力和工作水平。“厚待”即学校根据“以人为本”的思想，从政策制度方面为德育骨干队伍建设营造良好环境，促进班主任个人的积极发展。

学校多渠道、分层次地做好德育教师队伍的建设工作，相继推出了

《重庆一中教师素质条例》《重庆一中青年教师培训条例》和《重庆一中教师全员素质培训计划》。在德育教师队伍的培训方面，执行《班主任指导教师制度》。德育领导小组实行班主任指导教师制度，坚持开展新老教师结对子互帮活动，鼓励老教师在德育理念和德育方法等方面帮助、指导新教师。新班主任集中培训如何了解学生，如何与家长良好地沟通及如何开好家长会，怎样上好思想品德教育课，怎样组织元旦文艺晚会，以及《重庆一中学生奖惩条例》《重庆一中班级量化管理条例》等。对年轻班主任进行专项指导、培训，主要形式为专题经验介绍，新老班主任专题对话会，教育个案和特例分析，教育艺术、方法和技巧研究等。通过这些活动，新班主任快速地提高了理论素质和管理水平，快速地适应了新形势下德育工作和学校工作对班主任的要求。

近年来，重庆一中根据学校制定的《重庆一中班级量化考核办法》加强了对班主任队伍的管理，按照数字化的科学管理模式对班主任的日常工作从德、勤、能、绩几方面予以量化，并与班主任的奖金补贴挂钩，改变过去的模糊评价状况。此外，坚持每学期通过学生对班主任工作的 13 个方面进行评价打分，让班主任工作接受民主监督，同时让班主任对自己的师德师风、教育能力、工作绩效和学生满意度有客观的了解。通过领导评价、同行评价、学生评价、家长评价、社会评价等办法，改变了班主任工作仅由领导说了算的弊端，促进了班主任自我反思完善素质，相互学习改进工作，专业发展不断成长，从而提高班级管理水平。使得大批工作认真、勤奋敬业、成绩突出、学生欢迎的优秀班主任脱颖而出，得到激励和肯定。班主任管理走上更加规范化、民主化、科学化的轨道，真正落实了国家提出办人民满意的教育的要求。

近年来，学校在德育课程的改革实践中以青年班主任德育优质课为载体，加强班主任队伍建设。新班主任必须进行为期两年的班主任培训，包括德育工作理念和班主任工作的实际操作两个方面的培训。培训形式主要包括专家讲座、理论研讨、德育论文撰写评比、观摩学习和优质课比赛等。学校每年把新班主任培训作为一项常规工作来开展，要求第一年当班主任的教师每周观摩老教师的思想教育课，第二年每人要献上一堂思想教育优质课并参加比赛，德育优质课评比时老师们准备教案、课件，学校对所有的优质课进行录像并评比。从过去几年的经验来看，青年班主任非常重视这样的锻炼机会，积极参加培训和评比，班主任全面育人的技能和水平有了很大的提高，得到学生和其他教师的好评。例如，一大批教师践行赏识性德育理念，用欣赏的眼光、发展的眼神看待每一个学生的成长，学生们在关爱中不断发展。为了推行用赏识、肯定的教育方式培养每一个学生，学校举行了班主任现场计算机撰写评语的比赛。学校要求班主任根据日常对学生的观察，根据优秀学生、一般学生、后进学生、困难学生、特殊学生的基本情况，写出能促进学生发展、具有激励性的评语。在班主任评语比赛中，一些激励学生进步、欣赏学生优点的真诚话语感人至深。

从古至今，女子多忧愁，女子也多艺术，女子更是以忧愁善感为美。但是你知道吗，青春也是属于你的专利。你在班级里面给大家树立的更是一种积极向上的形象，但是呢，只有老师知道，每个夜晚，你都是一个人度过的，所以我可以深刻感觉到你特别享受在我们班级这个大家庭中的这种家庭般的感觉，对不对？这是个青春飞扬的年龄，这是属于你的青春，没有人能够让你烦恼，多多地与我们交流吧，我们都是一个个你身边最好的守护天使，相信我！

曾经，你是那样地活泼开朗，你能歌善舞，成绩优异，你的作文在班级甚至在年级中广为流传，这让同学们都羡慕不已。可是最近，你变得少言寡语，成绩下滑。老师知道你的家庭原因让你小小的心灵受到了伤害，你封闭了自己，把老师和全班同学的关爱都拒之门外，这让黄老师非常痛心。人生的路不可能一帆风顺，总会碰到很多坎坷，老师相信你一定能勇敢面对，找回曾经的自我，敞开心扉，让老师和同学的关爱融化你内心的冰凌，将之化为爱的暖流。老师相信你一定行，期待看到你灿烂的笑脸和优异的成绩！相信你自己，加油!!!

为了更新教师的德育观念，改进教师的教育手段，学校每年举行青年班主任思想教育优质课比赛。我国目前正处于价值多元化和多种文化交融的社会转型期，弥漫在社会现实中的功利主义、享乐主义色彩对青少年的思想道德发展提出了挑战。德育工作应考虑中学生认知和情感的发展水平、人生经历和体验的欠缺，要针对学生实际生活中存在的问题和情况，充分考虑学生的实际品德基础和品德需要。因而德育应贴近学生的生活实际，通过开展学生喜闻乐见的活动培养学生高尚的品格。班主任思想教育优质课的内容既有德育最基础层次的内容——心理健康教育，基础层次的内容——道德教育（包含基本文明习惯、公民道德、人道主义、集体主义、家庭美德、青春期性道德等），又包括反映德育最高层次的内容——思想教育（核心是世界观、人生观、价值观），高层次的内容——政治教育，较高层次的内容——法纪教育。青年班主任思想教育优质课每年一个主题，如"创建节约型社会""知荣辱、树新风""迎奥运、创三星"等。优质课比赛中很多教师选择的课题是青春期教育，目的是培养学生积极的心态和良好的行为习惯，让学生学会正确处理人际关系以及实现人生价值等。这些主题都是中学生关注的话题，与中学生的学习、生活紧密相关。例如，"学会感恩""爱伴我成长""同一屋檐下""梦还在心就在""成长的足迹""积极心态——成功的起点""学会宽容""做一个有责任感的人"以及关于早恋的话题"我的心中开出一朵花"等。思想教育优质课真正让教师和学生共同成为了课堂的主人，师生共同参与、互动，相互诉说、相互感染，学生哭了、教师也哭了，那些场面让人激动、令人震撼。这样的活动深受学生们的欢迎，取得了非常不错的效果。德育已不再是苍白无力的说教，而是一个个令人激动、让人回味的故事。学生们体验到的是合作交流、充满激励和鼓舞的气氛，感受的是思想的撞击，充满想象和创造的情景，享受的是轻松愉悦的氛围。青年班主任思想教育优质课对于提高班主任素质，丰富班主任教育手段，增添教育的魅力具有重要的意义。德育课堂已成为净化人的心灵，陶冶人的情操，提升人的境界的地方，德育焕发出越来越大的魅力。

3. 家长、社区和学校共同建设

重庆一中非常重视加强学校、家庭、社会三结合的教育网络建设，建立了家长学校，成立了家长委员会，协同家长和社区开展好教育教学工作。

（1）发挥家长委员会的作用

家长委员会是学校全体家长选举产生的辅助学校实施教育的组织。家长委员会一方面要同学校一起商讨教育的方式方法，对学校的教育策略提出意见和建议。另一方面，家长委员会要组织学生家长学习新的教育思想，更新知识结构，吸收先进的教育方法，以更有效、更成功地对学生进行教育。另外，学校加强同家长委员会的联系，让家长参与重要的教育教学决策，使家长不仅关心学生的发展，同时关注教师的发展和学校的发展。

（2）加强对家长的培训

学校组织专门的力量对家长进行培训，培训的过程也是学校和家庭在对学生的教育方面取得一致的过程。学校开办了家长学校和家长培训班。家长学校利用晚上和周末，组织有丰富经验的班主任、各科教师对家长进行免费培训，内容包括中学生学习生活的方方面面，为家庭教育提供全面有力的帮助。家长们通过培训，获得了必要的教育方式和手段，增强了家庭教育的效果。学校还曾经邀请全国著名教育专家董进宇博士、陈一筠教授、陈中联教授来校为家长和教师举行“如何激励孩子的学习兴趣”“将成功传给下一代”等家庭教育报告会，受到家长们的一致好评。

（3）完善家长联系制度

每个班级都建立了家长联系制度，除召开家长会外，针对学生实际情况不定期地同家长沟通联系，通过约见家长或通过网络系统交换意见，共同研究学生发展过程中出现的新情况、新问题，共同制订解决方案，促进学生健康发展。为此，学校还印发了学校和家长加强联系的小册子《重庆一中家校联系册》，内容包括校训、教育理念、办学思想和

《中华人民共和国预防未成年人犯罪法》《中华人民共和国未成年人保护法》《中学生日常行为规范》《重庆一中家长行为规范》《重庆一中学生奖惩条例》《学校与家庭联系记录》等。

（4）建立社区辅导员制度

学校聘请社区的有关人员担任学校的社区辅导员，通过座谈、举办讲座、组织社区服务活动等形式加强对学生的教育和管理。学校还从少年管教所、当地派出所聘请民警担任法制辅导员，从当地高校心理学系聘请心理学专家担任心理健康辅导员等，从家长和毕业校友中选择具有一定特长的代表性人物担任政治、科技、艺体方面的编外专任教师，聘请离退休老干部、老教师、老英模、老战士、老科技工作者等担任学校关心下一代工作委员会的业余辅导员，等等。

在此基础上，学校建立了完善的社会对学校德育工作的评价体系，以家长和社会对学校的评价作为进一步加强和改进学校德育工作的重要依据。充分尊重家长、社会，把家长、社会对学校的评价纳入学校评价体系，使学校的德育工作不断完善。

（二）校内社团

重庆一中的社团文化有着光荣的历史渊源，在抗日战争和解放战争时期就有了以革命精神和民主思想为内涵的社团。中国共产党在这里建立起来的第一个地下外围组织是中共重庆市立中学地下核心小组。地下核心小组的前身就是“针与真”壁报社，这是学校早期的社团之一。当时各种社团组织有二三十个，影响较大的除了“针与真”壁报社之外，还有“晓原剧社”“白雪国乐社”，以及后来的《积极报》《透视》等。在“六一”反饥饿、反内战运动中，涌现出大批骨干分子，地下党将这些坚定的同志组织起来，正式成立了重庆地下党的外围组织“六一社”，后改名“新青社”。社团组织在革命战争年代就形成了坚定的爱国主义精神和强烈的社会责任感，对后来的学校文化产生了重要的影响。

在团委、少先队、学生会的组织下，重庆一中的学生社团组织如雨后春笋般地发展壮大，学生社团活动丰富多彩。全校目前共有社团三十多个，学校以学生社团为舞台，开展了许多以多元人才培养为目标的课外活动，包括文学、科技、管理、思政、社会、艺体等几大门类。科技方面有奥林匹克协会、航模协会、车模协会、海模协会、无线电测向小组、天文爱好者协会、“四小”科技协会等；艺术方面有合唱团、管乐团、舞蹈团、民乐团、戏剧社、书美协会、摄影协会、小记者协会等；体育方面有篮球协会、足球协会、乒乓球协会、羽毛球协会、武术协会、棋牌社、健美操协会等；文学方面有广播站、通讯社、鲁迅文学社、书友会等。其他的还有绿色环保协会、爱心社、校园虚拟社区等，并办有由学生自采自编的校刊《四月风》《心檐滴雨》和爱心社刊《零度风格》。学生社团活动吸收了全校90%的学生参加，以生动、活泼的形式发展了学生的兴趣，锻炼了学生的能力，发展了学生的个性。

（三）社会实践

卓有成效的三结合社会实践活动，是开阔学生视野，打开学生思路，让学生深入社会、接触自然、体验生活的重要教育活动形式之一。实践活动对于培养学生良好的生活习惯、心理品质，让学生掌握必要的生活常识和技能具有重要的作用。重庆一中的学生社会实践活动使校内实践与校外实践相结合、集中活动与分散活动相结合、直接感知与间接感知相结合，开展了许多卓有成效的工作。

1. 社会实践大课堂

（1）校友报告会

重庆一中1985年设立了校友会，每年都能收到许多校友的来信。学校每年邀请校友来校向在校学生开展讲述自身工作成就、宣传科学文化知识、进行爱国主义教育等形式的教育活动。活跃在政治、经济、文化各大系统和各大社会工作部门的校友，来校来函鼓励在校学生发扬顽强拼搏、开拓创新的精神，刻苦学习，为参与社会主义现代化建设打好基础。截至2011年3月，来校作报告的校友达到200多人次，听众超过 10 万人次。

2007 年 5 月，学校原高中 1957 级校友、我国第一颗原子弹总设计师之一、科学家蔡川泰和原高中 1957 级校友、海军装备部大校周组昌，对 200 多名学生业余党校成员作了一场“立志报国、勇攀高峰”的主题报告会。这次报告会传承革命传统，弘扬科学精神。校友们以自己的亲身经历对入党积极分子们进行了一场爱国主义、艰苦创业、奉献精神、国防意识的教育。报告会上，校友们激励学生们珍惜青春年华，认真读书，刻苦学习，成为复合型的人才。

2008 年 4 月，学校邀请李惕培院士为在校师生作了一场精彩的报告，向师生展示了宇宙空间的美丽以及中国空间科学的光明未来。李院士十分关心和重视学生的科技活动，并担任了重庆一中“小科学家协会”的名誉会长，鼓励学生们努力学科学、爱科学、用科学，立志攀登科学高峰。

每年的校庆纪念日，校友们发表热情洋溢的演讲，勉励学生们抓紧时光，坚持勤奋学习、挑战自我，全面提高自身素质，努力把自己培养成为德、智、体全面发展的国家建设人才。校友们以自己实际的工作经历和成就，坚定了学生们报效祖国的信心和决心。学校还安排老校友来校作报告，对师生进行爱国主义教育，鼓励学生们继承重庆一中优良传统，珍惜时光，努力学习，成长为爱国爱校的建设人才。学校党委还曾邀请当年参加学生运动的老党员、老校友给入党积极分子、学生党校成员上党课，进行爱国主义和爱党教育。截至 2011 年 3 月，已有 80 多位科学家、老党员为学生党校学员上党课，听众达到 7000 多人次，学校已发展学生党员 215 人。

（2）自主实践活动

学校针对不同的年级、不同的学生，每年都要有目的、有计划地组织学生开展实践教育和社会实践活动，如初一年级的学生参加为期一周的建校劳动，高一年级的学生入学初期到毛家山少管所参观。对于实践活动的开展，学校有明确规定，每学年高中学生社会实践活动不少于 30 天，初中学生不少于 20 天。这些活动已经形成了制度并将一直进行下去。

在校内，学校为学生进行实践锻炼安排了专用教室、图书馆、广播站、兴趣小组活动室等活动区域。学生积极发挥主体作用，自发掀起“学雷锋”“弘扬红岩精神，争做四有新人”活动的热潮，涌现出了一批批社会称颂的好人好事。例如：高中2001级（8）班参加“爱我重庆，美化家园”活动，发动全校学生收集废电池保护环境，活动在学校中长期坚持下来；高中2002级（4）班为“保护母亲河”发出倡议书，并上街宣传、卖报、向“绿色工程”委员会捐款等；亚洲议会和平协会（AAPP）会议在重庆召开期间，学校初中部1000余名师生上街清扫城市卫生死角。另外，从2001年起，学校开展“旧书传递，爱心永存”捐书活动，此活动已经连续开展了8年。

为了规范社会生活中滥用、误用汉字的行为，学校还组织学生参加“啄木鸟行动”——社会用字大检查活动。要求学生利用周末和暑假，走上街头，对所在区域沿街单位宣传规范用语用字，对市区主要街道的单位标牌、店牌、指示牌、广告牌和地名、路名、站名牌中的繁体字、错别字、异体字、字形不全及汉语拼音等不规范用字情况进行检查。然后将检查情况填写到《重庆一中“啄木鸟行动”社会用字大检查病历表》上，并上报学校语言文字工作办公室。

2. 加强德育基地的建设

“纸上得来终觉浅，绝知此事要躬行。”学校借助社会力量，创造条件，进行了多方面的德育活动尝试，并与社会各大部门、组织共建学生德育基地。

重庆一中以校外德育基地为支撑的社会实践活动开展得很有特色。在歌乐山烈士陵园、红岩革命纪念馆、重庆抗战纪念馆开辟了革命传统教育基地，对学生进行爱国主义教育；与沙坪坝区五云山寨共建了学农基地；与长安集团、力帆集团共建了学工基地；与重庆市规划馆、市污水处理厂合作，建立了科技教育基地；与市未成年犯改造所共建了法制教育基地；与重庆师范大学共建了心理健康教育基地；与沙坪坝区妇幼保健所共建了青春期健康教育基地；与解放军重庆通信学院共建了军训基地。

学校非常注重学生在校外德育基地的实践锻炼活动，每年从办公费用中列出专用的社会实践资金。其中，投资 50 万元用于五云山社会实践基地的建设。学校每年组织千余名学生到五云山社会实践基地开展为期一周的社会实践活动。在五云山寨，学生们学习泥塑、草编、剪纸、园艺，开展种菜、收割、摘柑橘、推豆花、帮厨、钓鱼、划龙舟、文艺表演等活动。实践活动中，学生们开阔了视野，增长了知识，一边体验生活，一边培养能力，真正学到了在课堂上学不到的东西。活动中，学生们体会到劳动人民勤劳、朴实的品质，增强了劳动意识和合作意识，意志品质得到发展，能力得到很大的锻炼。这些德育基地的建立，弥补了学校教育资源的不足，整合了社区可资利用的优质教育资源，共同促进了学生全面健康的发展。

学校还非常重视新生军训活动的开展。军训是高中新生入学后接受的重要教育活动，一方面是要养成良好的行为习惯，遵守各种行为规范，另一方面也是为了体验军营严格的管理和军人吃苦耐劳的品质，增强学生们的毅力和锤炼学生的性格。一个学生在军训后这样写道：

在介绍完军训纪律后，我们首先开始训练站军姿。教官边给我们作示范边讲解，谁知看起来挺容易，做起来就难了，两脚要分开 60°，脚跟并拢，挺胸，抬头，下颚微向里及两手中指紧贴裤缝，两肩向后展……我们总是做到这样就忘了那样，就是不能按要求完成动作，渐渐的，太阳光由柔和变为强烈，晒得我们头顶发烫，汗滴也顺着脸颊滚下来，我刚想伸手去擦汗，可又想起军训纪律——没经教官允许是不能乱擦汗的，于是忍住了……通过军训，培养了我们吃苦耐劳的精神，也告诉我们要勇于和困难斗争，只有这样我们才能塑造全新的自我迎接明天的挑战。

“小课堂，大社会”，“经风雨，见世面”，社会实践活动是学生中学生活的重要组成部分，社会实践活动的开展培养了学生的兴趣爱好，发展了学生的个性特长，陶冶了学生的道德情操。实践出真知，实践是最好的课堂，实践是最好的老师。在实践中，学生们的思想意识水平逐步提高，热爱祖国、热爱人民、热爱家乡和热爱生活的情感不断增强。

（四）网络德育

网络道德问题是目前的社会道德问题之一，为了更好地引导学生文明上网，重庆一中建立了新平台，通过开展网络道德教育和建设网络德育平台对学生开展教育活动。

1. 关于网络道德的教育

学校结合学生实际的发展水平，组织教师研究编写了校本教材《网络与网络道德》，内容包括网络知识、网络中的问题、网络犯罪案例、网络道德自律等。学校开设了网络道德教育课。网络道德教育课作为我校网络教育的一个重要组成部分，主要由计算机教研组的教师担任，针对学生实际情况，以《网络与网络道德》为教材，灵活安排课时，引导学生端正对网络的认识，树立正确的网络道德观念，自觉抵制网络的不良影响。同时，将学生难以直观认识的网络伦理知识引入课堂，以科学的态度和人文的情怀，引导学生从科技理性与伦理理性的结合上获得相关的网络道德知识。学校制定了网络道德规范，并在课堂网络道德教育中逐条学习，明确网络道德要求，指导学生反思自己和同伴的网络行为，进行网络生活的道德体验和道德评价。

2. 建设校园网，进行网上道德教育

重庆一中是全国最早开设计算机课程的学校之一，在信息技术教育方面有丰富的经验和丰厚的基础。近年来，学校进一步加强校园网络建设，学校的每间教室和办公室均有计算机与国际互联网相通，完善的硬件设施为网上德育奠定了物质基础。学校还拥有一支专业知识过硬、经验丰富的网络教育教师队伍，早在 1995 年就已经开始进行网上德育的

研究，在网络德育和课件开发等方面已经取得了初步的成果。网上德育的途径有德育信息、网络文化、网络德育课堂、虚拟社区、网上咨询答疑、在线讨论、网上德育基地、网上家长学校等。学校向学生开放网络教室，建成了适合青少年学生思想感情特征和学习需要的校园网，将学生的上网需要和网络行为纳入校园网中进行直接的管理与指导。网上道德教育具有开放性、交互性、趣味性、预见性、能动性等优势，能很好地发挥教育作用，实施以来收到了很好的效果。

学校在校园网上向学生宣传《中华人民共和国教育法》《中华人民共和国未成年人保护法》《中华人民共和国预防未成年人犯罪法》等，增强学生的法律意识，自觉抵制网上不良信息的诱惑。开辟了“学生bbs论坛”，学生们可以在这里对当前学校和社会中的一些热点问题进行交流、讨论，引导网络道德认识的主流。为了向积极追求进步的学生介绍党、团知识，校园网上展示了优秀团员、入党积极分子的先进事迹，并加强各团支部的交流。校园网上还建立了网上青年党校、团校。每个班级都有自己的网页，网页内容不断更新，各种风格的班级文化构筑起了丰富多彩的校园网络文化。

（五）心理健康教育

在片面追求升学率的应试教育大环境中，教育很容易忽视学生心理素质的培养，心理健康教育没有得到应有的重视和落实。中学生中出现的主要心理问题包括：学习压力问题、人际关系问题、自我认识问题以及家庭和社会因素带来的心理问题等。针对这些问题，重庆一中从1996年开始开设心理健康指导课，学校通过西南师范大学举办的心理学专业硕士课程进修班，培训了一批从事心理健康教育的教师，促进了心理健康教育的开展，收到了很好的效果。

（1）提高心理适应能力，培养身心健康的现代中学生

中学生学习、生活中的适应问题是青少年中常见的心理问题，在社会变革的大环境和家庭、学校环境发生变化时这类问题更加突出。因而，提高中学生的适应能力，提升中学生的心理素质就成为教育中重要

的主题。促进学生适应学校生活，适应学习，适应人际交往，适应身体变化，从而学会生活，学会学习，学会交往，是心理健康教育的出发点和目的。在教育活动中促进学生心理素质的主动发展，形成健全的心理素质是心理素质教育的主要目标。

（2）健全的个体心理健康教育系统

按照“助人自助”的原则，个体心理辅导的着眼点是疏导心理障碍，矫正问题行为，让他们具备健康的心理素质。个体心理健康教育的主要形式包括：心理辅导、咨询以及学生开展研究性学习。

学校的心理辅导室成立于1998年，主要对学生进行心理辅导和咨询，同时提供心理健康方面的资料阅览，并建立了学生的心理档案。学校拥有重庆市硬件设施最好的心理咨询室和心理阅览室，收集了20多种心理报纸杂志，定期供学生开架阅读。学校心理咨询室每周一至周五坚持开放，心理咨询老师热情接待学生的来访，处理了大量的由学习、人际关系紧张引起的焦虑问题以及强迫症、同性恋、自杀等比较严重的心理问题。建立心理辅导室的主要目的就是使学生学会积极地面对人生的挑战，塑造健康的自我形象。同时，学校经常邀请心理咨询专家来校举办心理健康方面的讲座和指导学校的心理咨询工作。

学校校园网上还专门开通了“心理信箱”板块，介绍心理学知识、青春期常见心理问题、心理健康测试等内容，学生通过网络与指导教师交流，获得帮助。同时心理咨询中心还开通了心理咨询热线，聘请了专业的心理咨询师值班，排解学生的心理困惑和难题。

（3）“重活动、重训练、重实践”的群体心理健康教育

学校不断加强心理健康教育，其中心理健康教育课是学生群体心理健康素质培养的主要途径。学校在心理健康课程建设中开发了校本教材《心理学教材》。心理健康课程的内容主要包括自我意识、学习心理、人际交往、青春期特点、社会适应、健康情绪、升学就业指导、人生价值8个方面。教材共包括24课，每一课都精心设计了自我检测、心理导航、牵引训练和反思体验等板块。整个课程的设计图文并茂，以丰富的活动形式呈现知识，以具体的操作方式启发学生学习和思考。学校开

设了专门的心理健康课，专职心理教师每周给学生上课，受到学生们的热烈欢迎。

课程主要依据各个年龄段的学生的特点来安排不同的活动素材。高一、初一新生年级以“社会适应和人际关系”为重点，使新生尽快适应学习、生活的新环境；初二、初三年级以“青春期心理卫生”为重点；高二、高三年级以“价值观念”“学习心理指导”和“升学就业指导”为重点，解决学生学习紧张带来的学习压力、考试焦虑等问题。心理健康课主要坚持平等、和谐的课堂教学原则，强调教师的主导作用和学生的主体作用，以活动课的形式进行心理健康基本知识的传授、心理素质的训练和心理素质的实践，强调“重活动、重训练、重实践”，从而让学生学会一些调适自身心理的方法技巧，提高学生心理素质。

学校还从华东师范大学引进了目前国内先进的心理健康测评系统对高一新生进行心理健康测试，从总体上了解学生们的心理健康状况。临近高考时，负责心理咨询的教师专门为高三学生举行高考前的心理辅导讲座，在一定程度上缓解了学生们的心理问题，受到学生们的一致好评。

在心理健康教育师资队伍的建设方面，学校大多数班主任都参加了西南师范大学心理学专业硕士课程的进修，其中一些教师已取得了教育心理学硕士学位。2001 年，学校派出 30 位班主任参加了重庆市“六区百校心理健康工程”的系统培训，分别获中、高级毕业证书。学校还多次聘请重庆市心理咨询师培训中心副主任、重庆师范学院心理学系刘冬刚教授来校给班主任作心理健康教育知识的讲座。2002 年，学校的班主任集体承担了重庆市级科研课题“重点高中学生积极心态的发展特点研究及培养”。此外，“中学生心理素质与学业成就的关系”“中学生心理素质的测量与评价研究”“中学生心理素质的影响因素的研究”“中学生心理素质的促进方法与途径研究”“异常心理问题的诊断与矫正”等课题也在全面研究过程之中。学校已经出版专著《中学心理素质教育探索》，从理论探索到个案研究，从学科渗透到心理教育教案的设计，都进行了贴近学生心理实际的深入的研究。

为了丰富学生的心理健康知识，增强学生对心理学的兴趣，学校创办了一份以心理健康咨询和教育为主要内容的校园小报《心灵之友》。校长担任名誉主编，学校聘请心理咨询专家担任顾问，同时吸纳学生中的积极分子参与编辑工作。《心灵之友》报主要开辟有“同学来信”“专家文萃”“个案分析”“心语赠言”“知识窗”等栏目，每月定期出版，深受师生们的好评。

重庆一中拓宽德育渠道，融心理健康教育与道德教育于一体，把心理健康教育与班会、课外活动和团队活动结合起来，把心理健康教育和道德教育结合起来，致力于塑造学生主体性人格的成长，努力为社会输送更多优秀人才。为此，我们将毕生耕耘，代代传承。

第六章 和谐管理，打造学习型教师团队

和者，和睦也，有和衷共济之意；谐者，相合也，强调顺和、协调，力避抵触、冲突。琴瑟和鸣，黄钟大吕，这是艺术的和谐；和风细雨，桃红柳绿，这是自然的和谐。

我国传统文化的一大特色在于注重和谐，即强调人与物之间的融恰，人与人之间的和合。人们常说的和为贵、政通人和、家和万事兴等，就是这一人文精神的具体表述。

人的和谐，就是刚柔相济，德威并存，就是身心俱健，活力四射，社会的和谐，就是政通人和，四海升平，就是社会成员共同进步，各区域共同发展，各项事业可持续发展。教育的和谐，就是师生融洽，水乳交融，就是教育工作达成教育理想，就是教师学习团队的可持续发展，就是学校教育硬件软件齐头并进。重庆一中的管理以“和谐”为理念，致力于富有人文精神和人文关怀的校园文化建设，为学校的发展性教育理念注入了持续的发展动力。

一、富有人文精神的和谐管理的探索

随着经济科技和管理科学的发展，学校管理在不断地发生着变革，如何转变学校管理的思想观念，确立和遵循新的学校管理原则，是摆在每个校长面前的一项重要课题。简单地说，管理就是管人、物、事等的过程，需要统筹规划，需要处理各种各样的关系。在这一过程中，和谐作为一个基本的取向越来越得到人们的认同。而且，在科学发展观引领教育实践的今天，对于一所学校来说，和谐的学校管理显得尤为重要。

（一）用“和谐”为学校管理导航

和谐，指事物协调地生存与发展的状态。无论是中国还是西方，古代还是现代，人们都在孜孜不倦地探索着和谐的理念。在一定意义上可以说，和谐是人类的永恒追求。

1. 和谐管理理论概略

和谐理论是西安交通大学管理学院的辛西民教授于 1987 年提出的一种管理理论，他在 1989 年出版了《和谐理论》一书。和谐理论是建立在系统理论与系统分析的框架之上的，其核心基础是：任何系统之间及系统内部的各种要素之间都是相关的，且存在一种系统目的意义下的和谐机制。和谐理论认为：和谐是一种综合的系统状态，即系统在要素、构成、组织、精神、内外协调以及总体结构等方面都处于一个和谐状态，并在此基础上达到整体的和谐。

和谐理论的阐述是从系统的负效应开始的。根据系统状态的分类，系统的负效应可以分为要素性负效应、构成性负效应、组织性负效应、精神性负效应、内外失调性负效应以及总体负效应六个方面。基于目前管理理论在应对不确定性时的缺陷，该理论提出了和谐管理的基本思路，即“问题导向”基础上的“优化设计”以及“人的能动作用”的双规则的互动耦合机制。通过内外环境分析组织的战略意图（Strategy intention），并经领导的选择性注意机制判定组织的和谐主题，然后依据和谐主题找到合适的“和则”（He Principles）与“谐则”（Xie Principles）形成解决问题的方法组合，围绕和谐主题的“和则”与“谐则”的互动耦合（Hexie Coupling）形成和谐机制及相应的运行状态（HeXie，HX），使组织达到和谐管理的目标。和谐管理理论的“和谐主题”是指组织在特定发展时间和特定的环境中，为了实现其战略目标而需要解决的核心问题或要完成的核心任务。“和则”是指依靠“人”的能动反应应对复杂性管理问题的机制，具体思路是通过环境设计来“诱导”人的能动反应以解决管理问题或完成管理任务。“谐则”是通过对组织管理进行系统设计，规定管理对象的行为路线和追求确定性条件下的组织高效运行的问题解决机制。组织的和谐运行是“和则”机制、“谐则”机制与组织运行过程中不断浮现的和谐主题互动耦合的结果，同时又与内外部环境相互依赖，共同演化，从而使组织实现和谐目标。

2. 重庆一中和谐管理的理性选择

回溯八十年来学校管理的历史轨迹，我们能明显感觉到学校管理中时代的痕迹。在烽火不断的年代，在以阶级斗争为纲的年代，在经济驱动的改革开放年代，以及在“人本”“民本”思想逐渐普及的年代，学校不断地作出调整，学校管理也不断地作出选择。学校管理的复杂性、模糊性及不确定性要求学校实行规范化的制度管理，而学校管理对象的特殊性又使人本管理显得尤为重要，并且在提倡和谐的社会里，这种管理理念正在不断地深入人心。结合重庆一中几十年来的管理经验，在充分考虑学校管理的内部规律以及外部环境的基础上，我们把管理的视野转向了“和谐管理理论”。在和谐理论的关照下，在充分考虑重庆一中发展需求以及客观现实的基础之上，我们认为对置身于构建“和谐社会”大潮之中的重庆一中来说，和谐管理是一种理性的选择。

（1）和谐管理的理念与发展性教育一脉相承

重庆一中的和谐管理是一种在发展性教育观指导下的管理理念和模式。这缘于和谐管理与发展性教育有着共同的本体的考虑，即人本思想。

一方面，发展性教育观的核心灵魂是人本思想。在诠释和实践发展性教育观的时候，我们贯穿着一个核心灵魂，就是人本思想，即对个体发展的关注和浓厚的人文关怀。作为学校的管理者，首要的就是确立以人为本的意识，从生命的视角去确立学校的管理理念，让学校管理富有人文精神。以人为本，是科学发展观的核心，坚持以人为本的教育理念，就是对人的主体地位的确认。“以人为本”，一是要把“一切为了学生”的理念贯彻到学校的每一项工作中，增强学生的“参与性”和“选择性”，尽最大可能满足学生在学习时间、方式、内容和生活等方面的需求，努力为学生的学习、生活提供各种优质的服务。二是要树立“一切为了教师，为了教师的一切，让每一位教师都得到更好发展”的思想。对教师而言，人本思想统领下的教师观更注意尊重教师的人格，满足教师的精神需求，重视激发教师工作的内在驱动力，采用民主的、富有人情味的管理方式，重视人的主动性、社会性与创造性，重视学校与教师个人的互动，能把教师内在的发展需求与外在的压力有机地结合起来。学校管理的出发点和归宿是学生，学校管理的动力和核心是教师，学校管理的成功与失败的标志是学生和教师素质的高低。因此，“教育管理以人为本，学校管理以教师为本，教学管理以学生为本”应该成为学校管理者的共识。而且，实践证明，这种以教师为本的管理可以使学校教师爱岗敬业，治学严谨，锐意改革，奋发向上，可以使全校学生文明守纪，勤奋乐学，积极向上，求真创新。学校人气旺，师生信心足，教育教学自然会取得预期效果。

另一方面，和谐管理的实质是人的和谐管理。“和谐”这一概念来源于儒家的“和合思想”，亦即“和”与“合”。孔子说：“礼之用，和为贵。”孟子讲：“天时不如地利，地利不如人和。”这里的“和”主要讲的就是人与人之间的关系要和睦、和谐、和平，并以此来构建“家和万事兴”的局面。而“合”主要指的是“天人合一”，亦即人与自然、天道等的和谐相处。和谐管理理论很大程度上正是借鉴了中国传统文化中的这种思想。和谐理论重点突出了构成整体的各个要素相互之间协调统一，优势互补，相互促进，合作互利，以达到整体优化，找到最佳发展点。基于学校管理的考虑，我们认为，学校和谐管理的各个要素中人（包括教师和学生）是关键的要素。和谐管理是以“人”为起点，同时也是以“人”为归宿的。人是第一位的、最宝贵的因素，没有高素质的教师队伍，就没有现代化的学校教育。从加快教育现代化的目标出发，我们应该始终把建设一支学高身正的教师队伍作为工作重点。通过铸造师魂、强化能力、科学管理、整体推进，为教师专业发展提供价值实现的服务平台和发展环境。关心教师的工作、学习和生活，让不同层次的教师都能找到适合自己发展的坐标，体验到发展的挑战，产生上进的需求。经过几十年的风风雨雨，我们深刻地体验到，教育的发展和竞争，归根结底还是要落实在教师的素质和水平上。有“人”才有特色，有“人”才有质量，有“人”才有“软实力”。总之，和谐管理就是让师生在健康的集体舆论与和谐舒畅的心理气氛中，通过多样的人际交往和丰富多彩的、自觉的主体活动，创建一个友善、民主、平等、进取、互相理解的团队，使他们的个性获得健全、充分、全面的发展，使他们的自我教育、自我管理能力得到充分培养和发挥。

（2）“四位一体”的管理现实需要

7 年前，重庆一中校园面积 220 亩，办学形式相对单一，学校也只有 51 个班，学生 3074 人。7 年来，学校办学规模和办学综合实力获得了较大的发展。我们在重庆市渝北区建造了拥有自己产权，面积达 180 多亩的分校，有效地拓展了教学空间，还与皇冠东和花园小区联办了皇冠东和学校。同时，为了让学生更好地发展，加强国际交流，我们率先创建了“重庆一中国际部”，开设了重庆一中“留英预科班”，并与英国北方大学联盟建立了长期合作、培养人才的关系，学校教育进一步走向国际化。2008 年，为配合重庆市国际化外向型人才培养战略，满足人民群众对优质教育的多元化、多通道需要和办人民满意的教育的目标，统筹城乡教育发展，重庆一中国际交流学校在市政府的支持下，于 2008 年 9 月正式开学。现在，重庆一中的校园总面积已经达到 670 多亩，拥有 160 多个教学班，学生 8000 余人。重庆一中对“四位一体”［校本部为主体，囊括寄宿学校（渝北校区）、大学城分校、皇冠实验学校、国际交流学校四所分校］的办学模式作出了积极的探索。结合几年的管理经验，我们越来越认为“四位一体”是整合“一校五址”的理想选择。面对一校多址的情况，“四位一体”目标的达成需要四个校区资源的整合，尤其是人力资源的整合。除了统一学校的办学思想、理念和模式之外，还应着手培养具有整体战略意识与整合能力的干部队伍和教师队伍。而在这其中，和谐成为了一个关键因素。不和谐的管理只会导致系统内部的消耗，从而降低系统运转的功效。

（二）和谐管理的基本思路

和谐管理兼具系统论和人性论的思想。一是对组织与组织之间的和谐管理（既包括内部组织也包括外部组织）；二是对组织内部的和谐管理。在前者中，和谐的含义重在“谐则”，强调组织机构的架构与安排，和谐成为了一个追求的目标；在后者中，和谐的含义重在“和则”，这里的和谐更多地被作为管理的内在构成和内在条件。严格意义上讲，和谐管理应该是二者的统一，即管理主体以内在和谐求得外在和谐，以外在和谐促进组织的内部和谐，最终以和谐促发展。根据这一管理思路，我们从以下几个方面进行了探索。

1. 精简管理组织结构：由科层走向扁平

系统内部的组织结构对组织目标的实现具有重大的意义。结构决定功能，组织的结构决定其内部的张力，即组织是否具有足够的控制力和凝聚力，是否能够顺利地完成组织的任务，同时也决定了组织的对外拓展力，从而关系其能否适应环境的变化。组织结构对组织运行的经济性和效率有很大影响，与管理成本的高低直接相关。我国的教育行政组织由于历史发展的原因，表现出科层制的一些形式特点，如，职能分工很细，条块分割严重，保持高度集权等，而最大弊端就是管理的低效以及权力的失衡。事实上，学校作为一个系统，不只具有科层组织的属性，还具有一些自己的特性，首先，在学校中，行政职位不是唯一的权力来源，学术影响也会产生权力性威望。学校更多地是一个文化组织，一般来说，专业分化越强，难度越大，由学术因素产生的权力影响也就越大。比如说，大学教师对学校决策的影响就超过了小学教师。其次，在学校中，教师存在较强的自律要求，而非外在的、过于强制性和规范性的约束。这与教师的工作弹性性质有关，也与他们的文化素质有关。这种自律性并不是反对纪律规定，而是对纪律弹性具有很高的期望。学校工作的育人性质也直接导致了科层制度所强调的“处理人际关系非人格化”的理性特征在某种程度上被弱化。① 基于以上的特性以及我校管理的实际情况，即组织内部成员的多样性以及空间的跨越性，我们在组织结构的设置上采用了扁平化的结构设置，在管理机构的设置上进行简化合并，以正确、高效为目的，分为行政管理、教育教学、后勤服务三大

---

① 参见：陈孝彬．教育管理学［M］．北京：北京师范大学出版社，2004：411.

块，对各个部门的管理制度制订考评方案，按绩效量化计分，把“勤政”落实到做事情的效果上，而不是做事情的时间上和总结报告里，从而在很大程度上规避了科层化所带来的系统内耗大以及管理低效的风险。

2. 以管理促和谐

学校管理目标的确定是教育管理的重要步骤。为了实现目标，学校必须规定任务，明确职责。有了目标，学校管理者才能及时指导、检查、考核评价和管理教师的教学行为，教师才能制订工作计划和安排教学步骤，从而使学校各项工作有条不紊地开展，教育教学管理井然有序。从另一个维度说，学校管理目标的拟定就是把实现教育目标的任务转化为管理目标，通过对学校日常工作的管理达到学校的办学目标。重庆一中是一所人文积淀深厚的学校，“四·二一”传统、“红岩”精神等都是学校宝贵的教育资源，也是重庆一中人继续前行的精神食粮。近几年，根据学校的办学实际，经过学校师生的民主讨论，我们将学校的办学定位界定为“具有人文特色的现代化的中华名校”。基于此，结合学校“和谐管理”的管理理念，我们将学校的管理目标界定为“以管理促和谐”。在现实生活中，不和谐状态的存在是绝对的，和谐是相对的，“以管理促和谐”目的就在于促进学校系统由不和谐逐步趋向和谐的状态。其具体要求如下。

首先，促进人的和谐。学校的根本任务是培养人才，即教职工在学校管理者的管理下开展教育和培养学生的活动，所涉及的三个方面分别是学校管理者、教职工、学生，形成了一个由“人—人—人”构成的管理系统。所以，学校管理归根结底是对“人”的管理。大教育家夸美纽斯曾经说过：“人的本身，里外都是一种和谐。”“和”即亲睦，指创造一种内部氛围，使系统成员有良好的感受。具体来说，就是以环境诱导、文化陶冶、自我主导、行为自律等手段把握管理活动中那些多样的、难以简单用科学规则把握的方面，主要是主观的行为及心理的现象和问题。它反映了人们心理上的感受和生活处世的态度，具有感情色彩，包括深邃的内心活动。“和为贵”是处理人际关系的一条准则，也是中华民族的一种传统价值追求和处世原则。和谐管理就是要以和谐理念为宗旨开展各项管理活动，通过利益的均衡和人文的关怀来协调组织内部的各种人与人、人与物的关系，解决各种矛盾，在各种“不同”和矛盾的基础上求同存异。对学校而言，就是学校内部领导班子的和谐、干群的和谐、教师之间的和谐、师生之间的和谐、教师与家长乃至与社区的和谐。总之，和谐管理体现了“以人为本”的现代管理理念，是在和谐的基础上促使组织内部的各种要素相互依存，相互协调，相互促进，从而形成各尽所能，各得其所而又和谐相处的局面。

其次，促进事的和谐。一个校园是不是和谐，除了要看领导班子的和谐、干群关系的和谐、师生关系的和谐以外，还要看是不是抓事业，树正气。事业发展兴旺，师生心气很足，正气蔚然成风，这极有利于学校的和谐管理，否则就是相反的结果。如果学校教育教学质量萎缩萧条，前景堪忧，前途无望，家长投诉多，社会意见大，上级追究严，肯定是人心惶惶，人心涣散。连生存和发展都成问题的学校，肯定是无和谐可言的。事的和谐是管理和谐的一个载体，人的和谐、物的和谐最终都要通过事的和谐体现出来。

最后，促进物的和谐。和谐的人际关系、干事办事的良好氛围，没有物的和谐肯定是难以达成的。环境具有巨大的隐性教育功能，古人有“物载德厚”之说。学校要创设良好的育人环境，坚持环境育人的理念，努力营造优美精致、文化浓郁、团队合作的校园环境，不断创设和谐的生活、教育、工作情境。

（三）和谐管理的路径

成功的校长总是以一种哲学作为思想武器和根本方法，经常观察和分析社会的主线与教育的关系，正确认识办学过程中的种种矛盾与困惑，反思自身的管理实践，结合实际对办学模式和管理机制进行价值判断，作出科学的抉择，努力地把自己所追求的办学价值转化为事实。基于对发展性教育的信仰，重庆一中校长鲁善坤提出了“名生、名师、名校”的发展策略，认为管理学校应当有三个层次：让教师把事情做规范；让教职工成为该职业上的专家；让全校师生感受到教育是一种生命历程，生命因教育而快乐。学校是有生命的，应该成为幸福快乐的校园，师生都应该在其中获得愉悦感，这也是教育成功的最终标志。人性化与制度化相结合的管理，是建立在教育与受教育者对价值观念、生活情趣和生命意义等的多层次共同追求基础之上的和谐管理。为此，我们明确了学校的管理是民主化的管理，是人文化的管理，是制度化的管理。

（1）民主化管理

办好一所学校，必须牢固树立“以人为本”的思想，必须落实教职工的“主人翁”地位。而要贯彻“以人为本”的思想，落实教职工的“主人翁”地位，就必须充分发挥教职工的民主管理和民主监督作用，实行民主化管理。通过学校系统开放性和民主性的呈现，使员工在追求自身价值与尊严的过程中共同营造出一种充满活力和创新的多元氛围，从而趋于“无为而治无不治”的管理最高境界。对此，我们着重在以下三个方面展开了工作。

首先，建立体现民主精神的规章制度。建立和制定规章制度，使学校管理有序、科学，是学校管理应该追求的目标之一。教师不喜欢领导盛气凌人的训斥和简单粗暴的管理，但也不喜欢领导不负责任，让教师我行我素、放任自流。他们希望和欢迎领导能以民主的作风为学校创设出一种民主、和谐、宽松的环境，使大家心情舒畅，和睦共处，自我约束而又自我完善。这些都应该通过民主制定的规章制度来予以保证。在规章制度的制定和实施中，少一点强制，多一点尊重，少一点疑虑，多一点信任，少一点不准，多一点自由，在“管”与“护”中间找到最佳的契合点。

其次，坚持校务公开，确保教职工的知情权。教职工享有知情权，是保证学校民主管理和民主监督的前提。学校认真贯彻教育部、中华全国总工会、全国教育工会以及中共重庆市委教育工委、市教委、市教科文卫体工会一系列关于推进校务公开工作的意见，结合我校的特点，建立了校务公开领导小组，有组织、有领导、有计划，积极稳妥地推进校务公开工作，确定了校务公开的领导体制和工作机制。学校于 2001 年制定并下发了《重庆一中关于推进校务公开的实施意见》和《关于成立重庆一中校务公开领导小组的通知》，对校务公开的基本形式、主要内容、基本程序、基本要求都作出明确的规定，形成了党委统一领导，学校行政主持，纪检、工会协调监督，各职能部门各负其责，教职工群众积极参与的工作格局。坚持每学期召开校务公开领导小组会议，对校务公开情况、效果、存在的问题进行认真总结。在校务公开工作中，工会以召开座谈会、通报会、研讨会等各种方式进行工作。通过设立校务公开专栏、校长意见箱、校园网等，及时把校务公开的信息传达给全校教职工，做到“政策公开、过程公开、程序公开、结果公开”。坚持把学校教育教学改革发展的方案、内部体制改革方案、人事分配制度改革方案、后勤改革情况、年度预决算、大宗物资的采购情况、教职员工聘任（用）制、职称评聘奖励情况、选聘任免情况、学校招生情况、教学管理和教学质量情况等与教职工切身利益相关的重大事项和其他有必要公开的重大事项都作为校务公开的内容。教职工依法直接行使民主权利，管理基层公共事务和公益事业，实行自我管理、自我服务、自我教育、自我监督，有力地促进了学校的民主进程。

最后，教职工代表大会（简称教代会）历来是学校民主管理的基本载体之一，学校坚持把教代会作为征求民意和发挥群众才干的重要舞台，多年来不断加强教代会的建设，使教职工参政议政的权利得到了很好的保障。学校教代会成立于 1990 年，二十年来，学校始终把教代会制度建设作为坚持全心全意依靠教职工办学的重要途径，作为代表广大师生员工根本利益的重要载体，予以高度重视。一方面，学校重点加强了教代会制度建设，使其工作制度化、法制化和规范化。学校先后制定了《重庆一中教职工代表大会条例》《重庆一中教职工代表大会提案工作条例》《重庆一中教职工代表巡视制度》以及教代会提案审议办法、教代会议事规则和程序。同时，成立了教代会专门工作组，如秘书组、议案组等，并制定了相应的工作职责。另一方面，学校党政系统把教代会工作纳入议事日程，并由学校党委副书记分管。本着充分尊重工会的法律地位和教代会的民主权利的基本原则，定期听取教代会（主席团）工作汇报；审议工会、教代会工作计划及总结；对于教代会提案，学校中层以上干部行政办公会及时进行研究；对提案的处理工作，要求能落实的尽快落实，要整改的及时整改，暂时不能解决的做好解释工作；凡召开工会或教代会联席会，党政领导都到会参加，通过教代会及时了解和通报学校情况，对教代会工作给予领导和指导，提出具体工作要求。我校教代会届期两年，每年举行一次代表大会。对于代表的选举、中心议题的确定、大会的议程安排、主席团成员的产生、提案的答复等问题，学校党政系统都安排时间召开专题工作会，认真听取汇报；会议期间，中层以上干部以普通代表的身份深入各小组参加讨论，仔细听取教职工代表的意见；会议结束，学校党政系统督促各职能部门抓好提案落实工作。

（2）人文化管理

现代教育管理科学所强调的校长效能，包括了校长的思想、才能、品德、行为在教师身上产生的某种示范性影响。学校是一个特殊的单位和群体，作为校长，要使教师满意自己的工作，发挥自己的才智，就要在情境上开创一个以淡化人为的行政手段为前提的人文管理的模式：人文化管理就是以人为本，一切围绕人，以人为中心的管理。其实管理的核心是管“人”，人是具有主观能动性的，如果把具有思想、情趣、个性的人当做一般的“物”，“见物不见人”，过分强调制度的严格，势必造成人的创造欲窒息，出现人际关系紧张、气氛压抑的局面。为了体现学校人性化管理“管是为了不管”的宗旨，做到无为管理，完成管理从“量化”向“能动”的转变，我们主要从以下几个方面重点突破。

首先，人文化管理需要一个具有人文气质的校长。一个校长，领导一所学校，可以叱咤风云，雷厉风行，也可以内敛含蓄，和风细雨。不同的个性风格造就了不同的管理风格，相比之下，人文性的管理风格是一个校长理性的选择。作为校长，应始终把领导的责任定位在为广大师生服务上，取得他们的认可、信任，成为他们的知心人、自己人。只有团结人心，调动人心，才能万众一心。管理是行动的哲学。学校管理是人的管理，也是制度的管理，更是情感的管理，始终要体现人文关怀。名师名生不是靠制度管理出来的，而是靠他们把对理想信念的追求内化为自己的动力而造就的。校长在管理中要充分信赖他们，沟通情感，鼓励竞争，适度宽容，发挥情感的亲和力与凝聚力，以学校目标激励人，以事业发展成全人，以优厚待遇吸引人，以人格魅力感召人，以纯真情感维系人，使教职工有归属感、成就感和自豪感，从而促进学校发展。

其次，要从生命的视角赋予管理人文精神。管理的最大价值不在于做了什么事，而在于发现了多少人和培养了多少人，它的最高境界绝不只是约束和规范，更不是居高临下的控制与干预。作为校长，不能仅仅为师生下达任务，而应当着眼于发展，根据他们的需要为其提供服务，并通过有效的服务帮助他们尽快实现人生的价值目标。人文精神在细节中表现得最充分，有些细节需要校长架子放低一点，多和教师走近一点，多和学生走近一点。比如我校校长鲁善坤和师生一起参加学校举行的趣味运动会，打乒乓球、打篮球、跳绳，和师生打成一片，很好地拉近了彼此的距离。上早自习前，鲁校长还会在班主任和任课教师进教室之前走进教室，和学生说说话，聊聊天，听听他们的读书声。这些细节看起来是琐碎的小事，在实践中却往往能带来特殊的效果。

（3）制度化管理

透视民主化管理和人文化管理的实质，我们发现，实行民主化管理与人文化管理并不排斥制度化管理，相反，民主化管理与人文化管理要以制度化管理为基础，制度化管理为前两者提供了保障与支撑。推进学校的制度建设，促使学校形成“自主管理、自主发展、自我约束、社会监督”的科学管理机制，进而提升学校的整体实力，就必须在学校内部实施制度化管理。制度化管理要做到三点，即建立规范化的制度，坚持制度创新，融民主与人文于制度管理之中。其中，最后一点尤为重要，民主化管理和人文化管理并不是“你好、我好、他也好”，制度化管理也不是冷冰冰、赤裸裸的。管理应有条框，但不冰冷；应有弹性，但不盲从。学校管理应在科学的办学理念、办学目标的引领下，以健全的刚性制度和弹性的管理做支撑，在二者相辅相成中动态生成，不断提高管理质量和管理效率，从而有效地促进办学目标的实现。

二、打造学习型教师团队

教育家皮亚杰说过："有关教育与教学的问题，没有一个不总是与师资培养问题有联系的。如果得不到足够数量的合格教师，任何使人钦佩的改革也势必要在实践中失败。"重庆一中十分重视教师队伍的建设工作，采取了多渠道、分层次地做好教师培训和继续教育的措施，制定了《重庆一中教师素质条例》《重庆一中教师全员培训计划》等切实可行的教师培训计划，其中包括教师的研究性课程培训、青年教师指导制度、基本功培训制度、名师工程、骨干教师培训制度和以科研课题促进教师发展工作制度等，并积极适应新课程改革的校本教研的途径和方法，形成了整体素质高、老中青结构合理、可持续发展的师资队伍。

学习型组织应包括五项要素：建立共同愿景、团队学习、改变心智模式、自我超越、系统思考。重庆一中从建立共同愿景开始，致力于打造一支专业的学习型教师团队。

（一）团队管理的提出——管理思维的厘清

团队工作模式在当代国内外企业组织中备受推崇，团队管理具有灵活性大、效率高等优点，正受到越来越多的关注。团队管理（team management）指在一个组织中，依组织工作的分类以及成员的工作性质、能力等组成各种团队，参与组织各项决定和解决问题等事务，以提高组织生产力，并最终达成组织目标。根据现代组织理论，团队是组织的基本组成单位，是组织和谐运转的保障。在重庆一中教师队伍中，存在着若干个这样的团队。在教师队伍管理中，我们根据工作重点的不同设立了不同的团队。团队的建设以促进教师专业发展，形成合力为目标。为了便于学生管理，每个年级成立了年级组，主要负责学生的管理工作；为了促进教师的培养和教研能力的提升，在每个学科中设立了教研组，在不同的年级分不同学科又设立了年级备课组。教研组主管教师的培养和教学法的探讨，年级备课组主管日常教学具体事务，层次分明，责任落实。学校工会为了进一步增强组内成员的团队意识，以办公室为单位，将该办公室的所有学科教师组合为“小家”，每一个“小家”都有一套自己独立的规则和文化氛围。从“小家”的命名，到室内布置，再到文化建设和思想建设，形成了一个由各学科教师、各年龄段教师组成的跨学科、跨年龄段的教师团队。这样的团队首次打破了学科和年级限制，团队内部互相促进，团队之间互相竞争。教师团队管理的提出，对于激发成员潜能、协助解决问题、增进成员组织认同、提升组织效率与效能，具有一定的功能。

（二）教师团队共同愿景的确立

1. 教师团队的形成

群体，在英文中叫做 Group；团队，在英文中叫做 Team。团队不同于群体：群体可能只是一群乌合之众，并不具备高度的战斗能力，而团队则是一个具有自主性，有明确团队目标和团队策略的自组织团体。

教师是高文化素质和自由型人群，一个偌大的群体要想成为一个优秀的团队，需要具备三个条件：（1）群体成员知道做什么；（2）群体成员知道为什么要这样做；（3）群体成员知道怎样去做。首先，群体成员要具有自主性，知道做什么。要形成一个真正的团队，必须要有共同的目标。近年来，教师主体思想、教师专业化发展以及教师反思性实践等理论，都从不同的角度对教师成长提出了新的思考。教师已不再是技术理性主义观点中的教育活动或思想的执行者和技术人员，而是以一种主人翁的姿态来应对教育教学等活动。其次，群体成员要具有反思性，也就是说，教师不仅要知道做什么，还要知道为什么这样做。这样形成的团队才具有持久性，团队的凝聚力以及执行力才能更强。最后，群体成员要知道怎么去做，这也是最重要的一点。一般说来前两点容易做到，而第三点易被忽视或不易做到，这就需要我们有意识地开展培训工作。为此，我们制定了教师成长阶梯目标：一年熟悉，二年起步，三年合格，四年优秀，五年骨干，六年成熟，七年有影响，八年成名，九年成师，十年成家。让青年教师脱颖而出，成为大家大师，使教师实现由苦干型、经验型向科研型、学者型的转变，打造合作型和创造型教师。学习型组织的构建，为教师的成长和发展提供了有利条件。我校拥有的一批专家名师在市内外享有盛誉就证明了这一点。

2. 教师团队的共同愿景

“是什么、为什么、怎么样”的逻辑保障了教师团队形成并不断具有开拓创新能力。其中，关于“是什么”的问题在团队中尤其需要有一个明确的定位。共同的目标、共同的期望是教师团队的支撑点。建立共同愿景就是要形成组织成员普遍认同的目标、价值观和观念。共同愿景能创造出人们是一体的感觉，在人们心中形成一种深受感召的力量。共同愿景的作用在于为组织学习提供焦点和能量，并激发组织成员形成不断向前超越的力量，这也正是教师文化的重要组成部分。重庆一中教师团队的共同愿景就是通过教师团队的通力合作，实现“发展性教育”的教育目标，让每一个学生发展得更好。

现代学校不仅是学生学习的场所，也是教师不断从教育教学实践中继续学习提高的场所，把学校建设成为学习型组织，是学校现代化的一个重要标志，也是校长义不容辞的责任。将教师群体打造成为一个具有创造性品质的学习型教师团队，是教师管理的重中之重。重庆一中的学习型教师团队具有如下的品质。

（1）学习品质

有一个在西方管理学界流行的故事：把青蛙放在热水里，它会感到危险而立即跳出来；但如果把青蛙先放在冷水里，再将水慢慢加热，麻痹的青蛙就会渐渐耗尽体力，想跳出来却为时已晚。在今天的社会中，“再不学习，就要被淘汰”几乎已成为所有社会成员的共识，谁都不想成为温水中的青蛙。在这个日新月异的社会中，是否具有学习品质成为决定一个人是否被淘汰的关键。

传统意义上，学习品质的概念多用于学生。教育要培养学生的学习品质，具体来说就是培养好的学习态度、学习能力以及学习行为。对教师来说，学习品质同样重要。学习是教师可持续发展的基本条件，教师的学习就是解决自己工作中的需求，通过解决问题的过程，促进自身发展。胡锦涛总书记在全国优秀教师代表座谈会上指出："在当今时代知识层出不穷的条件下，要成为合格教育工作者，就必须不断学习、不断充实自己。广大教师要崇尚科学精神，树立终身学习理念，如饥似渴地学习新知识、新技能、新技术，拓宽知识视野，更新知识结构，不断提高教学质量和教书育人本领。"作为教师，只有学习才能厚积薄发，促进教师专业化发展。学习是教师可持续发展的奠基石。

首先，教师的职业特点要求教师进行自我教育。教师职业的特点要求教师不断学习，汲取新的教育理念，不断变化，不断创新，才能真正成为知识和文化的化身，才能担当起科教兴国的重任。学习是提升与完善教师自身修养，提高教师发展动力的唯一途径。这就要求教师明确"学习、学习、再学习"的重要性，增强学习意识。教师须明确地认识到：①凡是不能自我发展、自我培养和自我教育的人，同样也不能发展、培养和教育别人；②教师只有先受教育才能在一定程度上教育别人；③教师只有诚心诚意地自我教育，才能诚心诚意地去教育别人。

其次，教师的专业化发展要求教师不断学习。要提高教师的专业地位，必先由教师主体本身充实专业知能、求取专业发展并献身教育事业。专业教师要具有丰富的基础知识、专深的学科知识和先进的教育知识。教师的成长离不开学习，中小学教师的学习将伴随其教育教学专业生涯的始终。教师要想获得深厚的学养、扎实的专业、渊博的学识，就必须抓住每一个时机和场所向书本学习、向实践学习、向校内外老师学习、向自己的学生学习，通过各种渠道，集百家所长，不断充实自己，才能使自身专业得到发展。

（2）创造性品质

教师作为人类文化文明的传播和传承者，其劳动的特点之一是创造性。一方面，教师是创新型人才培养的实施者，如果教师本身不具备创新精神和创造能力，就不可能培养出创新型的人才。要培养创新型人才，教师必须努力使自己具有良好的职业道德水平，具有广博的专业知识以及较强的学习和接受新事物的能力，具有探索研究现代教育理论、把握教学规律的能力，具有较强的教学能力和较高的教学艺术，具有良好的心理素质和自我调节、完善的能力及不断进行教育研究的能力。另一方面，教师的创造性品质和创造性思维对于学校的健康发展也具有导向作用。

重庆一中通过八十年教育实践所总结出来的“发展性教育”思想，要求全体教师从“学校的一切为学生的发展而存在”的角度，开展创造性的学科建设，发扬学科教学研究的精神，以创造性发展作为学校立校之本。没有教师教学理念的更新，没有教师教学技巧和教学方法的革新，就没有发展性教育的持续推进。

（三）教师团队建设的实践策略

结合学校的工作实际，重庆一中教师团队的建设主要从以下三个方面展开。

1. 开展教师系列化培训，打造教师终身专业发展平台

（1）教师培训的目标定位

随着社会的变革、科技的日新月异以及基础教育改革的深入和发展，传统的一次性教育已经不能适应社会和教育发展的需要，教育观念与教学方法迫切需要改革和创新，教师继续教育工作已成为学校的重要课题，教师培训工作的重点已由学历教育向教师终身继续教育发展，教师培训的定位也应该能够促进教师的终身专业发展。只有把教师培训工作从以学科内容为中心的传统教师培训转变到以教师为中心的新型校本培训的轨道上来，才能使师资培训发挥更大的作用。

（2）教师培训的基本方式

从马克思主义关于发展的系统性和层次性的思想出发，学校在教师

队伍建设上要有发展的眼光。我们不但要有一支在整体结构上形成梯次的队伍，不但要考虑师资能否与学校现在的教育教学相适应的问题，而且要考虑师资培训应和学校的发展相一致，并且有一个开放式和自培式相结合的师资培训机制。重庆一中的教师培训主要采取集中培训、分散自学、分组教研相结合的方式。如聘请教育专家进行系列专题讲座，或让培训教师参加专家的课题研究，给他们提供接触专家、向专家求教咨询的机会。同时制订自学辅导计划，开展自学辅导工作。利用教师已有的教育教学经验，以学科或年级为单位成立学习研究小组，采取“集中培训—分散研讨—创新设计—课堂实践—反馈总结”五段培训方式，提高培训教师理论联系实际的能力和自主创新的教育教学意识。

（3）教师培训的系列化内容

——教师职业道德培训

为了建设一支思想正、作风好、素质高、业务精的教师队伍，我校在贯彻国家和地方相关法律法规的基础上，制定了《重庆一中“十五”规划》及《重庆一中教师素质条例》。建立职业道德教育培训制度，每年寒暑假期间学校要组织教师集中学习，有针对性地进行职业道德专题教育。采取讲座、报告、演讲、展览、橱窗、专栏等形式，大力宣传校内外职业道德高尚的教师的先进事迹和经验，开展向先进典型学习的活动。在培训教育活动中，加强理论学习，促进教师坚定正确的世界观、人生观、价值观，提高抵制唯心主义、拜金主义、个人主义、封建迷信及各种伪科学的自觉性；加强爱岗敬业、热爱学生、教书育人、为人师表的教育，增强教师的事业心和责任感；加强素质教育思想的学习，更新教育观念；加强教育法律法规的学习，提高教师依法从教水平；开展心理健康教育咨询活动，提高教师的心理素质。

——教师全员素质培训

一支高素质的教师队伍，是学校全面实施素质教育、获得可持续发展的重要保证。为了建设好学校“十五”发展规划提出的师资保障体系，促进我校教师的更好发展，学校制订了教师全员培训计划，对教师进行不同层次和不同程度的素质培训。教师素质全员培训内容包括两个方面。

第一，上岗培训。根据《重庆一中青年教师指导教师制度》对进校不满两年的新教师进行教学业务培训及班主任工作培训。培训对象在第一年培训中未达教师一般基本功条件（包括普通话达二级）要求者，不能评聘专业技术职务。

第二，教学基本功培训。培训对象是不满50周岁的教师。培训内容包括普通话培训、“三笔字”培训、计算机操作培训、教学方法与艺术培训等。培训未达要求者，要记录在案，限期达到要求。逾期仍达不到要求者，应进行批评教育或停岗培训，并不得晋升职务。一般基本功培训对象考核合格者发放“一般基本功合格证”，专业基本功培训考核合格者发放“专业基本功合格证”，两项均合格者发放“教师基本功合格证”。教师在基本功考核中成绩优秀的，可予以破格晋升高一级职称的资格。

——各级骨干教师培训

骨干教师是教师队伍中的中坚力量，在教师队伍中起着承前启后的重要作用，其质量和数量不仅体现教师队伍的整体水平，而且是提高教育教学质量的重要保证。近年来我校陆续派送了30多位教师参加国家级和省市级骨干教师培训。参加培训的教师尽职尽责，提高水平，积极承担学校教育科研任务，推动学校教改科研工作和教育教学工作的开展。我们还在校内长期开展各种层次的骨干教师培训。

第一，举办专题讲座。专题讲座灵活性大、专业性强、信息量多，可满足多种层次教师的需要，是帮助教师提高素质的好方法。

第二，开展评教评学活动。评教评学活动强调理论与实践相结合，采取“看、议、讲、评、结”五个步骤。“看”就是看典型示范课或看名师的教学录像；“议”就是讨论分析成败得失；“讲”就是教师试讲新课；“评”就是教师评论，指出这节课的优缺点；“结”就是指导教师总结，并提出改进意见。

第三，进行自学研讨。自学研讨是继续教育中的一种主要培训方法。为了便于自学研讨，学校根据不同学科、不同培训要求制订出自学研讨计划，并通过跟踪调查和教师自学记录的形式来了解、指导教师的自学情况。

第四，组织参观学习。组织教师到市内外兄弟学校参观学习是一个再学习、再实践的过程，它具有直接性、可见性、示范性和实践性的特点，能帮助教师开阔眼界，更新教育教学观念，学习和借鉴先进的教育教学经验。

2. 发挥“长板效应”，通过校本教研激发教师团队活力

在团队管理理论中，木桶原理（又称短板效应）是许多人都耳熟能详的道理。其大致内容是：一只水桶盛水的多少，并不取决于桶壁上最高的那块木块，而恰恰取决于桶壁上最短的那块。在团队管理实践中，木桶原理经常被运用。不过有些时候，人们过于关注短板，无意中忽视了团队内部的长板。一个不能不认识、不能不看到的事实是：木桶的潜在容量取决于最长的那块木板。当我们用科学的、辩证的、发展的眼光去审视木桶原理时，会发现：当一个事物保持了平衡并发展到一定规模、一定水平时，其发展的方向、发展的空间在很大程度上将依赖于最长而不是最短的“木板”，此时，“长板”的效应要远大于“短板”的作用。我们把这一现象称为团队管理中的“长板效应”。

学习型组织是教师生存和成长的环境，其最终目的是成就名师。名校呼唤名师，名师支撑名校。学校名师脱颖而出，层出不穷，必将带出高品位的教师群体，从而办出高档次的特色学校。为此，我们提出了“名生、名师、名校”工程的发展策略，认为学校管理应有三个层次：让教师把事情做规范；让教职工成为该职业上的专家；让全校师生感受到教育是一种生命历程，生命因教育而快乐。其中，名师工程应该成为“三名”工程的重中之重，这缘于“长板效应”在学校教师团队管理中的应用和表现。

成就名师，培养青年教师的重要途径就是校本教研。通过校本教研，成就一部分具有创新精神和能力的教师，以这一部分成就较为突出的教师带动整个教师团队，从而激活整个教师团队的活力。苏霍姆林斯基强调指出，校长“应当成为教育科学和教育实践之间的中介人，他们不仅要宣传和在实际工作中去体现科学知识，而且要以创造性的设想和主张作为契机把全体教师组织起来”。教育科研既是增强学校凝聚力的重要因素，它能让所有教师把时间和精力真正花在对自己工作的研究和思考上，同时，又是推动学习型教师团队建设的重要力量。近年来，重庆一中花大力气培养了一大批名师，以新课程改革为契机，以教育科研为载体，培养了一批有较高声誉、有突出贡献的杰出专家，其中有教授级研究员17人，特级教师12人，享受国务院政府特殊津贴的专家3人，高校特聘教授3人，高级教师163人。近三年来，有360多位教师在国家级、省市级刊物上公开发表文章2000余篇，主编参编出版著作124本；教师们积极参加各级赛课活动，获国家级或省市级奖励的人数达全校教师总人数的80%以上。除此之外，学校教师还积极参加市级以上的学术交流活动。杨祖旺、王晓明、唐宏宇等校级干部在国家级学术交流活动中作学术交流报告；特级教师、研究员谭渝生、张群力、唐绍友、李农、谭顺福等，多次在市级以上学术大会上作学术报告；骨干教师陈渝、王海洋、周鹏、彭树云、付申珍、周鹊虹等，应邀在贵州、广东、四川、重庆等省市作高考指导报告。同时，每一年都有大量教师接受市内媒体采访，对高考、中考等广受关注的基础教育重大问题发表指导性评论。有这样一大批的教研人才活跃在重庆一中的教师队伍中间，教师团队的活力大大增强，而且学校整体教师队伍素质得到了突飞猛进的发展。

3. 注重教师的自我发展，培养学习型教师

“发展性教育”的目的是一切为了学生，为了学生的一切，让每一个学生都得到更好的发展。那么，学校也应该树立一切为了教师，为了教师的一切，让每一位教师都得到更好发展的思想。在具体的实践中，除了为教师发展提供一些有助益的平台之外，更重要的是促进教师的自我发展，培养学习型教师。学校以教师的发展为本，教师本人也应努力实现自我发展的价值追求。1997年，我们提出“发展性教育”对教师

的要求，认为教师最基本的能力应包含发展感受能力、思维应变能力、概括想象能力、实践创新能力。现在看来以上提法仍然是正确的。随着课程改革向多样性、层次性、选择性的方向发展，教师还应在更新知识结构、编写选用教材、改变固有的课程结构实行学科综合以及运用现代化教育手段等方面加强学习和实践，在将带领式学习和交付式学习转变为主动性学习、预期性学习、创造性学习等方面努力探索，勇于创新。学校的师资教育与培训要使教师不断地进行专业发展，成为终身学习者。培养学习型教师，要在如下三个方面努力。

（1）让读书成为教师的一种生活方式

叶圣陶先生曾说："自能读书，不待老师讲；自能作文，不待老师改。老师之训必做到这两点，乃为教学之成功。"教师的职业特点，决定了教师的读书风气最能影响学生和社会的风尚。只有热爱读书的教师，才能热爱读书的学生，才能营造出整个社会热爱读书的良好氛围。热爱读书是教师，也是社会的一笔无形资产。苏霍姆林斯基认为："如果你的学生深信你今天所讲的不是重复昨天讲过的话，那么，阅读就会成为你的学生的精神需要。"读书之于教师，就像歌手之于练声、枪手之于打靶，读书是教师的"看家本领"，必须融入到教师的日常生活中去。唯其如此，教师才能以自己的书卷之气去熏陶学生，使之热爱读书，与书为伴，成为未来书香社会的"读书人口"。教师要做好教书育人的工作，首先就要做一个真正的读书人，让读书成为自己的一种生活方式。

（2）让反思成为教师的一种日常态度

反思，一般是指行为主体立足于自我以外批判地考查自己的行为及其情境的能力。教师的反思是指教师在教育教学实践中，对自我行为表现及其行为之依据进行"异位"解析和修正，进而不断提高自身教育教学效能和素养的过程。其主要特征如下。一是实践性，即教师教学效能的提高是在其具体的实践操作中；二是针对性，即教师对自我"现行的"行为观念的解剖分析；三是反省性，即教师对于自身实践方式和情境，立足于自我以外予以多视角、多层次的思考，是教师自觉意识和能力的体现；四是时效性，即对当下存在的非理性行为、观念的及时觉察、纠偏、矫正和完善，可以缩短教师成长的周期；五是过程性，一方面指具体的反思是一个过程，要经过意识期、思索期和修正期，另一方面指教师的整个职业成长要经过长期不懈的自我修炼，才能成为一个专家型教师。

“业精于勤荒于嬉，行成于思毁于随”，要提升教师的水平，就要让反思成为教师的日常生活态度。诚如考尔德希德所言：“成功的有效率的教师倾向于主动地创造性地反思他们事业中的重要事情，包括他们的教育目的、课堂环境，以及他们自己的职业能力”，“反思被广泛地看做教师职业发展的决定性因素”①。美国心理学家波斯纳曾经提出了一个教师成长的公式：成长 = 经验 + 反思。如果一个教师仅仅满足于获得经验而不对经验进行深入的思考，那么，即使是有“20 年的教学经验，也许只是一年工作的 20 次重复；除非……善于从经验反思中吸取教益，否则就不可能有什么改进”②。他永远只能停留在一个新手型教师的水准上。另外，让反思成为教师日常的生活态度，对培养学习型和具有创造品质的教师也是大有裨益的。因为，日常性的教育反思要求教师追求自身实践的合理性，即审时度势，反求诸己，理智地、审慎地行动。反思型教师，会成为其日常教育教学领域里的决策者，十分理智地在“求知意愿”的推动下，努力追求更好，更有效率，更富有创见。

（3）让个性化成为教师的职业追求

21 世纪是创新的世纪，是尊重个性、弘扬个性的世纪。个性孕育了创新，创新展示了个性。作为新世纪的教育工作者，我们更需要有创新思维。因为个性发展教育需要以教师的个性为基础，正如乌申斯基所说：“在教育中，一切都应当以教育者个性为基础，只有个性才能影响个性的发展与定型，只有性格才能培养性格”。甚至可以说：“教师教育力量的源泉则在教师的个性。”为此，个性化的教育呼唤个性化的教

① 转引自：张立昌．试论教师的反思及其策略［J］．教育研究，2001（12）．

② 佚名．怎样成为优秀教师［J］．王深，译．国外教育动态，1983（1）．

师。这里需要作一点说明：所谓的个性化除了标新立异之外，更多地指一种差异性，即个性化教育等同于差异性教育。所以，让个性化成为教师的职业追求并不是一味地追求新异，而是对现代化教育的一个回应。在教育现代化进程中，个性化的教师队伍是学校追求办学特色的基础。试想，如果没有一批个性化的教师，学校特色又何从谈起，教育的创新岂不是一句空话？所以培养个性化教师是现代教育的需要。但是，反过来说，培养个性化教师只能适用于部分教师，具体而言就是那些处于成熟期的教师。以教师的教学风格为例，教学风格的形成不是一蹴而就的，一个教师也不是在入职之初就已具备自己的教学风格的，教学风格的形成必经历“入格”“立格”“破格”“无格”四个基本的阶段。有些年轻教师的教学水平可能连“入格”这一阶段都没有达到，在这种情况下，所谓的个性化追求也就无从谈起。

（四）教师团队建设的制度与保障

有一个很形象的比喻：管理就像漂浮在大海里的冰山，露出水面的部分占 1/5，大体相当于管理组织、规范、标准、手段和方法等有形管理，隐在水中的部分占 4/5，大体相当于组织成员的价值观念、人际关系、文化传统意识、风俗习惯等无形管理。制度是有形管理部分，学校文化是无形管理部分，制度是文化的载体。任何一项管理，如果没有制度的保障，就犹如游戏没有规则，一切都乱了套，学校的管理更是如此。因此，学校的各项规章制度的及时制定和不断完善，是确保师生按照学校的规定有序地开展工作和学习的必要条件。具体到学校教师团队的建设，我们设立并完善了以下制度。

1. 青年教师的培养制度

近年来，大批青年教师被分配到我校或调入我校，充实了师资队伍，增加了新鲜血液，带来了勃勃朝气，他们已成为教育战线上的生力军。这是学校发展的需要，也是未来学校发展的巨大潜力和希望所在。但是，青年教师的成长有一个过程，青年教师能否健康成长，他们能力水平的高低，直接关系到学校能否生存和可持续发展。着眼于青年教师的培养，既是学校的责任和使命，也是实现跨越式超前发展的战略目标和要求，更是建设高质量、高水平、高起点、高素质教师队伍的需要。为此，我们建立了青年教师的培养制度。

按规定，学校为每一个新进校的青年教师配备了经验丰富的指导教师，指导时间原则上为两年，两年后经考评未达到培养目标，或因教学工作的实际需要，可延长指导时间。指导教师必须是热心培养青年教师、有丰富实践经验、为本学科教学骨干的中、高级教师。指导教师的职责如下。①具体指导青年教师钻研大纲、教材，帮助青年教师确定教学目的、重点、难点，设计板书、选择教法、掌握实验技能等。②听青年教师的课每学期不少于 20 节，听课后及时给予评议，肯定成绩，指出问题，提出改进方向或措施。③每学期指导青年教师独立命考题一套，重点检查考题的信度和效度。④每学年指导青年教师撰写较高质量论文一篇。⑤从思想、师道等方面帮助青年教师正确处理教学过程中出现的问题。⑥学年结束，写出评价性意见交考评小组并归入教师业务档案中备案。被指导青年教师的职责如下。①认真钻研教学大纲，研究教材、教法，努力完成学科教学任务。②认真备课，写好教案，主动请指导教师审查、修改。③虚心向指导教师和其他教师学习，听指导教师的课每学期不少于 15 节，听其他教师的课全期不少于 15 节。④积极参加进修培训和教研活动。⑤每学期上一堂公开课，完成一套命题。⑥每学年完成一篇较高质量的论文，争取发表。⑦学年结束时，写出教学工作总结，上交学校进行考核。

此外，在管理层面，学校还建立了配套的青年教师发展的管理和激励机制。①建立了青年教师培养工作领导小组。学校领导经常倾听青年教师的意见和呼声，切实主动关心青年教师的思想、工作、生活、学习、家庭、身体、心理等问题，给他们出点子、压担子、结对子。深入调查研究，全面、公正、客观地评价每一位青年教师。通过谈心交心，沟通思想，凝聚人心，做好细致的思想政治工作。②齐抓共管，形成合力。青年教师培养是一项长期的系统工程。学校党委、行政、工会、妇委会、教代会、教工团支部等有关部门对青年教师培养既要分工把关，各司其职，又要统筹规划，协调一致。发挥各部门的有效职能和优势，密切联系青年教师，多层面、多渠道、多角度、多方式地做好青年教师工作。③搞好中老年教师的传帮带工作。中老年教师对青年教师有关心、爱护、帮助、指导的义务，在备课、上课、练习、考试命题、班主任工作、论文、课外活动以及校外交流等工作中给予支持。学校退协、离退休党支部和学校离退休教师主动关心青年教师的发展，献计献策，发挥余热。④落实责任制。教研组长和年级组长是青年教师的责任人。教研组长要关心学校组内外青年教师的成长，定期与他们座谈，帮助他们解决教学中的困难。各年级组长要关心本年级青年教师的教育教学工作，及时点拨，传授经验，加强管理。⑤启动名师工程。我们计划在10 年内重点培养 3—5 名全国青年教育教学专家（含特级教师、研究员），10—20 名硕士研究生学历的教师，10—15 名市级学科带头人，20—30 名市级骨干教师，40—60 名学校骨干教师，塑造一批在全市乃至全国有影响的青年名师。鼓励青年教师冒尖成才，成名成“家”。

2. 重在教师成长的校本培训制度

以培训内容为中心的传统师资培训存在着严重的弊端，不能把教师培训工作落到实处。同时，选送教师到高等院校等机构接受培训，所培训的教师数额有限，远远满足不了学校发展的需要。只有把教师培训工作从以学科内容为中心的传统教师培训转变到以教师为中心的新型校本培训的轨道上来，才能使师资培训发挥更大作用。重庆一中校本培训的特点是把学校发展与教师发展的要求和谐统一起来，以教师的发展为中心，目的在于培养教师在教学实践中的解决问题能力，增强教育教学行为的有效性，提高综合素质，增强研究能力，形成终身学习的能力，最终促进教师自我实现和自我发展。

目前，学校已基本形成了一个较为成熟的校本教研网络（如图 7 所示），将校本教研制度化、规范化。

在具体的日常性校本教研实践和管理中，我们以“人的发展”为

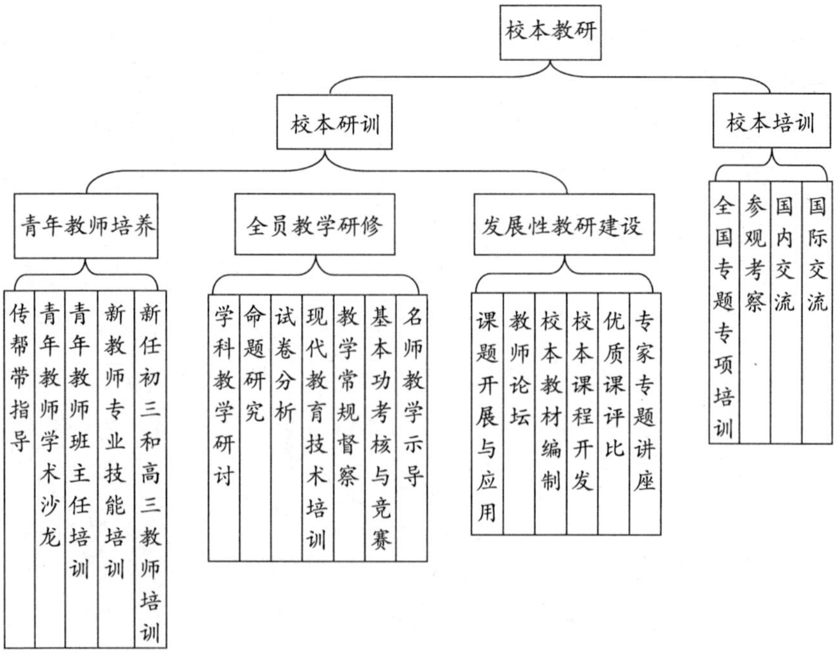

图7　重庆一中校本教研结构

导向，在教师中提倡“三要三不要”：工作时要勇挑重担不推诿；教研时要主动交流不保守；同事间要坦诚相见不虚浮。教师中出现了不少感人的事迹：老教师自动奉献带新手，中年教师“瞻前”又“顾后”，青年教师虚心勤奋敢拼搏。这种宽人律己、友好竞争的氛围净化了人际关系，使之更加宽松和谐。严谨的教风、浓厚的学风在我校已经形成，“教书型”的教师逐渐向“学者型”教师转变。仅近三年，我校教师在教育教学专业杂志及报纸上发表的文章和专业学术会议上获奖的论文就有2000余篇。在教育教学方面的研究性学习和探讨的引领下，在大的科研课题项目的推动下，重庆一中的校本教研全面开花，别开生面，有力地推动了学校高水平师资队伍的建设以及教育教学水平的全线提高。

（1）开展课题研究，提高教师的科研水平

根据发展性教育思想和学校的办学目标，学校制定了《重庆一中“十一五”教改科研规划》，进一步建设以素质教育为中心的四大体系，即教育教学体系、师资保障体系、教育技术体系、现代管理体系。根据“四大体系”的思路制定了《重庆一中教育科研课题研究指南》，分为管理类、教育类、教学类、活动类和教学保障五大类共50多个子课题，提供给教师个人或教研组选择。目前学校的科研工作可以概括为“2231”。第一个“2”即两个目标：教育科研以提高学生和教师素质为目标。第二个“2”即两个系列：教改系列和科研系列。“3”即三个层次：课题分国家级、省市级和校级以及学科组或者教师个人的课题（分别探讨大教育规律、局部教育问题和行动法教学实际问题）。“1”即以整合课堂资源、构建教育模式为目的。所有课题由校长直接领导，学校教育科研（简称教科室）室负责管理，并由教科室、教务处、学生处、总务处和办公室密切配合开展，年级组、教研组、教师个人或小组等共同参与，形成各层面课题与各组（室）相关联系运行的管理机制。每位教师在课题组中承担着自己的研究任务。

（2）教研组评课调研活动

为促使教师发现教学中的问题，引起教师思考，认清教学中的不足，寻求更合理、有效的教学方法，我们长期坚持开展教研组评课调研活动。让同一学科的每位教师都讲一节课，都进行录像，同组教师一起分析、研讨，取长补短，共同提高。评课调研已不满足于对问题的一般性、定性的研究，已进一步扩展为问卷的设计、评价结果的量化分析、研究报告和实验报告的书写、专题汇报课活动。通过科研带动，使教师由能手型向研究型转变，并且有计划地自觉实施自己的科研课题。

（3）备课制度

学校在教师中间倡导民主、和谐、自然的人际关系，倡导以校为本的校本教研，倡导教师群体成员间通过问题研究、观点争论，提高思维品质和学习能力。一直以来，教师们都是在各自为政的状态下进行着单轨道的教学研究，一个突出表现就是教师自己备课，自己上课，自己回顾，很少有同行横向交流的机会。即便是实行集体备课方式以来有所改观，但整体上这种单轨模式并没有被打破。开展校本教研就是要打破这种单轨工作模式，构建多轨联合模式，充分发挥教研组的作用，集体备课，集体反思，发挥集体的力量与智慧，与专业人员联合，共同提升学校教学品质。比如我们每个教研组都坚持每周一次集体备课制度。集体备课同时要作好记录，在下次备课时结合教学实际，对前次备课作出简要的小结，备课记录由备课组长保管，每个月交教学年级组长备查，每半学期一次由教学年级组长交教务处存档。集体备课时还必须做到“五议”：议学生学习状况，议备课中的疑难问题，议可供使用的教学方法、教学手段，议课后的心得体会，议教改动态、教改信息。具体运作按教务处制定的《各年级学科集体备课管理办法》进行。再比如我们的听课制度，具体包括互相听课制度和指定听课制度。新教师应争取随堂听指导教师的课，指导教师每周应至少听见习教师一节课，随时指导。年级教学组长根据年级实际派发指定听课登记表给备课组长，备课组长应在规定时间内完成听课内容，并按照登记表要求如实填写上交年级教学组长。而凡属本学科的研究课、公开课，当节次无课的教师一律参加听课，备课组在听课的当周或下周要组织集体评课。

（4）听课制度

为了加强教学管理，交流教学经验，提高教学质量，我们制定了《重庆一中干部、教师听课制度》。规定校级干部每学期听课不少于35节，负责教学的校级干部不少于50节；中层干部每学期听课不少于40节，负责教学的中层干部不少于50节；教研组长、年级教学组长每学期听课不少于35节；教科室成员每学期听课不少于50节；中老年教师每学期听课不少于25节，35岁以下的青年教师每学期听课不少于40节，进校两年内（即被指导期间）的青年教师每学期听课不少于50节。每学期结束时，全体干部、教师将听课记录交教务处，归入教师个人业务档案。完成听课任务的，学校给予表彰奖励。通过听课活动，全校教师相互学习，互受启迪，扩大视野，博采众家之长，课堂教学的整体水平得到大幅度提高。

（5）学术年会

学校每学年都要定期举办学术年会，全校教师以教研组和部门为单位参加，学校学术委员会评出一、二、三等奖和集体奖。学术年会上提交的大量论文既具有相当的理论价值，又具有一定的实践意义，对学校的教育教学改革及教育科研起到了很好的促进作用，教师们也通过学术年会成长起来。

3. 发展性教师评价制度

建立一套科学化的教师评价体系是学校和谐管理的一个重要方面，也是推进学校各方面工作的重要保证。传统的教师评价是一种管理性评价，其核心观点认为学生升学率高、考试成绩好，执教教师就是好教师。这不仅不利于教师专业水平的提高，还助长了教师的一些短视行为，把教师和学生的发展引入“歧途”，不利于教师自身的发展。科学的教师评价应以发展为本，目的在于促使全体教师的教育教学水平、教育科研能力在不同层次上得到健康和谐的发展。提倡发展性教师评价，是教育改革和发展的必然要求。

（1）发展性教师评价的原则

第一，强调过程的形成性评价原则。形成性评价是一个由反馈来调节的动态过程，是运用系统运动的结果来调整未来运动的一种方法。其特点是及时反馈以及及时调整、改善和发展。我们在每学期期中和期末分阶段对教师的工作开展评价。对教师的评价不纯粹看结果，而是重在评价的形成过程。评价不是终结性的，而是贯穿在管理的全过程中，有过程才能有发展，才能起到积极的导向与促进作用，让教师看到自己的不足和努力的方向，从而获得自身的发展。

第二，依靠教师自己的民主性评价原则。自我评价是教师自觉地运用评价指标逐项对照、检查、衡量自身的工作，通过反馈不断认识自我、完善自我的过程。在教师评价中必须重视教师的自我调节，消除教师对评价的疑虑，让教师成为评价的积极参与者。同时，要让教师在互评中互相学习，取长补短，发挥教师的积极性和民主性，使教师评价的功能和作用真正地发挥出来。

第三，着眼未来的发展性评价原则。评价的宗旨是促进教师发展。要对不同层次的教师提出不同的发展目标，让不同层次的教师获得不同程度的发展。目标不能过高，也不能过低，要符合人的可持续发展原则。

（2）发展性教师评价的方式

① 自我评价。由学校管理部门事先向评价对象提供参考提纲，然后要求评价对象采取口头形式或书面形式述职，从工作的各个方面评价自己的工作表现，阐明存在的优点和缺点，供教研组讨论、分析和评价。

② 年级组和教研组评价。每学期或每学年，在教师自我评价的基础上，年级组和教研组从教育教学水平、教育教学实效、教育科研成果等方面进行专业化的评价。评价过程中，要给教师提供广阔的交流空间，以互相了解，增进友谊，增强团结协作的凝聚力。

③ 学生评价。教师工作的对象是学生。因此，学生对教师的师德素质、教育教学的责任感、教育教学水平等方面有比较深入的了解。在评价过程中，来自学生方面的信息是评价的重要依据之一。具体评价方式可以采取学生座谈会、让学生填写调查问卷等。

④ 家长评价。家长评价主要是对教师的工作态度、师德素质、协调关系等方面进行评价，可采取问卷调查的方法进行。

⑤ 学校评价。学校领导小组在教师自评、年级组和教研组评价、学生评价、家长评价的基础上，根据各科室提供的相关信息，作出综合性评价。然后将评价结果告知教师本人，肯定成绩，同时帮助教师发现不足，找到自我发展的支点，确定更高的发展目标。最后将评价结果归入教师业务档案。

（3）发展性教师评价的“五个结合”

① 高质与高效相结合。在实施教师考核评价时，从提高效益入手，注重过程效益和终端效益考评。过程效益就是变一次测试定优劣为随机抽测与定期测试相结合定优劣，从而引导教师组织好每一节课，提高每一节课的效益。终端效益考评就是依据过程检查中所记录的过程效益、家庭作业量、加班补习时间等确定绩效系数，以成绩与绩效系数的乘积作为终端效益考评的结果，从而引导教师自觉减负，注重平时的教育，

真正提高教育质量。

② 鼓励与鞭策相结合。在评价教师的劳动质量时，必须有历史的、发展的眼光。不能鼓励先进的多，关注进步的少。比如对教师教学效果的评价，就要考查学生成绩上升度，以教学的绝对成绩和相对成绩来综合考查一个教师的教学绩效。上升度的考查方式可以多种多样，既可以按一定方案将各项指标综合成某一个具体数量，以前后两次测试的差值作为上升度，也可以按成绩分段，通过比较优生层、后进生层的变化情况来分析上升度。例如，上升度 =（本次优生数 ÷ 上次优生数 - 1）+（1 - 本次后进生数 ÷ 上次后进生数）。还可以按优生、后进生的相对比例变化来考查上升度，例如，上升度 =（本次优生与后进生之比 - 上次优生与后进生之比）÷ 上次优生与后进生之比。我们用标准分的变动情况来考查上升度。考查上升度至少有以下几个优点：一是避免了差班无人带的现象；二是鼓励培优辅差，面向全体学生。这种考评如果与学生成绩评定方法的变革相结合，效果会更好。

③ 竞争与合作相结合。教育工作作为一种特殊的社会活动，不仅要鼓励竞争，而且要鼓励合作。例如，考查一个教师的教学效益，不仅看其所教班级学生在其所教学科上的成绩，而且将所教班级学生的各科发展情况都纳入考查范围，甚至可以将全校范围内所教学科的学生发展状况也纳入考查范围。这样可以促进教师之间互帮互学，共同攻关。

④ 定性与定量相结合。教育评价应经历“定性—定量—定性”的过程。充分考核教师工作的方方面面，避免以偏赅全，使评价公正客观。教育量化评价只能作为诸如评先、评优、评职、聘任等活动确定候选人的依据，而不能以分数定荣辱，应将最终确认权交给职代会，这就是由定量到定性的过程。既注重考评分数的重要参考性，又要不搞教条，不唯分数，走民主之路，让群众评说。

⑤ 定期评价与平时考核相结合。教师工作是一个日积月累的过程，任何一个环节的失误都会对教育质量造成潜在的危害。因此教育管理者应该根据教育规律拟订评价方案，对教师的工作过程及时反馈—评价—反馈—再评价，达到及时导向的目的。但是在实践中，“反馈”环节常

被忽视。评价只不过是优化管理的一种杠杆，而不是最终目的。在评价活动中，评价者应该诚恳地与教师共同研讨优化工作的策略。因此，学校成立了教职工工作考评领导小组，制定了在聘用期间对被聘人员实行平时考核和年度考核相结合的管理办法，加强了对教师平时工作的评价和指导。

三、和谐管理的“家”文化

美国管理学家彼德·德鲁克认为：“管理不仅是一门学问，而且还应是一种‘文化’，它有自己的价值观、信仰、工具和语言。”任何一所名校，总是以积淀深厚的教育思想和学校文化作为支撑的。学校管理文化，是一种管理精神、管理氛围，是领导者在管理活动中人文精神的积淀。一所学校独特的管理文化是学校内涵发展的生产力，也是学校管理的至上追求。经过多年的探索，本着和谐管理的理念，我们也形成了带有重庆一中印迹的管理文化——“家”文化，并在管理的实践中不断地诠释着这种文化。

家是一种关怀与感受。重庆一中就是这样一个家，在这个家里面，每一位师生都是不可或缺的成员，为了家的健康稳定的发展，每一位成员都会尽其所能地付出努力。重庆一中之所以能够成为这样一个家，是因为它拥有家一般的温暖、和谐，以及共同奋斗振兴大“家”的团队精神。在家的建设中，我们主要在以下几个方面作出了努力。

首先，家环境的建设。环境建设是家文化精神的物化形态，是形成文化的重要途径，它构筑并丰富着家文化的空间。学校在这方面大量投入资金改善教师的办公环境，为每一个小“家”的建设提供便利。一方面，为每一间办公室都置换了新的桌椅板凳，在办公室的布置方面尽最大努力满足教师的需求；另一方面，开展一系列以“家的建设”为主题的评比活动，促进教师对小“家”的认同，进而延伸到对教师、教学等其他方面的认同。

其次，“职工模范之家”的建设活动。“职工之家”是保证广大教职工当家做主，行使民主权利，建设校园文化的有效形式和载体；建设“家”的过程本身也是不断完善学校管理的过程，教代会制度的健全、校务公开的推进、丰富的文体活动的开展、女职工“半边天”作用的发挥等，都不断丰富和美化着重庆一中这个大“家”，并取得了催人奋进的成效。2004 年，学校工会被重庆市总工会授予“重庆市模范职工之家”光荣称号，高 2007 年级组被重庆市总工会授予“重庆市模范职工小家”光荣称号。2008 年，我们又获得了国家级的“模范职工之家”称号。这些都不断地激发着全校师生建设“家”的动力和热情。

再次，温暖工程。维护教职工的利益和权益是工会的基本职责，要用爱来温暖教职工的心。在具体工作中，学校工会坚持“五必访”：教职工结婚生子必访；教职工生病、住院必访；教职工亲属病故必访；教职工家庭有困难必访；每逢春节，长期生病的教职工、80 岁以上的老人、复退伍军人必访。校工会还千方百计筹集经费给教职工发放福利品，使他们感受到了工会家庭般的温暖。2007 年，本校职工汤正刚两岁的孩子不慎跌入开水锅，造成全身大部分皮肤因重度烫伤化脓感染，由于经济困难而面临断药。学校得知这一情况，在全校发出了捐款倡议，动员全校师生捐款，不到一个星期，学校就收到了 46000 元的捐款，并由校长带队，一行人驱车近三个小时专程赶到安岳，将所得捐款如数转交到汤正刚手中。类似的一些事件感动着每一位重庆一中人。

最后，注重精神文化的感染。文化包括精神文化、物质文化、行为文化以及制度文化等，对于一所学校，文化管理归根结底还在于精神文化的引导和约束。我们在着力打造教职工“家”文化的过程中，非常注重这种精神层面的文化的引导。正因如此，教师们中间也传递着一些以教师精神、教学精神为代表的精神文化。我们每个小“家”都具有自己别有一番风味的家名、口号、目标等。比如，高二年级组叫“同心之家”，初中语文组叫“云水居”，化学组叫“五彩之家”等，其中高中语文组“大风堂”还有自己的《语文赋》①，全文如下：

---

① 由我校高中语文教师万国风撰写。

郁郁哉？天降斯文，泽被吾华。正乾坤之玄黄，明宇宙之洪荒。仓颉作篇，天雨粟而鬼哭；河洛出书，圣意见而途达。饮水思源，当念前贤，唯我仙人，劳苦功显。筚路蓝缕，以启文明之荒林；殚精竭虑，谋建精神之家园。漫历千秋风云，源远流长，异彩纷呈；流播百代风韵，经天纬地，德照四方。

语者善言，言为心声；文者错画，粲然成章。横竖撇捺，形体矫健，礼仪端庄；平上去入，音声分明，情韵悠扬。至圣倜傥，弦歌旷野，《国风》百世余响；屈子高洁，行吟泽畔，《离骚》千载回音。诸子理性，汉儒尊经。兰亭流觞，魏晋狂放，金陵烟雨，南朝一梦。太白飘逸，歌江山之瑰奇；子美沉郁，诉家国之沧桑。词曲婉丽，得风人之深致；诗文宏阔，寓志士之壮怀。梦萦其中，心旷神怡；发愤忘食，乐以忘忧，几曾知老之将至？

殆至当下，风雅寝声，骚人不继。熙熙攘攘，皆为名利。黄钟大吕，充耳而不闻；道听途说，闻风而鹊起。断章取义，自诩灼见真知；浅尝辄止，狂嚣博闻强识。圣贤经典，高置案头，空待虫蠹；市井鄙语，常挂心口，奉作圭臬。明珠投暗而不觉；拾人牙慧以自矜。贤德不续，空有文化之名；本末倒置，岂得复兴之策？

《易传》有云：穷则思变，变则通久。浮华务去，真酌始见。窥天见地，俯仰古今，择其善者而致用；顺天应时，融汇中西，和其美者以创新。知行合一，博雅如斯。我言我志，我写我心。读书重在明德，明德贵以新民。至善未达，奋发不息。待人接物，莫逆于心。

吾辈同济，志道之君。躬亲实践，大业可兴。学高以为师，继往圣之绝学；身正以作范，矫世风之颓丧。言传身教，润物无声；桃李不言，下自成蹊。中文不老，文明不尽；薪火相传，吾族长青。

“不是锤的击打，而是水的载歌载舞，使鹅卵石臻于完美。”精神的东西往往更能深入人的心灵，泰戈尔的这句经典之言恰好能够概括我们和谐管理文化的精髓。和谐是一种文化，更是一种精神，相信我们重庆一中在“和谐”管理的引领之下会走得更远，走得更稳健。

第七章 毕生追求教育之梦

校长是一个学校的灵魂，校长的思维决定着学校整体的教育理念与教育方式。我深知自己的思考对学校发展的重要性，这些年来，我的思考和实践都紧紧围绕着发展性教育这一理论。可以说，我一生所追求的教育梦想就是对发展性教育的不断完善、不断实践、不断深化。在我看来，发展性教育的形成、重庆一中新时期的发展是协调统一的。

首先，我对教育的追求、在管理中展现出的个性特点，都是与我个人的家庭教育、经历磨难分不开的。其次，作为一名校长，其价值与意义不仅是提出观念和思想，更重要的是在观念和思想下对实践的指导。我期望自己的理念在学校开花结果，让学校成为真正的育人乐园。同时，我积极投身社会，连续两届担任全国人大代表，尽自己最大的努力为教育奔走，为国计民生献言献策。我认为校长的角色特征包括以下方面：民主治校，关怀师生；广积博取，众采百家；放宽视野，敢为人先。

一、求索路——追逐教育之梦

成大事者，必先有大抱负和对梦想的执著坚守。教育是一个永无止境的事业，作为校长要成为执著追求梦想的事业者，要有执业热情和强烈的事业心，才能投入更多的感情和精力，潜心教书，安心育人，才能成为校长中的杰出者，引领最优秀的学校。

为教育谋出路，为学生谋发展的梦想。数十年来，为着这个梦想，我一直在认真观察着，苦苦思索着，执著探索着，不断创新着。

（一）书香家学奠基教育之梦

家庭教育与一个人的事业选择和成长有着非常重要的关系。国外的研究表明，当双亲向孩子表达期望、阐述观点、倾诉情感时，孩子对于权威的内心感知在儿童时期的家庭关系体系里就开始发展建立了。父亲的认可对于子女非常重要，在他们的早期教育和成年后的生涯中起着开创性的影响，能够明显地促进智能发展并激发强烈的事业责任感。良好的家庭教育与丰富的经历是我成长的宝贵财富。

我生于书香世家，父亲鲁承宗老先生是民盟中央委员、著名测量学专家、凉山大学的创办人。我的父亲为人耿介忠诚、宽厚大度，治学严谨认真、一丝不苟。母亲成秀贞女士性格刚强、善良隐忍，年轻时即投身革命运动，新中国成立后一直兢兢业业地战斗在中学教育第一线。20世纪80年代初，我的父亲鲁承宗先生响应民主党派智力支边的倡议，以65岁高龄远赴大凉山创办凉山大学并出任校长。父亲为着少数民族地区的长远利益着想，提出了为民族地区培养“永久牌”建设人才的构想。应该说父亲是西部开发的先行者，学生遍布凉山，为建设凉山发挥了重要的作用。我的母亲是一位温和睿智的初中教师，长辈亲朋中有多人服务于教育行业。出生和生活在这样一个诗礼之家，从小耳濡目染，深得真髓，养成了她心胸豁达、待人友善、处事沉稳、决事果断的良好个性，以及摒弃烟酒嗜好、廉洁自律、勤政敬业的优秀品质。

正因为家学的影响和熏陶，我从小就把教育作为自己的事业理想。数十年过去了，风风雨雨的道路上，我克服了众多的困难，抵制了各种诱惑，为教育梦想终生奋斗着。

（二）在迷茫与困惑中思考

20世纪70年代初，我因为父亲被错划为右派而受到牵连，到了四川省开县一个偏僻的山村当知青。1972年，20岁的我顶替母亲回城当了一名小学戴帽初中部的教师，一干就是五年，教地理、历史、工艺基础，其间读了一年中师。1974年，经过一年的师范学校培训后，我开始从事中学外语教学。当时正值“马振扶公社事件”，一个叫张玉琴的学生因不堪学习压力而自杀。“我是中国人，何必学外文，不学ABC，照样干革命”成了流行语。在特殊的年代里，我第一次直面中国的基础教育，也第一次真正地思考教育问题。这是一个知识被遗弃、知识分子无法得到尊重的错误的历史时代，教育的混沌与渺茫的前景，让一脚踏入教育之门的我茫然失措。面对这一切，我陷入了困惑与迷茫，期待着有一天能改变一切，向着自己理想的教育梦想前行。

1978 年，恢复高考，有机会升入大学学习了，犹如做梦一般，我彻夜难眠。那是春天的第一缕风，给年轻人带来希望。正像当年所有参加高考的知识分子一样，多年的压抑，多年来对知识的渴求，化为了无穷的动力，26 岁的我凭借扎实的功底，刻苦的学习，以优异成绩考入西南师范大学外语系学习，如愿以偿地实现了读大学的梦想。我是怀揣着建造美好的未来教育的梦想跨进大学的，在大学的象牙塔中，我学到了许许多多理论知识，在心中绘就了一幅阳光明媚的中学教育图景。我坚定地相信，教育能够改变人们生活的面貌，能够让我们生活得更好。毕业后，就像每一个拥有激情和梦想的年轻人一样，我满怀豪情、意气风发地来到中学课堂。然而，我很快就跌入了一个无比巨大的旋涡之中，我发现大批比自己更年轻的青年涌进课堂，希望通过学习知识改变自己的命运，高考选拔制度的恢复为他们提供了机遇，他们比当年的我更急切、更狂热，高考从此成为一道高高的屏障，把一部分人同另一部分人隔开。这迫使我更加深入而实际地去思考教育的问题，而且这一思考持续了数十年，成为一块巨石沉压在心头，难以释怀。

被父亲的精神所感召，同时受四川省委组织部派遣，我来到四川省甘孜州康定县康定中学任副校长并担任英语教学工作。我必须承认，那是一段物质生活十分困难而精神生活又十分惨痛的经历，西部的贫穷令人不忍卒视，而当地人民精神上的愚昧落后更是触目惊心。我开始从思想的深处理解父亲，理解教育的现实意义。在康定中学，我思考得最多的是我们要培养什么样的人这个问题。孩子们在艰苦的环境中孜孜不倦地追求知识，与试题的汪洋大海作顽强的斗争，追求高考的成功。没有人关心这些知识将来是否有用，没有人关心自己将来是否能适应社会的需要，他们头脑中只有一个坚定的信念：跃过那一道龙门，走出这封闭落后的大山，到外面寻找新的世界。而校方的办学思想也是处于混沌之中，毫无特色可言，并且也没有时间思考办学特色的问题。我没有找到让我的理想开出美丽花朵的土壤，这让我非常怅惘。

1988 年，我挂职锻炼归来后担任重庆市处级督学，当时教育督导刚开始启动，30 多岁的我肩负起了教育督导的重任，在担任督学短短的一年时间里，我走访了一百多所学校。督学的身份，使我得以有机会系统地研究与了解重庆各所学校的教育状况和办学状况，在对各个学校的观察了解中，我看到了学校发展的各种可能，也更加敏锐、更加清晰地看到了教育深层次的问题：学校办学的模式化，教育观念的无序化，育人目标的单一化。在那个时代，学校都很紧张，校长老师们想得更多的不是国家、民族和社会对人才的需求，而是学生应付高考的强烈愿望。在担任督学期间，我对教育的认识更加清晰，思考更加深刻，对教育的忧虑更加深沉，同时对教育进行改革的想法也更加迫切了。

1990 年，应自己的要求，我又回到了学校。这个时候，也正是全国性的应试教育愈演愈烈的时代，在高考指挥棒的支配下，学校、教师、学生都东奔西突，疲惫不堪。我在思考：我们的学校要培养什么样的人才？我们教师应有怎样的生活？我们的学校应该如何发展？而我们现在应该怎样做才能摆脱这种应试教育的局面？

（三）用发展性教育寻找教育的出路

面对教育现实的困境，我思考着如何突破。1992 年的出国讲学为我提供了一个很好的机会。

在出国讲学期间，我亲身体验了西方学校办学的特点，看到了教育发展的新的可能性，看到了民主、开放、自主的课堂教学。在反观国内完成性教育的弊端之后，我对如何培养人有了一些初步的思考。在此基础上，我进行了大量的阅读，专门研究东西方哲学、教育著作中对于“人的发展”的相关叙述，这些思考和研究为我提出发展性教育理论提供了思想的源头。

回国后，我先后担任重庆八中、重庆一中的副校长与校长职务，在此期间，我在两所学校都进行了一系列的探索性改革，从德育、教学、管理等方面进行了一些探索，逐步形成了发展性教育的一些尝试性做法，而且不断地总结和深化，在各种刊物上撰文反复论述、论证自己对于发展性教育的理解，逐步形成了发展性教育的一些思考和实践。这些思考和实践经过十多年的凝练、萃取、论证、实施，逐步成为一个相对清晰的思想体系，萦绕于我头脑中的困惑与思索也逐渐有了清晰的答案。

在这个理论体系中，我试图从教育哲学的角度探讨教育的最基本问题，即教育的终极目的是人的发展；我希望能够从机体论、机械论、精神分析论、环境论、辩证论等角度对各种教育理念进行对比和重新定义，然后找到自身的突破；我期望在发展性教育理论指导下对中学教育的教育目标、人才培养模式、教师的自我发展、学生的自我发展、课堂教学的操作、学校的校本管理、对国家新课程改革的回应、发展性教育评价等多个方面进行论证和实践。

经过多年的思考和实践，发展性教育观已经不是一个空的理论架子，我对发展性教育的各个环节都尽可能作明确详尽的分析和操作介绍，大到学校的校本管理、大型活动的开展、学校教育的评价等宏观问题，小到班级班规、寝室管理制度、学生评价标准、心理咨询方法、发展性的课堂教案等细节问题都尽量进行详尽的论述。

以发展性教育为突破口，我想，我已经在当前教育的困境中找到了一条自己的道路，使一批又一批的重庆一中教师和学生得到充分的发展，也引领着重庆一中这所历史悠久的学校在新时期焕发出了新的生机。

（四）在理想与现实中坚守教育之梦

1. 坚守教育之梦

现在的社会，诱惑太多，知识分子要有自己坚守的天地，要对抗社会上很多庸俗的东西。校长是一校之“魂”，大千世界，滚滚红尘，有着太多的诱惑。当各种人生的选择、有利的机会摆在面前的时候，作为一名校长，能否坚守自己的教育之梦并执著走下去，是一个考验。

我深受父母的影响，从小就酷爱“青丝化白发，桃李满天下”的职业，立志献身祖国教育事业。

大学毕业后，作为班上主要学生干部和年级八个班三名党员之一的我可以选择留高校。作为恢复高考后首届大学毕业生，我可以进各种机关单位，但我在众多的人生选择面前义无反顾地选择了中学教师的职业道路！

挂职锻炼后担任重庆市处级督学，可以进入市教委从事行政工作，但我放弃了各种机会，还是走进了中学。此后的数十年，在八中，在一中，我始终没有离开基础教育的岗位，坚守着自己的教育梦想！

我现在是一名享受副厅级待遇的中学校长，但我始终认为，自己就是一介书生。

何为书生？书生者，学人也，要有书生的意气，书生的好学，书生的操守，书生的坚守。

做书生，是一句很简单的话，似乎也很容易；但在复杂的环境中，在名利的诱惑中，在琐碎的事务中，仍然能够坚守书生的底色，则又是万分艰难的。

我的愿望很朴素，就是做一名优秀的中学教师。我从事英语教学教研二十余年，在此期间，我辛苦的汗水不仅在绿叶上闪光，同时也在心中结果。即使在我担任学校副校长期间，我仍坚持给学生们上课。担任校长工作后，因为事务繁忙，我虽然放下了心爱的教学工作，但坚持听课。我时常对老师们说："我一直都这样想，做一名好老师是一件非常幸福的事情。"我常对教职工讲一副对联："教小子如养芝兰，此时栽培须务本；愿先生勿弃椿栎，他日长大尽成材。"栽培芝兰，如果不务根本，则茎叶不茂，花朵不美；椿栎之树，看似平庸，长大后皆有所用。

2. 让梦想之光照进现实

天津外国语学院附属外国语学校校长张奎文撰文说道："校长不仅仅是成为一名教育家，同时还应该具有政治家、思想家、心理学家、历史学家、艺术家、军事家、企业家、金融家、建筑学家、外交家、法学家、演说家和运动员十三大素质，否则，难以完成历史赋予的神圣使命。"这并不夸张，学校不是社会的文化孤岛，校长毕竟是生活在现实的、特定的宏观社会情景之中。校长的日子永远是忙碌的，忙碌得让所有的人都不相信。一方面是自己改变教育、改变学校、改变人才的教育理想，一方面是琐碎繁杂的具体事务，梦想与现实存在着巨大的冲突。这是我首先面对的现实问题。

同时，教育的梦想与教育的背景和环境也有着现实的冲突。近年来社会对中学教育的批评声不绝于耳。对于社会来说，一所重点中学如果没有较高的升学率是不可想象的。年复一年的高考中，从升学率到重点率，到比北大清华，到比状元，名校之间上演的是愈演愈烈的竞争。社会的认可、家长的认可、学生的认可，都着眼于高考成绩的对比。作为校长，我寻求的是消除教育的“完成性”的弊端，但所有的工作又不可能脱离高考的指挥棒。

面对这一切，我竭力寻找着梦想与现实之间的结合点，在现实情况下努力地实现着自己的教育梦想。

教育心理学教授林崇德说：“教育是最需要科学的领域，育人的过程不科学，受教育者就只能收获许多痛苦。”管理实务繁忙，但我还是尽力抽出时间读书，听课，写作。时间可能很少，但时间是挤出来的，不断充电，不断思考，是保持思维活力的手段，是保持思想敏锐的途径。

作为校长，束手束脚的东西太多，但我尽可能地“带着镣铐跳舞”，把发展性教育的理念贯穿到管理过程中，让每一位教师体会、领悟发展性教育的内核，在应试教育的环境下，尽可能地发展学生的素养，以灵活的教学手段与学习方式提高学生的能力，培养了学生的全面素养，应试能力自然也就上去了。

在重庆一中，学生是轻松的，也是幸运的。艺术节、科技节、运动会、社团活动……在发展性教育的指引下，丰富多彩的学生活动形式给学生的发展提供了广阔的平台。

让梦想之光照进现实，我对前途充满希望。

“千淘万漉尽辛苦，吹尽狂沙始到金。”我的经历，在有些人看来也许很平常，但那一万多个日日夜夜，沉积在心底的，是求知的渴望，是求真的向往，是一步步走向完美理想的艰难跋涉。

二、责任感——成就一等事业

我国著名教育家吕型伟说："教育实践、社会实践是校长们成长的最好环境，真正的教育家都是诞生于教育实践中，而不是出现在书斋里。"培养什么样的人、怎样培养人是教育改革永恒的主题，也是校长办学的核心问题。校长必须始终深入教育改革实践，把握学校教育发展规律，探索、创新学校教育理论，提升学校教育质量。校长要成为教育家，就必须具有扎实的实践品质。

成功的校长总是以一种哲学作为思想武器和根本方法，经常观察和分析社会的主线与教育的关系，正确认识办学过程中的种种矛盾与困惑，反思自身的管理实践，结合实际对办学模式和管理机制进行价值判断，作出科学的选择和抉择，努力地把自己追求的办学价值转化为事实。

对于我来说，这种教育实践源于自身强烈的责任感。这些责任包括建设一流学校的责任，办让人民满意的教育的责任，改革教育、培育新型人才的责任，以及国家与时代所赋予的责任。有了这种责任感，方能成就一等事业！

（一）抓质量，抓特色，引领学校前行

校长是一个学校的灵魂人物，校长的思想观念、工作作风直接影响着学校的管理水平和教育教学质量，影响着学校校风和学校特色的形成。同时，校长也是学校各项工作的组织者、管理者和指挥者。学校的发展是一个永恒的命题，一个学校在不同的历史阶段、历史时期，都有其发展的命题、方向和方法。

我在接任重庆一中校长的时候，学校在已经取得巨大成绩的同时也面临着新的发展问题和机遇。学校是否有一个有效的管理机制、完善的管理制度和先进的管理文化，从而把发展性教育的理念贯彻下去？能否

让理念成为一种办学质量和特色？当前，素质教育已经是一个大家耳熟能详的词语，“以人为本”的口号已被提到了前所未有的高度。那么，在当前社会、家庭、学生仍囿于应试教育的大环境中，中学教育是否真正落实了上述理念呢？它能否使学生的个性特征和创造潜能获得充分的重视和发挥？作为完整的生命个体，他们能否获得充分的、自由的、全面的、和谐的发展？科学发展观的最终体现是可持续发展，然而时代高速发展，社会急剧变化，教育发展的时机瞬息即逝，一名中学校长能否在纷繁复杂的事务中，独具慧眼地找到应对的对策和发展的机遇，实现学校的可持续发展？

1. 做学校细节的经营者

如何稳步提高重庆一中的教学质量，调动广大教职工的积极性，从而实现学校的可持续发展，这是我经常思考的问题。

我认为，作为校长应该到一线去研究细节。

我认为，教育是一种“做”的哲学，是一种细节文化，把握了细节，就把握了学校的水准。

校长既要把握宏观方向与学校大局，同时也需要精细化的管理。精细到什么程度呢？

作为重庆一中校长兼党委书记，多年来我都有清早巡视教室的习惯。临近中考和高考，我不但早上要到初中和高中毕业班去一次，晚自习时还要去一次。上课的时候，我会走进教室，认真倾听讲课，课后和教师一起讨论教学；教研组进行教研活动的时候，我不时还会发表一些观点和看法。担任校长后，尽管因事务缠身而不得不放下心爱的教学工作，但我稍有空闲就深入班级去听课，并与师生们同吃同喝，倾心交流。是啊！不了解学生，不了解教师，不深入细节，就不了解教育，不了解教育又怎么能搞好学校的管理呢？

2. 做学校育人的设计师

校长是学校育人的总设计师。要育的是复合型的人，心智超群的人，能出奇制胜的人，适应21世纪尖锐挑战的人。若总设计师没有高深的智谋，教师没有精湛的育人艺术，岂不是无楫荡舟、痴人说梦？

只有培养出了一批又一批各具特长的学生，学校才能提高自己在社会上的知名度和竞争力，才能求生存、求发展。为了把素质教育落到实处，我不仅在全校大力倡导“学校的一切为学生的发展而存在”的理念，还想方设法建立了必要的社会实践活动场所，除了在校内为学生进行实践锻炼安排了专用教室、图书馆、广播站、活动室、新课程选修课特色教室外，还与一些单位、街道、社区建立协作关系，共建了“五云山社会实践基地”“重庆市少年管教所法制教育基地”“歌乐山烈士陵园革命传统教育基地”“两厂一校一乡社会实践基地”等。为了发展学生特色，学校还组织了经常性的科技活动、艺体活动，弘扬科学精神和人文精神，以“小设想”“小发明”“小制作”“小论文”为主要内容的科技“四小活动”硕果累累。

3. 做教师成长的领路人

教育家朱永新在其教育语录中有一条是：“教师有没有理想在很大程度上取决于校长有没有理想。一个充满理想的校长，他会调动教师的激情，他会挖掘教师的潜能，他会扬起教师理想的风帆。”我的个人梦想也引领着教师们对教育的追求和对自我成长的追求。

我给每一位老师提供一个宽松、适宜的“舞台”，并让他们扮演好各自的角色，获得应有的成就感。我们给每位新入校的教师指定了一名指导教师，力求“以老带新，以新促老”。传承的不仅是知识、经验，而且是无私的奉献精神和优秀的校园文化。年轻教师迅速成长，有的来校仅两三年就已经在全市、全国优质课大赛上揽金夺银。近年来，学校出版了十几部校本特色教材，教师在市级以上刊物发表论文、出版著述3000多篇（本），获奖1000多项，有139人获得全国、省、市各种荣誉奖励。80%以上的教师接受了硕士研究生培训，涌现了一大批市内外有影响的中青年骨干教师。

我们有一批市内外乃至全国知名的名师，名师出高徒，我们还要努力培养，争取使大家都能成为专家学者。他们是重庆一中的脊梁，没有他们，重庆一中就什么都不是了。

4. 做学校品牌的建设者

任何品牌都必须科学定位自己的核心价值和特色，而后紧紧围绕核心价值和特色做文章，将核心价值向目标消费者和公众传播，在其心目中建立清晰、可感的核心价值与外在形象，并在各个环节中不断加强、巩固这一核心价值。

我到重庆一中后不久，就提出了发展性教育指引下的办学思想与办学理念，将“一切的学生全面发展”作为学校的核心价值，同时不断挖掘学校的特色。通过多年的宣传、打造以及核心价值的内化与外化，学校品牌得到很大的提升。在重庆、在全国甚至在国际上，重庆一中的发展性教育产生了较大的影响，形成了一定的品牌效应，“特色鲜明的现代化中华名校”形象逐渐明晰起来。

（二）担当时代责任，为国计民生献言献策

教育家陶行知在《整个的校长》一书中说：“做一个学校校长，谈何容易！说得小些，他关系千百人的学业前途；说得大些，他关系国家与学术之兴衰。”①

我认为，作为学校，应当为社会和谐、为社会的正常运转作出我们的贡献。学校的管理不单纯是学校自身的事业，也要承担社会发展的使命和社会的责任，否则就没有存在的必要。我认为，校长应该肩负中国教育的历史使命，以明日之理想来设计今日之教育，为祖国繁荣富强培育人才，为未来社会培养合格公民，为学生终身幸福奠定基础！

同时，我还以人大代表的身份为教育、为民生而奔走呼告，积极参政议政。从2003年起，我被选为重庆中学校长中唯一的一位全国人大代表，2007年，又再一次被选为全国人大代表。在担任人大代表期间，

---

① 陶行知．整个的校长//陶行知全集：第1卷［M］．成都：四川教育出版社，1991：60.

我关注教育，了解民生，通过调研，主动接待，查阅资料，向社会媒体公开电子邮箱、手机号码，在电台、电视台倾听民意等形式，收集各方面的意见建议，五年多来，形成了教育、民生方面的数十个议案和建议，其中提到的大部分问题与意见得到了解决和落实，真正发挥了人大代表的作用，为国家献策，为教育和民生解难。

2003 年，在经历教育改革的一些阵痛之后，人们开始普遍思考“今日中国需要怎样的好学生”的问题，我提出：“我们处在一个高速发展的‘未知社会’，我们要为这样的社会培养适应性的人才。我们所说的好学生，是具有自我发展的潜力，有适应社会的能力，有终身学习的能力，能适应这个学习化社会的学生。这样的好学生有别于固定模式的‘完成性’教育所培养出来的学生，在那种教学计划和课程指导下，学生学完了似乎就可以应付终身了。也就是我们所说的应试性教育。而我们现在的教育是一种发展性教育，它注重培养人的基本素质。”① 这些观点得到了广泛的认可，当时有很多媒体转载引用。

2005 年，我针对终身教育的形式和建立学习型社会的基础，提出了《社区教育需要法律保障》的建议。我建议，要围绕社区建设总体目标，切实转变观念，强化社区教育的法律意识。要搞好调查研究，尽快制定社区教育工作条例，建立以政府为主导的社区教育协调统筹机制，健全开展社区教育的规章制度，把社区教育纳入法制化轨道。要建立健全社区教育的评估机制，多管齐下，实现对社区教育的人大代表法律督察、政协委员民主监督、教育行政部门依法督导，促进社区教育健康发展。这一年，重庆市九龙坡区谢家湾小学的小朋友提出希望和台湾少年儿童开展友好交流活动，有鉴于此，我提交了《关于设立两岸少年儿童手拉手活动周的建议》。共青团中央很快答复：团中央在国务院台湾事务办公室的指导下，计划以全国少工委的名义，与台湾有关少年社团共同组织开展“两岸少年儿童手拉手体验交流营”活动，将孩子们

① 参见：鲁善坤．“未知社会”要培养适应性人才［EB/OL］．(2003－03－01)．http：//www. people. com. cn/GB/shizheng/252/10307/10331/20030301/933866. html（人民网）．

的愿望变成现实。

2006 年，我进一步提出了《建议制定终身教育法》，建议为“活到老学到老”立法，法律的名称为“终身教育法”。我建议，制定终身教育法，为终身教育奠定法律基础，争取在“十一五”期间能基本建立起终身学习体系。制定终身教育法，可从以下几个方面来考虑：一是要有总体规划，要针对各地区基础条件不同，发展不平衡的实际情况，分片区制定国民教育体系之外的地区终身教育规划。二是各地区要成立相应的组织，指导和推动终身教育工作，为本级政府有关终身教育的决策提供意见和建议。三是各级财政要安排相应的经费，鼓励社会力量兴办终身教育事业。四是各级政府和单位要宣传、鼓励全体公民参加终身教育和学习活动，表彰先进。五是提供必要的学习条件，各种公共设施如图书馆、科技馆、博物馆等每年应有一些时间免费向公众开放。

2007 年，教育公平受到广泛关注。“两会”期间我提交的三份建议中就有两份涉及教育公平。一是关于加强农村教师专业发展的建议，建议进一步完善农村教师的培养制度、资格制度、教育标准制度，进一步落实农村教师培训制度。每个县都要办好一所教师培训机构，“在教师培训成本中，政府应占主要部分，不能把‘大头’转嫁给教师，更不能搞产业化”。二是关于实施农村义务教育经费保障机制改革的建议。我认为，教育公平的原则应集中体现在两个方面：一方面，公民接受教育的机会要公平，适龄青少年都应当享有公平地受教育的权利；另一方面，公民受教育的过程要公平，要能够在受教育的过程中享受到同等的优质教育资源。

2008 年、2009 年，我对素质教育落实不下去的问题和高考制度的问题都提出了自己的建议。

担任人大代表的经历，使我站在了更高的位置上去审视和看待中国教育发展的问题，以更加宏观的视野去反思教育内外的问题。我为教育的核心问题奔走呼告，为教育在全社会争取最大的利益而努力，也为国家制定教育方面的方针、政策、法规提供了大量的建议和意见。对校长战略思想的思考，以及对党和国家教育方针、政策的全面领会，对我全面认识、把握教育改革和发展都产生了非常重要的影响。

三、领导力——演绎校长角色

孔子说："君子道者三，我无能焉：仁者不忧，知者不惑，勇者不惧。"子贡说："夫子自道也。"（《论语·宪问》）

"知仁勇三者，天下之达德也。"（《中庸》）

"好学近乎知，力行近乎仁，知耻近乎勇。知斯三者，则知所以修身。"（《中庸》）

孔子告诉我们，一个人要达成完美的人格修养，重要的有三点，缺一不可。

北京师范大学于丹教授在解读《论语》的时候说："仁者给我们一种无忧的胸怀去包容，智者给我们一种清明的理性去判断，而勇者给我们磊落光明的坦荡去永恒地面对各种可能的风险。"

作为一名校长，要有仁者的能容纳天地的胸怀与关怀生命的爱心，在学校管理中展现自己的人格魅力，才能赢得民心，赢得管理的效益。

作为一名校长，要有大智慧，这种智慧不只是知识，还是获取知识的能力和意识，从而保持自己知识系统的更新，形成观念创新的生成系统。

作为一名校长，要有大的勇气，面对困难的勇气，改革创新的勇气，坚守阵地的勇气，开阔视野的勇气……只有具备这些勇气，才能在教育改革的大潮中为学校发展、为自身发展谋得最佳位置！

在一所有影响力的学校，教职工工作仿佛与校长个人一样，处处体现出校长个人的人格魅力，体现出校长的气质和个性。

（一）仁者致和：民主治校，关怀师生

1. 民主治校，构建和谐校园

2009 年 1 月 17 日，重庆一中综合楼阶梯教室里，学校一年一度的

教代正在召开，我带头作述职报告，把一年来工作中的成绩和问题都向学校教代会作陈述，并接受教代会代表的质询。

不仅校长如此，重庆一中的所有校级干部、中层干部都要进行述职，并接受教师代表的民主测评。在我的领导下，一个团结和谐的领导班子领导着这所学校的发展。在干部团队的风气影响下，重庆一中形成了和谐的人际环境，各个年级、各个教研组形成了像家一样温暖的人际氛围。

2008 年 12 月 19 日下午，已近晚上 6 点，到了吃饭的时候。我正和全校校级干部和中层干部讨论着学校的特色发展。从下午 2 点多开始，到这时候，已经接近 4 个小时了，干部们为学校特色各抒己见。

对于整个学校的办学方向、学校的大政方针，我经常组织干部进行这样的讨论，也经常组织教师和学生进行讨论，在讨论中统一了大家的认识，学校政策的出台、学校发展方向等的脉络和思路都为群众所知，保证了执行的高效与意识的统一。

学校是教师度过一生中大部分时间的地方，着力构建一个富于人文关怀，为教师终身发展着想的人际环境很重要，列宁十分理解知识分子的特定职业习惯，强调要“少玩弄行政手段”，“少发号施令”，“要采取异常慎重和灵活的态度”，“像我们爱护眼球那样爱护一切勤恳工作、精通和热爱本行业务的专家”。要尊敬每一位师生，要拥有一颗包容万象的平常心。

管理取胜之道，在于人心所向。自古以来，治政者当先治人心。人心齐，泰山移。我深谙此理。因此，我把“民主治校”置于管理理念的首位，广开谏路，察纳雅言，以“一切从学生出发，为学生着想”为出发点，全心全意依靠教职工办人民满意的学校。

刚刚调回重庆一中时，教师们反映校办工厂连年亏损，已成了学校一大包袱，我迅速“摸底”后，再通过民主决策，责令工厂整改，立下军令状。教师们反映校园规划散乱，影响学校整体形象，我当即请来一流的规划设计师，并着手修建新颖独特的“四·二一”广场……

我坚信：真正的学校管理应该以人格力量去熏陶教师，以心理力量去吸引教师，以学术力量去影响教师，以学者风范去联结教师。只有这样，才能让管理更加人性化、和谐化。

2. 仁者爱人，关怀师生

我的教育思考和实践中，始终贯穿着一个重要原则和核心灵魂，即对个体发展的关注和浓厚的人文关怀。它是一种以人为本，把人的发展看做第一位的、终极的目标，关注人的发展和命运的教育观。它体现了一种人性化、人本化的教育形态，体现了教育的人性化，体现了当今社会发展的方向。

对学生而言，人本化学生观的确立，能使教育教学工作更加尊重学生的主体地位，发挥学生的主体作用，激发学生的学习热情，使其主体意识、主体精神、主体能力和主体人格得到良好的发展。

对教师而言，人本化教师观更注意尊重教师的人格，满足教师的精神需求；重视激发教师工作的内在驱动力，把教师内在的发展需求与外在的压力有机地结合起来。采用民主的、富有人情味的管理，重视人的主动性、社会性与创造性，重视学校与教师个人的互动，注重教师对教育决策的参与对教师自主性、自我发展和自我实现的重要作用。

对学校而言，发展性教育观指导下的“学校的一切为学生的发展而存在”的办学理念和“让每一个学生都发展得更好”的办学思想重新定义了学校的价值，其核心是把“学生即人”放到了教育系统的最中心地位，学校只是学生发展的环境和条件，我们提学校的发展，其本质是人发展条件的发展，终归结底，还是人的发展。

无论是学生，还是教师，都能在这种人性关怀中得到个体的全面发展。

（二）智者通达：广积博取，众采百家

1. 阅读是开启智慧的源泉

文学家林语堂曾说：“三日不读书，便觉面目可憎，语言无味。”

而我则说：“一日不闻到书香，就像干旱的植物——缺水、缺氧；一天不提笔耕耘，就觉心胸之堵塞——不舒、不快。”正因为如此，数十年来，我对知识的追求保持着永久的饥渴感。

在我的案头，放着一份报纸的复印件，上面列有《教育时报》推荐的20本对教师影响最深的教育著作。

《给教师的建议》［苏］苏霍姆林斯基
《爱的教育》［意］亚米切斯
《陶行知教育名篇》陶行知
《做最好的老师》李镇西
《窗边的小豆豆》［日］黑柳彻子
《不跪着教书》吴非
《新教育之梦》朱永新
《教育的理想与信念》肖川
《民主主义与教育》［美］杜威
《为了自由呼吸的教育》李希贵
《与青春同行》李镇西
《多元智能》［美］加德纳
《爱弥儿》［法］卢梭
《赏识你的孩子》周弘
《我的教育苦旅》高万祥
《玫瑰与教育》窦桂梅
《给教师的一百条新建议》郑杰
《校本研修面对面》陈大伟
《给我一个班，我就心满意足了》薛瑞萍
《把整个心灵献给孩子》［苏］苏霍姆林斯基

这些也是我最近重点选读的教育著作。

我看书有几种不同的看法：经典的教育著作每部必看完；反映最新

教育变革，有重大借鉴价值的著作每部必看完；学校自己出的《教育教学科研》刊登的是教师自己的文章，每期必看完；学校教师写作的学术著作必定全部读完；《教育研究》《人民教育》等重要杂志每期必看；文学、哲学、政治、管理、法律等其他各方面著述有选择性、有侧重地看，但每周必须要有涉猎。

乐学善思，才能博学多才，才能成为教育学者，才能成为教育专家。如今教育改革和发展的方向要求校长实现专业化，要逐步实现学者办学、专家办学的目标，校长博学就成了一个基本要求，要落实博学就得潜心。那么，学校管理事务千头万绪，哪有那么多时间来看书，如何保证时间呢?

长期以来，我形成了自己读书的习惯：早上每天 6 点多起来，一定要看上半个小时左右的书才起床；晚上睡觉之前看看新闻，然后就是读书，一般读两个小时左右；在办公室，有空闲的时候手里一定要拿本书，随时挤时间看书；出差的时候一般要带一两本书，随时准备看书。除了看书，我还有作读书笔记、写心得的习惯，经过长期的积累，占有了大量的素材，在写文章的时候，往往得心应手。

长期的读书习惯对我思考学校办学、形成办学思想、构建教育理论体系产生了重要的作用。

在探究人的发展的本质的时候，我借鉴了 R. M. 托马斯对人的发展（Human Development）的解释，采用了他的一种定义方式，既“随时间的推进在人的身上发生的变化”。又进一步借鉴了 21 世纪心理学的主要思想观点，如皮亚杰的发生认识论、沃纳的定向进化原则、沃森的积累学习、弗洛伊德的发展质变理论、詹姆斯和杜威的环境论，还有黑格尔和马克思的辩证观，甚至从世界各地的宗教、中国古代教育思想和哲学观点里寻找理论依据与思想源泉，反复比较，去粗存精，从而完善自己对人的发展的全面理解。

广泛阅读，才能厚积薄发，构建起自己的理论体系。

2. 校长的一生都在培训和学习中

“校长应是首席学习者，校长的引领必须基于校长的学习。”不断学习是我生活和工作的第一需要。无论工作多忙多累，每天都要挤出一点时间看书写作。随着年龄的增长，知识结构逐渐老化，思维也会随之枯死，如果不及时汲取新的知识营养，丰富和完善自己，必然会成为时代的落伍者。一个教育管理者，如果不掌握先进的思想理论，怎么能作出正确的决策呢？如果不在学习上走在教职工的前头，又怎么能在群众中树立良好的威信呢？

1989 年我参加了教育部华东教育管理中心督学人员培训班，1992 年参加了重庆市第五期中青年干部培训班，1996 年参加了教育部全国重点中学校第十二期培训班，1995—1997 年参加了西南师大硕士研究生班，2000 年参加了教育部第三期全国高中骨干校长研修班并担任班长职务，2001 年参加了教育部全国高中骨干校长高级研究班。2008 年，以带队团长的身份带领校长团赴美国考查学习！

在探索适合自己学校的发展性教育模式和发展性教育的具体内容的时候，我融入了自己通过出国讲学、外出培训等获得的经验和信息，广泛查阅了国内关于发展性教育的各种研究资料和实践成果，广积博取，取长补短，找到了一套适合重庆实际和自己学校发展实际的发展模式。

我努力学习国内外先进的教育教学理论，博采众长，化为我用。只有对教育充分熟悉和了解，方能指挥若定，收放自如。

从某种程度上来说，我对于发展性教育观的理论和实践探索，也正是得益于时代发展中的各种思路和成果。

（三）勇者自强：放宽视野，敢为人先

1. 创新的胆识与魄力

“在学校发展的诸要素中，关键所在是作为学校灵魂的校长，唯有优秀的校长，才能为师生的健康成长提供宽阔的舞台，才能为学校的发

展提供坚实的基础，也才能为教育的腾飞提供源泉和动力。”我认为，校长的灵魂和他对社会最大贡献，是他的思想理念以及在其引领下的名师名校。校长的战略思想，来自于校长对党和国家教育方针、政策的全面领会，来自于对教育改革和发展的全面把握，来自于对历史和现状的全面了解。

1995 年，正是应试教育愈演愈烈的时代。当各大中学急于采取题海战术、封闭管理、盲目补课等方式，动用全校一切力量全力提高学校升学率的时候，我就已经开始思考发展性教育模式，并开始在课堂教学、教育管理、人才培养、教育评价等多个方面进行大胆的改革尝试。

我敏锐地嗅到了新世纪的气息，时代赋予了教育神圣的使命，它必将以催生新的发展为宗旨，适应新的经济形势的教育正向我们走来。深化教育体制改革，建立适应知识经济发展需求的国家创新体系，形成有中国特色的社会主义教育体制框架，构建终身学习体系，满足与知识经济相适应的学习化社会的要求，是当前教育的主要任务。中学教育作为知识创新、传播和应用的主要基地，是培养具有创新精神和发展性品质人才的重要摇篮。在学校办学中，我们已经进行和正在进行的教育革新，在各个方面都取得了喜人的成效。

今天，我们的学生活动是丰富多彩的，学生成长的平台是多样的，艺术、体育、竞赛等各个方面为学生的发展提供了广阔的空间和极大的选择性。

今天，我们的课程是丰盈而充实的，数十本校本教材，数十门校本课程，一支高效、团结、创新的教师队伍正在变革着传统的课程。

今天，我们的教学是多样化的，重视教学民主，重视教学价值的最大化，重视导读、激活等教学策略的研究，评价制度的多样化……课堂正焕发着前所未有的生机与活力。

……

新课程改革之风已经吹到重庆，重庆一中也因前期的探索和变革而走在这场改革的前列！

2. 为学校创造和赢得最好的机会

校长的一个重要职责是为学校赢得最好的机会，为学校创造最好的外部环境。在日益开放的现代社会中，学校教育已不再是一个自我封闭的活动领域，它和社会其他领域、部门有着千丝万缕的联系。

享受优质教育资源是每一位家长的共同心声，但怎样才能使有限的名校资源得以为更多的学生所享用呢？社会的需求，资金的投入，形成了学校自身发展的大好机遇，对此，重庆一中把握了一次又一次的历史机遇。

2001 年年初，我们在西部地区率先成立了重庆一中国际部，这是重庆市唯一一个专门教授英国国际基础课程的教育机构，与国际部联合办学的是英国北方大学联合会的部分大学。学校设计了“国际高中实验班”课程体系，为中国学生接受具备国际水准的高中教育提供了一条理想之路。

精心打造的重庆一中渝北校区，是在科学论证、民主决策的基础上制定出的“挥师北移”战略决策。如今，170 余亩的校园绿树成荫，书声琅琅，成为重庆北部地区学生向往的一块就学圣地！

2005 年，重庆市虎溪大学城开始大规模兴建，沙坪坝区政府为了在大学城形成优质教育资源，计划与重点中学联合办学。重庆一中又一次把握住了机会，由沙坪坝区政府投资兴建的一百多亩崭新校园迅速建立起来，进驻到了地理位置非常优越的大学城区，为学校的发展增添了新的力量和资源。

2007 年，重庆北部新区开始大力兴建教育项目，为了适应重庆国际教育的需要，计划创办国际学校。我校因国际教育已经积累了丰富的经验，取得了丰硕的成果，而再度获得了机会的垂青。凭着丰富的国际办学经验，在校长的努力和争取下，市教委、经济开发区政府决定与重庆一中合作办学，创办“重庆一中国际交流学校”。如今，现代化的学校已经建成，窗明几净，书声琅琅。

机会从来只会眷顾那些有充分准备的人。校长把握住的每一次机会，都带动了学校的重大发展，今天，重庆一中已经形成了700余亩的办学面积，近万名学生的办学规模，500多人的教师队伍，高质量的人才培养体系，成为重庆乃至全国最优秀的中学之一！

勇者自强！

第八章 植根传统、面向未来的特色之路

教育是一种永恒的社会现象。在人类社会发展的各个历史时期，教育都对社会的发展作出过贡献。同样，在促进社会发展的过程中，教育本身也从未停止过发展。新时期赋予了教育新的使命，新的形势催生着新的教育观。从20世纪90年代初开始，重庆一中逐步形成了发展性教育思想和办学理念，找到了一条适合自身实际的特色发展道路。

追求卓越，注重发展，作为一所重点中学，要用战略的眼光去审视自身的发展和环境的变化，未雨绸缪，周密规划，增强预见性、前瞻性和科学性，减少盲目性、自发性和随意性。在纷繁复杂的教育改革大潮中，敏锐地觉察各种情况，以此对自身的战略进行调整。对一中来说，发展意味着生存和竞争，持续发展意味着创造和动力，科学发展意味着生命和活力。

重庆一中是一所拥有八十年办学历史的中华名校，悠久的人文历史，浓郁的文化底蕴，一代又一代教育者的不懈努力，成就了学校今天的成绩。在新的形势下，学校也面临新的机遇和抉择，必须勇敢地直面挑战，抓住机遇，乘势而上，顺应国内外教育发展的潮流。

一、发展性教育历程回顾

发展性教育思想提出的二十年，是学校发展极不平凡的二十年，是继往开来、与时俱进的二十年，是学校取得精彩辉煌成就的二十年。学校全面贯彻落实党的教育方针，始终坚持发展性教育思想，通过全校师生员工的不懈努力，各项工作取得了长足的发展，成绩斐然，硕果累累，令人民群众和社会广泛瞩目，为学校品牌的提升提供了有力的支撑，为重庆基础教育乃至全国的教育作出了积极的贡献。在发展性教育思想引领下，学校进入了历史上最好的发展时期。

（一）旧貌换新颜——优美的育人环境

在发展性教育思想引领下，学校发生了翻天覆地的巨大变化，校容校貌焕然一新。

二十年前，学校占地面积仅 146666.7 平方米，校舍建筑总面积 65282 平方米，教职工住宅建筑总面积 23238 平方米；仅有 36 个教学班，在校学生 1800 多人，教职工 220 多人；仅有 3 幢教学楼，60 间教室，1 个藏书 6 万余册的图书馆、240 平方米的学生阅览室，8 间理化生实验室，1 个供 800 人就餐的学生食堂（兼礼堂），200 间男女学生寝室，1 个田径运动场，4 个篮球场。

现在，学校占地面积 440000 平方米，校舍建筑总面积 302707 平方米，教职工住宅建筑总面积 138898 平方米；拥有 162 个教学班，在校学生人数达 8000 余人，在册在编教职工共计 508 人；有 13 幢教学楼，360 间教室，4 个藏书 20 余万册的图书馆，2000 平方米的学生阅览室，70 间理化生实验室，1200 平方米的电子阅览室，1600 台台式电脑，500 台笔记本电脑，6 个可供 7000 人同时就餐的学生食堂，1300 间男女学生寝室，4 个标准田径运动场，16 个室内外篮球场，8 个排球场，10 个羽毛球场，2 个室内外体育馆，2 个室内外标准游泳池，1 个大礼堂。

重庆一中由一所学校变成了五所学校，拥有沙坪坝区校本部、渝北寄宿学校、大学城校区、皇冠实验学校、北部新区国际交流学校“一校五地”的办学规模和格局，办学规模不断扩大，综合实力不断增强。

（二）创新理念观——发展性教育思想

学校秉承“红岩精神”和“四·二一”革命传统，在八十年悠久历史积淀和丰厚的人文底蕴中，特别是在改革开放的大潮中，形成了“明礼崇德、求知求真”的校训，“爱国爱校、尊师爱生、朴实勤奋、改革创新”的校风，“崇德、博学、严谨、敬业”的教风，“励志、笃学、乐群、力行”的学风。

学校坚持社会主义办学方向，不断深化教育教学改革。我们创造性地提出了发展性教育思想，实践了“学校的一切为学生的发展而存在”的办学理念和“让每一个学生发展得更好”的办学思想。这一先进的教育思想适应了知识经济时代和全球化竞争的需要，在吸取各种优秀的教育思想成果基础上，构建了全新的教育理论体系。这一思想已成为学校办学的出发点和归宿，成为全体师生员工的共识和行为准则，在市内外得到了业内专家、上级领导和人民群众的肯定与好评。

（三）体制的创新——管理架构的形成

二十年来，学校办学体制不断创新：与社区教育相结合，创办了重庆一中皇冠实验学校；与民办教育相结合，创办了重庆一中寄宿学校（渝北校区）；与地方政府办学相结合，创办了重庆一中大学城分校；与国际教育相结合，创办了重庆一中国际交流学校；与城乡统筹教育相结合，创办了万州江南初中“重庆一中教学实验基地学校”。

目前，学校既有初中又有高中，既有公办教育又有民办教育，既有国内教育又有国际教育，形成了全国少有的综合性教育发展模式。学校实行“目标管理 + 制度管理 + 情感管理 + 民主管理”的制度，已制定了校内规章制度 180 个。这些制度的制定与实施，已成为全体师生员工共同遵守的行为标准，并外化为实际行动。

（四）名师的阵容——一流的师资队伍

学校形成了一支名师荟萃、蜚声市内外的教师队伍：国务院政府特殊津贴专家 3 人，省突出贡献专家 1 人，重庆名师 2 人，重庆市学术技术带头人 1 人，中学研究员（正教授）17 人，特级教师 12 人，高级教师 163 人，国家级、市级骨干教师 55 人，奥赛高级教练 28 人，硕士以上学历教师 34 人，外籍教师 7 人。

在全国和省市学科优质课大赛中，一大批教师获得一等奖。教师在市级以上刊物发表论文、出版著述 5000 余篇（本），获奖 1000 多个，289 人次获得全国、省市各种荣誉奖励。学校还选派了 28 位教师赴美国、英国、加拿大、日本和韩国进修，80% 以上的教师接受了硕士研究生课程培训，塑造了一批在市内外有影响的中青年骨干教师。

（五）多元的课改——学子发展的天空

根据“让每一个学生发展得更好”的办学思想，学校首先从课程设置上突破，实现课程设置的多元化。在必修课、选修课这“1”个前提下，学校活动课程、综合课程、实践课程、潜在课程和研究性课程“5”大体系并行发展，形成课程创新“非常5+1”：用各具特色的必修课和选修课，为学生提供优质教育；通过研究性学习课和综合课，让学生大胆质疑，探究未知领域，培养创新精神和创造才能。学校还设置了竞赛课、国际基础课（IFY）等，使国家课程、地方课程和校本课程有机整合，优化并合理配置了课程资源，为学生成长搭建了平台。

学校自主开发校本课程30多门，包括时事政治、信息技术与日常生活、科技小论文写作、厨房里的化学、天象观测、环境监测、朗诵与演讲、雄辩术、古典诗词鉴赏、影视评论、诗歌写作、采访与新闻、英语会话、历史剧表演、服装设计、园艺栽培、机器人设计、生活小百科、围棋……

学校还广泛开展共建活动，不断加强社会主义精神文明建设。例如：与渝碚路派出所签订了警民共建协议，与渝碚路社区签订了共建文明社区协议，与沙坪坝区五云山寨共建学生社会实践基地，与中国人民解放军通信学院共建学生军训基地，与重庆师范大学共建心理健康教育基地，与重庆大学共建科技教育基地，与重庆市未成年人犯管教所共建法制教育基地。

（六）成才的乐园——丰富的校园文化

学校创造性地、固定地开展了一系列的校园文化建设。

学校建立了30多个学生社团：鲁迅文学社、话剧团、舞蹈团、民乐团、管乐团、合唱团、曲艺团、通讯社、书画社、摄影协会、书友会、航空协会、航海协会、车模协会、小科学家协会、无线电测向协会、天文爱好者协会、篮球协会、足球协会、排球协会、羽毛球协会、乒乓球协会、武术协会、健美协会、棋牌协会……丰富多彩的活动为学生展示才华提供了广阔的舞台。

学生自办校报《四月风》和期刊《心檐滴雨》《零度风格》，为同学们提供了自由创作、思想交流的园地；校广播站、校园新闻摄制组成为师生课余的空间联络站。重庆一中丰富的学生活动，为学生个性特长的发展和全面素质的提高提供了充分的展示平台。

（七）绚丽的舞台——素质教育的摇篮

改革开放以来，学校先后产生省级状元 10 人，重庆市状元 13 人，每年高考升学率高达 100%，有 160 多人考入清华、北大以及中国香港、新加坡、英国、澳大利亚、加拿大、美国等地区和国家的世界一流大学，学生升入国内重点大学的比例高达 80%。学生在国家高中奥赛中获得国家金牌 1 块；进入国家冬（夏）令营 56 人；进入国家集训队 23 人，获竞赛一等奖 276 人。2006 级学生秦领、2007 级学生田宇、2008 级学生车达连续三年在高二就被清华大学提前录取。秦领还获得第 12 届亚洲物理奥赛金牌，实现了学校国际金牌历史性的突破。

为充分发挥学生潜能，开发学生智力，培养学生的创新精神和实践能力，学校十分重视学生课外活动的开展，形成了经常性科技活动，如数学、物理、化学、生物、地理、计算机等学科兴趣小组活动，奥林匹克头脑风暴、智力快车、机器人和传统的“三模一筝一电”（航模、海模、车模、风筝和无线电测向）等课外活动。定期性科技活动则有小科学家协会年会、趣味数学竞赛、物理实验设计和实验操作竞赛、化学实验设计和实验竞赛、地理拼图和地理知识抢答比赛、科技英语单词比赛、科技游园活动和科技小论文报告与答辩、科普报告会等。学生科技活动已成为学校的一大亮点与特色。在教育部制订的中小学新课程方案中，学校的科技小设想、小制作、小发明、小论文“四小”科技活动，被列为面向全国中小学推广的四种课外活动模式之一。学生黄思聪、王笑涵、卞长生分别获得首届、第二届、第三届重庆市青少年科技创新市长奖。

学生参加各级科技竞赛，共获得国际级银牌 3 块，全国一等奖 106 个，二等奖 238 个，三等奖 509 个，省市级一等奖 194 个，二等奖 256 个，三等奖 572 个。

2001 年舞蹈《山野小曲》在文化部举办的全国群众艺术最高奖

“群星奖”中获得金奖；2004 年《竹韵》在中国第七届艺术节、全国中小学艺术展演上分获“群星奖”金奖和一等奖；2007 年《春蚕》在全国第二届中学生艺术节上获得一等奖，并成为 CCTV 杯舞蹈大赛自 2000 年举办四届以来，唯一一支入选央视决赛的重庆代表队，同年又获得第八届中国艺术节暨全国第十四届“群星奖”金奖。

学生参加各级音乐、舞蹈、书法、绘画、摄影、网页制作、动漫设计等竞赛，获得一等奖 130 个，二等奖 392 个，三等奖 1153 个。

1994 年，学校成功举办了全国中学生田径运动会，多次承办省市田径、篮球比赛。学生参加各级各项体育比赛，在个人项目上取得全国金牌 8 块、银牌 3 块、铜牌 5 块；省级金牌 217 块、银牌 241 块、铜牌 252 块。男子篮球队曾多次获得省市比赛冠军，并曾荣获全国中学生男篮冠军和世界第八名的好成绩。

（八）教育的示范——名校的引领辐射

当前，教育已成为现代化建设与和谐社会构建中人们的最大需要，成为改善民生之首。改革开放三十年来，学校扩大了优质教育资源，不断满足人民群众渴望子女接受优质教育的需要，切实保障他们接受良好教育的权益，努力办好让人民满意的学校。

学校重点帮扶了江北区 45 中、字水中学、石柱县马武中学、万州江南初中，使它们摘掉了“薄弱校”的帽子。学校与西藏昌都中学、秀山高级中学签订了对口帮扶协议，为重庆市长安第二子弟学校、巫山县巫峡中学、111 中学、四川汽车厂子弟学校、南区二校、白市驿镇初级中学、重庆市长征中学、回龙坝镇初级中学等提供了教师培训、教学研究、课程资源、物资设备等支持，发挥了良好的辐射示范作用。近年来，又对口帮扶了秀山高级中学和秀山梅口小学。学校被评为“全国对口支援薄弱学校先进单位”“重庆市对口支教工作先进集体”“城市学校支持农村教育‘百校牵手’工程学校”等。

（九）国际的高地——世界眼光办教育

2001 年，学校在重庆率先引入英国北方大学联合会国际基础课程，成立了重庆一中国际部。它是重庆市唯一一所专门教授英国国际基础课程的教育机构，标志着重庆一中跨进教育的国际舞台。旨在为中国学生提供一条经济、适合、安全且有保障的理想留学途径，即被世界教育界普遍推崇的“1+3”国际化成才模式（国内 1 年 + 国外 3 年），可帮助学生完成本科教育。

学校国际部的成立，在很大程度上弥补了中、英两国学生知识结构上的差异，起到了桥梁课程的作用，从真正意义上使具有不同教育背景的学生在英语水平、学习方法及专业知识上得到全面提高。

国际部毕业生连续获得了 100% 的大学录取率、100% 的签证成功率。9 年来已有近千名学生考入英国和澳大利亚的大学，有 50% 的学生被曼彻斯特、谢菲尔德、利兹、利物浦、阿得雷德、澳洲国立大学等世界一流大学录取。其中，第一届毕业生曹小欧、孙亭源、贾彧智、李雅倩成为第一届英国高考状元，钱禹、何易、顾哲毅、曹小欧等人每学期获得奖学金 3000 英镑。曹小欧考入牛津大学硕博连读，刘云秋考取剑桥大学就读硕士。

学校还与 80 多个国家和地区建立了对外交流合作关系，与美国波士顿墨顿中学、韩国首尔景福高中、新加坡中正中学、越南胡志明市吴时任中学、菲律宾马尼拉侨中学院、英国 Ryde High School 结成姊妹学校，办学模式从一元走向多元，既立足于本土，又面向世界，培养具有中国灵魂的国际型复合人才，走出了一条教育民族化与教育国际化相结合的道路。

（十）发展性教育的启示

发展性教育思想形成、发展（1990—2009）的二十年，是学校开拓创新、锐意进取的二十年，是广大师生员工解放思想、艰苦奋斗的二十年。上述成绩的取得离不开上级领导的关怀，离不开教职员工的拼搏，离不开社会各界的支持。二十年的跨越式发展在学校的办学历程中写就了浓墨重彩的光辉篇章，学校做了多年来想做而没有做成的事情，初步实现了几代重庆一中人的夙愿。学校面貌日新月异，出现了心齐、气顺、劲足、实干的局面，充分调动了教职工的积极性和主动性，学校办学水平、办学效益和办学声望得到极大提升，群众满意度、学校美誉度不断攀升。

发展性教育二十年的实践启示我们：发展是硬道理，解决学校所有问题的关键在于自身的发展，要用改革的办法来解决发展中的问题。重庆一中办学八十年来，特别是重庆直辖和进入新世纪以来之所以能取得巨大成就，学校能有今天的大好局面，归根到底都源于紧紧抓住了发展这个主题。它告诉人们：大发展，小困难；小发展，大困难；不发展，最困难。这道理那道理，发展才是硬道理；这变化那变化，发展才能有变化。要始终不渝地把发展作为第一要务，立足国情、市情、校情，实事求是，有所为，有所不为，有进有退；量入为出，量力而行，突出重点，凸显特色，集中力量办大事；出实招、出高招、出硬招，在全面提升管理质量和形象上下工夫，既做大，又做强，既做精，又做专，以优质的教育与品牌增强学校的综合实力、核心竞争力和社会影响力，促进学校的稳步发展。

回首二十年发展性教育走过的道路，一条极其重要的经验就是无论遇到什么样的困难和风险，无论遇到什么样的干扰和考验，学校始终要坚持改革开放的信心不动摇。历史告诉我们，不改革问题更多，不发展困难更大。发展是当代中国的主题，改革开放是当代中国的主旋律；发展是解决中国一切问题的总钥匙，改革开放是推动教育事业发展的根本动力。可以说，改革开放既是党和国家摆脱当时所处的严重困境，实现奋起的唯一选择，又是赶上新一轮科技浪潮，汇入世界文明潮流的必由之路。

二、发展性教育面临的新形势

什么是发展观？它是指人们关于“发展”的本质、目的、要求的总体看法和根本主张。发展观是否科学，决定着教育发展道路能否正确选择，决定着发展战略能否科学制定，决定着发展过程能否继续推进，决定着发展成果能否惠及人民。对于学校教育发展实践的成败而言，它无疑起着根本性、全局性、长远性的决定作用。在教育解放思想、改革开放的发展中，发展性教育适应时代的需要，着眼于培养有社会责任感、有民主意识、有创新精神、有自主发展能力的“四有”新人。正是由于它源于实践，又指导实践，才获得了发展与生命力。经过多年的持续发展，学校获得了坚实的基础，学校教育处在了一个新的起点上。

（一）发展的重要战略机遇期

2010—2020年，是学校发展战略的关键时期。党的十七大提出要加快推进以改善民生为重点的社会建设，把教育放在民生之首，提出了“优先发展教育，建设人力资源强国”的目标。教育是民族振兴的基石，教育公平是社会公平的重要基础。学校要坚持育人为本、德育为先，实施素质教育，提高教育现代化水平，办好人民满意的教育。要更新教育观念，深化教学内容和方式、考试招生制度、质量评价制度等改革，减轻过重的课业负担，提高学生综合素质。这是全面建设小康社会对教育改革发展提出的新要求。不断满足经济社会对人才的需求，适应经济发展方式主要依靠科技进步和提高劳动者素质的转变，促进社会协调发展，促进人的全面发展，优化教育结构，加快普及高中阶段教育，建设全民学习、终身学习的学习型社会，为教育提供了广阔的发展空间。

（二）重庆教育和学校发展的新任务

把重庆建设成为长江上游教育中心和西部教育高地，是重庆教育和学校发展的新任务，贯彻落实胡锦涛总书记对重庆的“314”总体部署，深入推进统筹城乡教育综合改革试验，是重庆教育和学校发展的新举措。重庆教育提出了到2015年全市所有区县全面实现“双高普九”，力争到2012年初中毕业生升入高中阶段学校的比例达到95%以上，全面实现普及高中教育。为此，要进一步加大实施“科教兴渝、人才强市”战略的力度，深化教育改革，推进教育创新，促进教育为经济社会服务，肩负起培养数以百万计高素质劳动者，造就一大批专门人才和拔尖人才的重任。

（三）国际国内教育发展的新挑战

多年来，尽管学校教育工作取得了一定成绩，但与先进省市的学校相比，与重庆经济社会发展的要求相比，与人民群众对优质教育的需求相比，仍然存在许多问题和较大差距。现代教育本身就是一种国际现象，它是改革开放的必然结果。教育国际化既给教育带来了繁荣发展的机遇，也极大地促进了世界范围内不同教育的相互激荡。它作为一把双刃剑，一方面为各民族教育互相交流、互相合作、互相借鉴、互相提高提供了有利条件，另一方面也给教育在教学内容、教学方法等方面带来了严峻的挑战。学校要积极参与国际教育的交流与合作，进一步扩大对外开放，开拓国内和国际两个教育市场，学习国内外先进教育经验，吸引海内外资金和教育资源，增强教育的国际竞争力。

（四）学校改革发展面临的主要问题

当前和今后一个时期，学校教育发展面临的基本矛盾，是国家、重庆的发展以及人民群众对教育日益增长的多样化需求与优质教育服务供给能力之间的矛盾，全面提升教育发展质量的任务非常艰巨。

面对迅猛发展的教育形势和紧迫的任务，无论是从整体推进素质教育的要求看，还是从全国一流和国际知名的学校定位及适应现代化建设的需要看，学校在教育理念、课程设置、教育水平、学生素质、师资培训、教育科研等方面都还存在一定的差距和有待改进的问题。

从内部环境看：在全面实施素质教育，发挥名校的辐射作用、典范作用上还要有更加有效的举措；要进一步创办特色示范学校，形成自己独有的风格；教育教学管理各项规章制度有待进一步完善与落实；加强学校内部各方面的协调工作；学校各项建设需要合理规划，加快步伐，科学发展；德育实效性有待进一步提高，教育质量有待进一步提高；教育科研水平有待进一步突破；学科发展不平衡，需加大对青年教师的培养；制定科学完善的激励评价机制，形成创先争优、优胜劣汰的竞争合作氛围；办学条件仍需不断优化；等等。

从外部环境看：义务教育的全面普及和城乡间、区域间以及区域内义务教育阶段学校不均衡的状况并存，义务教育经费保障机制逐步完善与高中教育、学前教育体制的不太完善状况并存；素质教育取得重要进展，但现实社会中的升学竞争却愈演愈烈；不断加强和促进办学行为规范化、制度化，同时某些潜规则和不规范行为屡屡出现；城镇化和劳动力转移，带来了新形势下农民工子女就学、新一轮学校布局调整等问题。学校需要坚持用改革的办法去解决教育发展中的突出问题，才能取得明显成效。

总体来看，学校改革发展中的矛盾还比较突出，还受到各方面的制约，前进道路上的困难还很多，工作任务也是十分繁重的。因此，学校要以更加努力勤奋的工作，积极探索，勇于实践，开创各项工作的新局面。

三、发展性教育的新展望

发展理念中的“发展”，一开始主要仅指经济意义上的发展，并将这种发展等同于经济增长，单纯归结为物质财富的积累。这种以早期工业化发展为模本，以物质资本积累为核心的发展，由于忽视了人类社会发展的多样性和复杂性，不仅造成了对资源的疯狂掠夺和对环境的严重破坏，导致人类逐步丧失赖以生存发展的条件，而且带来了分配不公、社会腐败和政治动荡等负面效应，也促使人们开始重新反思发展的意义。

发展性教育作为一种人本化的教育形态，把人的全面发展作为第一要义，关注人的发展质量和发展命运，体现了素质教育的要求，也是科学发展观应有的题中之意。在应试教育还占据着基础教育的主导地位，完成性教育仍是教育的主流，阻碍科学发展观实施的因素还很多的教育背景下，发展性教育仍处于局部的行动之中，无论是它的教育理论还是教育实践，都还有待于学校进一步探索、完善和发展。

（一）发展性教育的指导思想

以邓小平理论和“三个代表”重要思想为指导，全面贯彻党的教育方针，坚持以人为本的全面、协调、可持续的科学发展观，统领学校各项工作，大力推进素质教育。按照中共重庆市委教育工委和市教委的要求，进一步明确发展方向、发展目标和发展重点，深化教育教学改革，促进教育创新，扩大教育对外开放，加强师资队伍建设，不断提高教学质量和办学效益，努力办好让人民满意的教育，构建社会主义和谐学校。坚持服务于重庆直辖市和统筹城乡教育发展的新要求，坚持服务于人的全面发展，突破发展瓶颈，突出内涵发展，注重公平均衡，率先基本实现学校教育现代化，为构建和谐重庆和社会主义和谐社会，提供更有力的人才支撑和智力支持。

（二）发展性教育应遵循的原则

1. 坚持以人为本的原则，贯彻落实科学发展观

学校办学，强调以人为本就是强调两个“为本”：以育人为本，以学生为主体；以人才为本，以教师为主体。以这两个“为本”来实现以人为本，不断提高人才培养质量，大力实施人才兴校战略。

2. 坚持面向社会的原则，紧密结合和谐重庆、“统筹城乡教育”发展战略

学校教育要服务于高校扩招的需要，为高校输送大批优秀合格的高中毕业生，服务于办好让人民满意的教育的要求，努力办好让群众满意的学校；服务于重庆经济社会的发展，为国家培养各级各类人才。

3. 坚持从学校实际出发的原则，立足校情，搞好结构调整，优化资源配置

要立足于以教育教学为主，努力提高人才培养质量；要立足于优化学科结构，突出学科特色，促进协调发展；要立足于教育、培训、管理与引进人才相结合，大力实施“名师工程”；要立足于增强创新推动发展，提高学校教育科研水平；要立足于发挥学校办学优势，为典型性、辐射性、示范性提供理论和实践的支撑；要立足于校园文化建设，努力构建和谐校园；要立足于党的建设和思想政治工作，为学校发展提供坚强的政治保证。

4. 坚持内涵发展的原则，着力突出学校发展的重点

“十一五”期间，学校办学规模扩大，实现了外延发展的目标。在新的历史阶段，学校发展的重点要从以外延扩展为主向以内涵发展为主转变。内涵发展（主动式发展）—追求卓越，超越自我（个性发展）—共同发展（学校发展目标）—可持续发展。

5. 坚持统筹协调的原则，实现学校“一校五地”的协调发展

以校本部为主体，包括渝北寄宿学校和大学城校区、北部新区国际交流学校、皇冠实验学校，形成“一校五地”优势互补、整体协调、齐头并进的新格局。校本部发展定位是高中年级，渝北寄宿学校发展定位是初中年级，大学城校区发展定位是高中年级，北部新区国际交流学校发展定位是培养出国人才，皇冠实验学校发展定位是初、高中年级。

6. 需要正确处理的几个关系

遵循教育部提出的“巩固、深化、提高、发展”的方针，要处理好规模、结构、质量、效益、成本、水平等诸多关系。第一，处理好全面发展与强化特色的关系，强化特色制胜的意识。第二，处理好外延扩展与内涵发展的关系，强化质量意识。第三，处理好中心工作和其他工作的关系，强化教学管理的意识。第四，处理好改革、发展、稳定的关系，强化改革创新的意识。第五，处理好硬件建设与软环境建设的关系，强化师资队伍建设的意识。第六，处理好当前利益与长远利益、整体利益与局部利益的关系，强化可持续发展的意识。

学校要不断深化对教育发展环境的认识，对教育发展中政府、社会、市场各自作用及其相互关系的认识，对教育管理体制、教育投入机制、办学体制三者之间互动关系的认识，对教育发展中教育观念、教育体系、教育体制三者关系的认识，对教育效能、教育效率、教育公平、教育秩序四者关系的认识等。

（三）2010—2020 年总体发展目标

把重庆一中办成重庆市和西部地区模范性高级中学，把重庆一中建设成为现代化的并在国内外享有较高知名度的中华名校。建成一所“管理高效率、师资高水平、学生高素质、设施高质量、服务高规格”的示范窗口学校，真正做到学生向往、上级肯定、社会满意的名牌、金牌、王牌学校。

（四）2010—2020 年具体发展目标

1. 全面实施发展性教育

形成系统的发展性教育理论，构建起科学化和人本化的行政服务体系、自觉高效的自我教育体系、个性化课堂教学体系和强大的学校创新体系。发展性教育成效显著，成为师生和社会认同的、全面实施素质教育的有效模式。

2. 内涵式发展模式基本形成

学校办学规模稳定在160个教学班，在校生9000人左右。学校资源配置效率大幅度提高，整体教学水平不断提升，并力争让每个学生的个性、特长和潜能都得到最大限度的发展。学校的整体办学实力得到增强。

3. 基本构建起现代学校制度体系

学校内部形成科学的决策、执行和监督体系，形成行为规范、运转协调、公开透明、廉洁高效的管理体制。

4. 抢占教师专业化发展制高点

到2020年，力争师生比达到1∶12。培养出10名在全国有较大影响的专家，20名中学研究员或特级教师，30名在重庆市有较大影响的名师，40名市级以上优秀教育工作者、优秀班主任、先进教师和先进个人，120名重庆市骨干教师。获得硕士研究生课程结业证书的教师比例达100%，硕士及以上学位获得者达到150人。

5. 成为课程改革示范校

基本形成符合新课改要求的课堂教学新模式；形成适应学校发展特点和学生发展需要的选修课、活动课、竞赛课、研究性学习、社会实践课的框架体系；形成具有学校特色的校本课程体系；形成科技、艺术、体育等课改示范课程；形成与新课程相适应的课程评价体系，课改成效显著，改革经验发挥出良好的辐射带动作用。

6. 学校特色日益彰显

现有奥赛、科技、艺体、国际交流等办学特色的内涵不断丰富，获奖率、获奖层次继续提高，有5—10人在国际性奥赛中获奖，学生的科技素养、艺术素养、体育素养保持重庆一流水平，进入全国先进行列，成为学校的重要标志，以特色发展成功带动学校的整体发展。

7. 硬件设施全面达到国家标准

校园、校舍、信息技术设备、图书馆设施等硬件全面达到并适度高于国家级示范性高中评估标准要求。教职工工作、学习、生活条件和福利待遇有较大幅度的改善。

8. 学校国际影响力不断扩大

积极实施“引进来”与“走出去”战略，与发达国家重点中学建立起长效交流与合作机制，利用国际先进的教育资源，参与国家教育竞争。

四、发展性教育的主要任务

一百多年前，马克思、恩格斯在《共产党宣言》中描述了未来共产主义社会的素质特征，认为它“将是这样一个联合体，在那里，每个人的自由发展是一切人的自由发展的条件”。人的发展是一切发展的核心。发展归根到底要着眼于人的发展。科学发展观把人看做一切工作的前提条件，突出了人民群众在社会发展中的主体地位和决定作用，强调发展的结果为人民群众所享用。

教育是人类社会发展的重要推动力量，是实现社会公平的有效手段，是人力资源开发的基础，也是促进人自身全面发展的必然途径。它作为培养与造就社会主义事业建设者和接班人的工程，其发展充分体现了以人为本的科学发展观。在发展性教育未来的探索道路中，学校要大力实施“一二三四五六”战略和“八大工程”建设。

（一）“一二三四五六”战略

一个中心：坚持把全面提高教学质量作为学校工作的中心。

二个保障：坚持把师资队伍建设和安全工作作为学校良性发展的保障。

三个机制：坚持依法治教，形成科学民主、快速高效的学校管理机制；完善科学高效的课堂教学模式，形成素质教育的教学和评价激励机制；推进教育科研引领教学，形成科研促质量的运行机制。

四大战略：以德强校战略，细化常规管理，创新德育工作，构建淳朴的校风、严谨的教风、踏实的学风、优良的班风；特色兴校战略，发挥学校竞赛、科技、艺体、国际部的独特优势，打造素质教育的“领头羊”；民主治校战略，全心全意依靠教职工办学，完善教代会和校务公开制度，切实保障师生员工的民主管理、民主参与、民主监督的权利；国际教育战略，培养国际复合型人才。

五个全面：全面贯彻党的教育方针；全面促进学生的发展；全面深化教育教学改革；全面加强队伍建设；全面实现教育现代化。

六个意识：强化师德建设意识；强化人才意识；强化质量意识；强化创新意识；强化改革意识；强化发展意识。

（二）“八大工程建设”

1. 制度建设工程

健全和完善各项管理制度和运行机制，让学校有序地步入制度化、科学化、规范化的发展轨道。完善和深化年级负责制，注重细节和过程管理，使年级负责制在教育教学中发挥更加积极有效的作用。建立有效的竞争合作机制，让教师在激励中成长。建立质量管理目标责任制，明确职责，协调顺畅，把责任落实到每个岗位和人员。建立有效的生源基地，规范招生制度。规范对外宣传制度，加大对外宣传力度。

2. 师资建设工程

建立一支适应教育教学需要，专业结构、年龄结构、学历结构、性别结构和技术结构搭配合理且数量充足的教师队伍迫在眉睫。严格控制教师总量，根据学校未来发展规划，有计划、有步骤地做好选拔招聘工作。全面优化教师结构，优化职称结构。教师队伍的高、中、初级结构比例应为6∶2∶2。在职研究员、特级教师应占一定比例。优化学历结构，具有硕士学位以上的教师应占教师总数的25%以上，其中具有博士学位的教师应有一定的数量。优化性别结构，男女教师比例要适当。优化年龄结构，继续执行择优录用、优中选优、积极稳妥的用人政策，使中青年教师人数达到全校教师总数的80%以上。全面落实教师聘任聘用制，实行低职高聘、高职低聘，对考核不合格的教师实行缓聘、不聘或调离岗位、学校。改革教师工资结构，促使教师报酬与业绩挂钩，鼓励教师在岗位上多作贡献。大力开展校本培训，鼓励教师参加教学科研和学术活动。加强班主任队伍建设和青年教师队伍建设。

3. 课程改革工程

转变教师教学和学生学习的方式。规范教学常规管理，包括课程和评价管理、教学绩效管理、教师继续教育管理、课程资源开发和共享管理等。加强教育科研建设，使科研课题更加贴近学校的发展，具有实用性、操作性和推广性，为教育教学提供经验。大力加强学科建设，打造强势学科，提升发展学科，扶持薄弱学科，力争在五年内大部分学科的建设水平在全市处于排头兵地位，有5—10个学科成为全国的名牌学科。研究中考、高考改革模式，积极应对中考和高考，确保毕业班成绩在全市位居第一。

4. 素质提升工程

加强和改进未成年人思想道德教育，积极探讨新形势下学校德育工作的内容、特点、规律、方法、手段和途径，发扬光大我校德育工作的特色。继续丰富发展以养成教育、心理教育、法制教育、实践教育为主要内容的德育体系。以培养学生个性特长、兴趣爱好和提高学生的艺术素养为目的，进一步加强音乐、美术、体育等工作。继续搞好学生课余社团活动。贯彻质量和效益相统一的方针，努力巩固、不断扩大学科竞赛和科技比赛成果。探索文理实验班精英人才培养模式，争取在五年内实现国际学科奥赛金牌的新突破。加强毕业生跟踪调查和信息反馈工作，建立较为完备的毕业生信息库，大力宣传学校优秀校友，完善教育工作。

5. 信息化工程

以现代化、信息化、数字化为目标，加强现代教育技术工作，加快信息化步伐。做好教师现代教育技术培训工作，五年内力争100%的教师都能有效地利用信息化环境辅助教育教学工作。积极拓展硬件软件建设，逐年加大信息化投入，加强对现代教育技术的运用研究，加强网站资源建设，使学校的信息化水平始终保持在全市乃至全国的先进行列。整合计算机中心、电教中心和图书信息中心，建设数字化校园，实行全面的网络互动化、教学多媒体化、管理数字化。建立校本课件研发制作室。

6. 国际化工程

以国际部为依托，加强对外交流与合作，打造国际学校创新品牌，加速学校国际化的进程。努力做好教师交流工作，组织好骨干教师到国外进修、考查。深入做好学生交流工作，有目的地组织学生到国外参加夏令营、冬令营、修学访问等活动。努力实现课程的多样化和国际化，适当引进国外先进的通识课程和教材，力争双语教学有实质性的进展。未来五年中，力争同全球各大洲的至少一所学校建立友好学校关系，双方有正式的合作协议以及实质性的合作内容。筹建外教与留学生楼。完善对外接待工作，主动开拓渠道，邀请国外学校领导、师生来校交流访问，争取承办大型的国际性学术研讨会。加大对海外招生的宣传力度，做好对外招生工作，未来五年，留学生在全校学生中应占有一定的比例。

7. 后勤服务化工程

积极探索学校后勤服务化工作的经验，提高服务育人的质量和水平，引领和示范全市乃至全国中学的宿舍、食堂、卫生工作。按照市场经济要求，探索并建立企业化运作的学校后勤管理模式，实行目标化、社会化和市场化的运营模式。建立一支综合素质好、工作效率高、服务质量优的后勤保障队伍。强化安全意识，杜绝重特大安全事故，加强安全保卫工作，确保校园平安、文明、稳定。

8. 校园建设工程

建设校园、美化校园、绿化校园，搞好统筹规划，努力营造校园文化氛围。改造学校景观文化，按照统一协调与个性化发展相适应，物质形式与精神内容相协调的要求，凸显校园生态特色、人文特色，将学校变成一本鲜活的教材，营造一个宏伟典雅、古朴庄重、充满历史意蕴与现代气息、人文精神与高新科技相结合的花园式学校，成为学生读书求学、养性怡情、放飞理想的育人摇篮和成长圣殿。使广大师生员工在其中不断汲取营养，增添动力，净化心灵，永争第一。

结　束　语

八十年波澜壮阔，八十年风雨兼程，八十年弦歌不辍，八十年弹指一挥间。

有人说，这是一个飞速发展、翻天覆地的时代；有人说，这是一个充满激情与梦想的时代；也有人说，这是一个变革与重构交织的时代。

重庆一中的发展从1931年至2011年已经走过了八十个春秋。

这是学校深刻变革、快速发展的八十年；

这是学校奋发图强、成绩斐然的八十年；

这也是学校开拓创新、玉汝于成的八十年。

新中国成立六十年特别是改革开放三十年的时代背景，构成了学校弄潮的舞台；得天独厚的资源优势，铸就了学校的底蕴。春华秋实，实至名归。八十年风云际会，重庆一中始终以掌旗者的英姿屹立于风口浪尖，不断在竞争中搏击，在搏击中收获，在收获中进取，在进取中壮大……

回顾学校走过的历程，不仅仅是怀旧，是为了寻找进步的原点，更是为了从原点重新吹响改革开放的集结号。

光阴荏苒，斗转星移，岁月如歌。回眸八十年，重庆一中人演绎着一个个精彩，追求着一次次成功。发展的深度，决定学校的速度。视野的广度，决定事业的高度。重庆一中春天的故事组成了中国教育改革开放这幅长卷中激动人心的一部分，谱写了重庆教育和学校历史中最灿烂辉煌的新华章。

百年大计，教育为本，以科学发展观指导教育发展，就是要解决如何科学发展，实现什么样的发展中的矛盾和问题。基础教育在各级各类教育中处于重中之重的位置。就其对象来说，它是面向青少年儿童的教育；就其内容来看，它是促进学生形成和掌握基本知识、基本技能的教育；就其性质而言，它是整体提升公民素质，树立和谐观念，增强构建和谐社会的能力的教育。因而，它是国民教育的奠基工程。

优先发展教育，建设人力资源强国，是时代赋予我们的新的伟大使命。今日的中国教育能否担当起这一伟大的历史使命，这是每个教育工作者必须深深自问的。聚焦思维于此，展开行动于今，正是教育面对历史新起点的应有回应。要迎头赶上世界教育前进的步伐，实现中华民族的伟大复兴，必须要有强烈的忧患意识、超前的规划和坚定而踏实的行动。

理论探索无止境，实践发展无穷期。面对新时期学校教育的新机遇、新挑战、新要求、新任务，学校要进一步解放思想、改革开放，按照市教委提出的“一个统领、两条主线、三个维度”的基本工作思路，深入推进统筹城乡教育综合改革试验，大力提升重庆和学校教育的发展水平。

学校要坚持把继承发扬重庆一中的宝贵财富与开拓进取相结合，坚持把发展性教育理论与教育教学实践相结合，坚持把发展性教育的历史与发展性教育的现实相结合，坚持把发展性教育的认识与发展性教育的实际相结合。用先进的教育理念引领人，用发展的愿景鼓舞人，用科学的制度规范人，用公正的标准评价人，用先进的典型感召人，用优秀的业绩激励人，用和谐的文化熏陶人，用丰富的实践锻造人，进一步求真务实，与时俱进，奋发有为，励精图治，用辛勤的劳动和汗水，书写中国教育的美好明天！

责任编辑　何　艺
版式设计　宗沅雅轩　杨玲玲
责任校对　曲凤玲
责任印制　曲凤玲

图书在版编目（CIP）数据

求知求真，卓越发展：重庆一中教育创新研究／鲁善坤等著．—北京：教育科学出版社，2011.4（2013.3 重印）
（“守望者的凝思：读懂学校、读懂校长”系列论丛／裴娣娜主编）
ISBN 978－7－5041－5694－5

Ⅰ.①求… Ⅱ.①鲁… Ⅲ.①中学教育－研究－重庆市 Ⅳ.①G63

中国版本图书馆 CIP 数据核字（2011）第 042937 号

出版发行　教育科学出版社

社　址	北京·朝阳区安慧北里安园甲 9 号	市场部电话	010－64989009
邮　编	100101	编辑部电话	010－64981167
传　真	010－64891796	网　址	http://www.esph.com.cn

经　销	各地新华书店		
制　作	北京金奥都图文制作中心		
印　刷	保定市中画美凯印刷有限公司	版　次	2011 年 4 月第 1 版
开　本	169 毫米×239 毫米　16 开	印　次	2013 年 3 月第 2 次印刷
印　张	22.25	印　数	9 001—10 000 册
字　数	304 千	定　价	50.00 元